viaDELTA BIOLOG
D0511568

viaDELTA BIOLOGIE WERKBOEK 2
Biologie in de samenleving HAVO 5

Synaps

Auteurs
Loes Pihlajamaa-Glimmerveen
Alfred Schermer
Agnes van Straaten-Huygen

met medewerking van
Kees Bogert
Barend de Graaf
Martin van Zeben

eerste druk, 1e oplage

Spruyt, Van Mantgem & De Does bv • Leiden • 2000

Basisontwerp
Hans Gerritsen
Rita Ottink

Tekenwerk
Wouter Diepeveen
Gemma Stekelenburg
Ad van Horssen

Redactie en opmaak
Tekst in Vorm, Houten

Ondanks vele inspanningen is het de uitgever niet gelukt alle rechthebbenden te achterhalen. Denkt iemand rechthebbende te zijn, dan kan hij zich wenden tot de uitgever.

Gedrukt op chloorvrij papier, geschikt voor hergebruik

Primary fibre from sustainable forestry

Recoverable material

Oplage 9 8 7 6 5 4 3 2 1

Bestelnummer 577501 ISBN 90 238 4252 5

VOOR DE LEERLING

De methode viaDelta 'Synaps, biologie in de samenleving' bestaat uit twee onderdelen, een theorieboek en een werkboek . Het theorieboek lijkt nog het meest op een 'gewoon' biologieboek. Daarin staat alle informatie die je minimaal nodig hebt om je eindexamen te halen. Het werkboek bestaat uit twee delen. Een deel voor de vierde klas en een deel voor de vijfde klas. Het is speciaal ontworpen voor de Tweede Fase en leert je behalve biologie ook een groot aantal vaardigheden om zelfstandig te leren studeren en hoe biologische kennis overal in de samenleving wordt gebruikt.

Vanuit het werkboek word je aangestuurd om bij het vak biologie zo zelfstandig mogelijk te leren studeren en werken. Je begint in elk blok (dit jaar is in 7 blokken verdeeld) steeds in dit werkboek en gebruikt het theorieboek als eerste, maar niet als enige, informatiebron. Aanvankelijk was het werkboek nog erg sturend, dat wordt steeds minder en je gaat nu zelf de planning van je studie overnemen. Je kunt dat, omdat je intussen een groot aantal vaardigheden hebt geleerd of geperfectioneerd. Vaardigheden zijn belangrijke doelen in de Tweede Fase.

In het eerste blok vind je goede raad voor het werken aan je profielwerkstuk. Blok 1 is daarom geen blok van 3 weken, zoals de andere blokken. De indeling in blokken is overzichtelijk en biedt je frequent de mogelijkheid het leerproces te evalueren en een nieuwe start te maken. Hoe de blokken over het jaar verdeeld zijn, is afhankelijk van de manier van werken in jouw school.

Elk blok begint met een artikel of activiteit, waarin biologie in een maatschappelijke situatie aan bod komt. Die situatie ga je analyseren, waarna je op zoek gaat naar de biologische informatie die daarbij relevant is. Naast het bestuderen van die biologische informatie voer je een aantal verplichte basisopdrachten uit die essentieel zijn voor het begrijpen van de leerstof. Vervolgens voer je in groepjes een paar verdiepingsopdrachten uit waarover je aan de overige groepjes rapporteert. Je sluit elk blok af met een toets.

Leerlijnen
De opdrachten in dit werkboek zijn geschreven in drie leerlijnen, zoals ook in alle andere viaDelta-methoden.
De opdrachten waar een ▶ voor staat, zijn eersteleerlijn-opdrachten. Dit zijn open opdrachten waarop iedereen uiteindelijk een antwoord moet vinden. De tweedeleerlijn-opdrachten, te herkennen aan een ■, vormen meestal een stappenplan. Deze opdrachten hoef je alleen te maken wanneer je hulp nodig hebt bij het maken van de eersteleerlijn-opdracht. Als je meer en concretere hulp nodig hebt bij het uitvoeren van de tweede leerlijn, kun je ook nog de opdrachten van de derde leerlijn maken. Deze opdrachten zijn aangegeven met een ●.

Let op: alleen bij de wisseling tussen leerlijnen staat een tekentje voor de opdracht.

INHOUD

1 Terugblik
2 Onderzoek doen
3 Brainstormen: wat zou jij willen weten?
4 Werken aan je profielwerkstuk

BLOK 1

DE DRAAD WEER OPPAKKEN

INLEIDING

Als je dit leest, ben je ongeveer halverwege de Tweede Fase. Je hebt werkboek 1 doorgewerkt en deel 2 ligt voor je. De komende maanden werk je weer met werkboekblokken, maar nu zul je ook aan de slag moeten gaan met het profielwerkstuk. Bovendien komt het eindexamen dichterbij. Het is belangrijk dat je je tijd goed gebruikt. In dit blok zullen we aangeven hoe je de draad weer op kunt pakken en vind je behalve een paar opdrachten tips die nuttig kunnen zijn bij het uitvoeren van je profielwerkstuk en je voorbereiding op het eindexamen.

PARAGRAAF 1.1 TERUGBLIK EN VOORUITZIEN NAAR EEN ONDERZOEK

OPDRACHT 1 TERUGBLIK

Om efficiënt te studeren, moet je misschien enkele goede gewoonten weer eens opfrissen.

► a Heb je van elk blok vorig jaar een begrippenlijst gemaakt met de noodzakelijke informatie, zodat je straks voor het examen in korte tijd de hoofdzaken kunt repeteren?

■ b Zoek met elkaar een oplossing wanneer je de lijst niet (meer) hebt of wanneer hij onvolledig is.

► c Natuurlijk houd je deze lijst ook dit jaar bij!

d Heb je van de theoriehoofdstukken van vorig jaar een eigen samenvatting?

■ e Zo niet, dan moet je ze nog maken. Ruim hier tijd voor in!

► f Heb je er een gewoonte van gemaakt om bij de opdrachten ook gebruik te maken van de aanwijzingen voor de verschillende vaardigheden achter in het werkboek?

■ g Ze lijken misschien omslachtig, maar als je ze op een goede manier gebruikt, heb je daar alleen maar profijt van, zowel nu op school als straks bij je studie of baan.

OPDRACHT 2 ONDERZOEK DOEN

► a Lees de onderstaande tekst.

Wat doe je als je iets wilt weten?

Je vraagt het aan iemand die het kan weten (de makkelijkste weg, maar vind maar zo iemand). Je zoekt het op in een boek, een encyclopedie of op het internet. Je onderzoekt het zelf, dat is natuurlijk het leukste, misschien ontdek je wel iets nieuws, maar daarvoor moet je wel weten hoe. Bovendien moet je weten wat voor soort onderzoek: voor uiteenlopende onderwerpen kan de manier van onderzoeken nogal verschillend zijn.
In heel veel beroepen wordt onderzoek gedaan, zoals:

1 Onderzoek door politie en justitie: *Wie heeft het gedaan?*
2 Onderzoek door de media: *Wat is er gebeurd?*
3 Consumentenonderzoek: *Wat is het beste product?*
4 Marktonderzoek: *Hoe verkoop ik mijn product het beste?*
5 Onderzoek door de dokter: *Wat heb je?*
6 Onderzoek door de leraar: *Heb je genoeg geleerd?*
7 Wetenschappelijk onderzoek: *Hoe zit het eigenlijk in elkaar?*

De vormen van onderzoek in al deze gevallen lopen vaak in elkaar over: zo gebruikt de politie heel vaak wetenschappelijke methoden, bijvoorbeeld als er door middel van DNA wordt uitgezocht wie de dader van een misdrijf is, en werken journalisten en marktonderzoekers vaak met interviews en enquêtes.
Voor al die vormen van onderzoek is langzamerhand een vaste aanpak ontwikkeld, die de kans op succes (goede en betrouwbare resultaten) zo groot mogelijk maakt. In je eigen onderzoek

voor het profielwerkstuk gebruik je bij voorkeur natuurlijk ook zo'n aanpak. Onderzoekers hebben het over 'methode'.
In de biologie en de andere natuurwetenschappen bouwen we voort op werk, dat al ver voor onze jaartelling begon. Lang voordat er over wetenschap gesproken werd, wisten mensen al veel over de planten en dieren in hun omgeving, eenvoudig omdat ze daarvan afhankelijk waren. Op hun manier deden ze ook aan onderzoek. Zo is lang gedacht dat medicijnmannen in zogenaamde primitieve culturen 'maar wat deden', maar nu er serieus wetenschappelijk (!) onderzoek wordt gedaan naar de bruikbaarheid van hun geneesmiddelen, komen westerse onderzoekers tot de ontdekking, dat ook deze mensen vaak werken volgens de wetenschappelijke methode. Door zorgvuldig te volgen wat er met hun patiënten gebeurt na een behandeling en dat te vergelijken met wat er met een onbehandelde patiënt gebeurt, onderzoeken ze de werkzaamheid van geneeskrachtige planten. Natuurlijk speelt daarnaast ook nog van alles wat wij bijgeloof zouden noemen, een rol. De basis van de moderne wetenschap werd gelegd door de Griekse natuurfilosofen.

b Lees nu globaal paragraaf 2.1 van het theorieboek.

c Van een groot aantal mensen van wie hier de belangrijkste worden genoemd, is bekend dat ze in hun tijd wetenschappelijk bezig waren, maar van veel anderen die dat ook deden, weten we niets. Het onderzoek bestond in die tijd uit filosoferen, waarnemen, verklaringen zoeken, commentaar geven op en uitleggen en samenvatten van werk van anderen en soms experimenten uitvoeren.
Welke wetenschappen werden in die eeuwen vooral beoefend? Kun je dat ook verklaren?

Vanaf ongeveer 1600 ontwikkelde zich het soort onderzoek, waarin door middel van experimenten naar verklaringen wordt gezocht. Elke proef moet zo worden uitgevoerd dat een ander het na kan doen, om te controleren of het resultaat echt betrouwbaar is.
Er moet dus heel nauwkeurig verslag worden uitgebracht van de proefopzet en de resultaten.
In paragraaf 2.1 blijkt heel duidelijk dat de voortgang van het onderzoek erg afhankelijk is van de ontwikkeling van de technieken: voordat er goede microscopen waren, kon niemand weten dat alle levende wezens uit cellen bestaan.
Omdat de techniek tegenwoordig vaak erg ingewikkeld is, zijn de proeven die we in school kunnen doen dikwijls dezelfde die wetenschappers lang geleden deden.
Voor het begrijpen van de wetenschappelijke methode zijn ze overigens even goed.
Als je zelf iets gaat onderzoeken of uitzoeken, is de belangrijkste vraag: wat wil je precies weten? Met de nadruk op het woord 'precies'. Want er zijn natuurlijk heel veel dingen te onderzoeken en heel veel uitkomsten zijn leuk of interessant, maar is dat ook wat jij wilde weten?
Verder is het belangrijk om precies te beschrijven wat je gedaan hebt en wat het resultaat was. Een resultaat dat anders uitvalt dan je dacht of een negatief resultaat kan best 'goed' zijn.

d Lees nu globaal paragraaf 2.2 (doe het echt niet meer dan globaal, in blok 2 komt dit verhaal weer aan de orde).
Wetenschappelijk onderzoek draait om de vraag: hoe zit het in elkaar? of: hoe werkt het? Het is niet één vorm van onderzoek. Het kan bestaan uit:
1. Literatuuronderzoek: bijvoorbeeld aan de hand van schoolboeken, krantenartikelen, of wat diepgravender, handboeken of de oorspronkelijke publicaties van de onderzoekers.
2. Routineonderzoek (bijv. naar de hoeveelheid vitamine C in verschillende groenten): je gebruikt methoden die anderen hebben uitgezocht, maar je breidt daarmee bestaand onderzoek wel uit.

3 Beschrijvend onderzoek: bijvoorbeeld wanneer iemand onderzoekt welke planten en dieren er in een bepaald gebied leven of hoe een dier in elkaar zit en leeft.
4 Verklarend onderzoek = hypothesetoetsend onderzoek: je wilt begrijpen hoe een bepaald verschijnsel verklaard kan worden. Een voorbeeld: je ziet dat sommige bloemen tegen de avond sluiten en in de ochtend weer opengaan en je veronderstelt dat ze reageren op de hoeveelheid licht. (Hypothese is een ander woord voor veronderstelling.)
5 Ontwerpend onderzoek: wanneer een arts zoekt naar een betere methode om bijvoorbeeld brandwonden te behandelen (nieuwe methoden, nieuwe toepassingen).
6 Theoretisch onderzoek: waarin wetenschappers bijvoorbeeld zoeken naar wiskundige verklaringen voor verschijnselen.

e Leg uit dat 2 alleen mogelijk is na 4, dat 6 kan leiden tot 4 en dat 5 afhankelijk is van 4.
f Zoek van elk type onderzoek een voorbeeld onder de opdrachten uit werkboek 1 (of 2).

OPDRACHT 3

BRAINSTORMEN: WAT ZOU JIJ WILLEN WETEN?

▶ a Bespreek in een groep welke vraag jij nu wel eens beantwoord zou willen zien, liefst een vraag uit het vakgebied biologie.
b Naar welke instelling stuur je je vraag?
c Hoe kom je erachter waar je de juiste wetenschappers kunt vinden?
■ d Kies hiervoor een vraag waarop je het antwoord niet zelf kunt ontdekken of opzoeken, maar waarvan je vermoedt dat iemand het wel weet.
Denk aan 'hersenkwellers' als:
- Waarom worden meisjes ongesteld?
- Waarom is er nog steeds geen goed middel tegen jeugdpuistjes?
- Waarom rukken bacteriesoorten als legionella op?
- Wat hebben hersenen met gedrag te maken?
- Bestaat het broeikaseffect echt?
- Worden we over honderd jaar allemaal veel ouder?

Maar bedenk liever je eigen vraag!

▶ e En doe wat met het antwoord dat je krijgt! Na de deskundige bedankt te hebben, publiceer je het antwoord natuurlijk binnen de klas of school.

OPDRACHT 4

WERKEN AAN JE PROFIELWERKSTUK

▶ a Wat is je vraagstelling en welke methode van onderzoek ga je toepassen?
b Heb je gebruikgemaakt van de stappenplannen in het vaardighedenkatern? (7, 8 of 9 waarschijnlijk en vergeet niet bijtijds 14, 15, 16 en 17 nog eens door te nemen!)
c Controleer of je stappenplan klopt.
1 Wat wil je precies weten (hoofdvraag en deelvragen), fase van het theoretiseren, verzamel alvast informatie over het onderwerp.
2 Wat wordt je eerste hypothese?
3 Wat is op grond daarvan je voorspelling? (De 'als ... dan'-redenering.)
4 Opstellen van het werkplan.
5 Uitvoeren van het experiment.
7 Vastleggen van de resultaten.
8 Trekken van conclusies.
9 Schrijven van het verslag, waarin vooral erg belangrijk is dat je je eigen werk kritisch bekijkt:
- Sluit het experiment aan bij de onderzoeksvraag?
- Sluiten mijn conclusies aan bij de resultaten?

- Wat had beter gekund?
- Wat heb ik er echt van geleerd?
- Wat zou een vervolgonderzoek kunnen zijn? (Welke vragen zijn er nog of zijn juist door dit onderzoek ontstaan?)

Zorg dat je je, afhankelijk van hoe ver je nu bent, aan deze stappen houdt.

d Bovenstaand stappenplan hoort bij een experimenteel onderzoek. Stel zelf een dergelijke lijst op voor het geval je een literatuuronderzoek doet of gaat doen.

PARAGRAAF 1.2 HULP BIJ HET MAKEN VAN HET PROFIELWERKSTUK

AANWIJZING 1 GEBRUIKMAKEN VAN INTERNET

Waarschijnlijk heb je op het moment dat je aan werkboek 2 begint, al een onderwerp gekozen en een werkplan ingediend. Als dat niet het geval is, is het verstandig om gebruik te maken van de praktische opdrachten die je al hebt uitgevoerd en om voort te bouwen op een daarvan die je leuk vond. Zo bespaar je veel tijd. Sommige scholen laten de leerlingen vrij in hun onderwerpkeuze, andere bieden een lijst van onderwerpen aan, zowel voor de praktische opdrachten als voor de profielwerkstukken.
Er is ook een website waar leerlingen op zoek kunnen gaan naar geschikte onderwerpen: www.werkstuknetwerk.com. De hier gepresenteerde onderwerpen vertegenwoordigen alle een bepaalde studierichting binnen hbo of universiteit. Je kunt hiermee aan de slag met een studierichting die je aanspreekt en meteen ervaren of deze richting inderdaad een goede keuze is voor een vervolgstudie. De opdrachten van deze site zijn voorbereid door studenten van de lerarenopleiding op grond van hun eigen onderzoeksopdracht uit hun eerste jaar. Zo wordt het streven naar verbetering van de aansluiting van vwo of havo op hbo of universiteit reëel uitgewerkt.
Je krijgt in deze site naast een reeks geschikte opdrachten een stappenplan aangeboden, waardoor je geholpen wordt de wetenschappelijke werkwijze te hanteren. De site biedt uiteenlopende typen opdrachten: naast literatuuronderzoek ook natuurwetenschappelijke experimenten, enquêtes en technische ontwerpopdrachten. Daarnaast kun je natuurlijk veel informatie verzamelen via internet. Bij alle blokken in de werkboeken vind je een lijst sites, met materiaal over de stof van dat blok.

AANWIJZING 2 PRESENTATIE

De presentatie kan bestaan uit een verslag, een poster of een videofilm, maar het mag ook een uitgevoerd ontwerp zijn. Zorg ervoor dat je goed op de hoogte bent van wat er op jouw school afgesproken is en vooral hoe je werk beoordeeld zal worden.
Vooral wanneer je een andere vorm van presentatie wilt kiezen dan een verslag, moet je goed weten hoe deze beoordeeld zal worden.
Er zijn scholen die de presentaties op een feestelijke manier in de avonduren organiseren (waar dus niet iedereen een mondeling verhaal kan houden). Dit wordt door ouders erg op prijs gesteld. Het is natuurlijk ook voor jezelf veel bevredigender om je ouders en vrienden op een gezellige avond op de hoogte te stellen van wat je gedaan hebt, dan wanneer alleen de docent je werk onder ogen krijgt. De vaardigheid 'spreken voor publiek' kan meteen geoefend worden (door een deel van de leerlingen). Misschien kun je zelf zo'n avond organiseren.

AANWIJZING 3

EXAMENDOSSIER

Het examendossier is bedoeld om te laten zien wat je allemaal gedaan hebt voor een vak. Je hebt op school niet alleen veel informatie opgedaan, je hebt ook van alles gemaakt, je hebt onderzoeken uitgevoerd, mensen geïnterviewd enzovoort. Door het examendossier heb je naast het diploma en de cijferlijst ook iets waarmee je kunt laten zien wat je gedaan hebt. Dat is leuk voor jezelf later, maar het kan ook nuttig zijn als je naar een vervolgopleiding gaat of solliciteert. In verschillende beroepsopleidingen is het heel gebruikelijk om aan de hand van werkstukken te laten zien wat je kunt bij sollicitaties, er wordt daar meer naar gekeken dan naar examencijfers.
Het examendossier omvat volgens de voorschriften de volgende onderdelen:

1 een aantal toetsen;
2 een aantal kortdurende practica, waarvan er één of meer 'een wat grotere omvang' moet(en) hebben, dit zijn de Praktische Opdrachten (PO's);
3 een profielwerkstuk (PWS);
4 een handelingsdeel (HD);
5 ICT-vaardigheden.

Natuurlijk doe je in je examendossier je meest geslaagde producten. Waarschijnlijk zijn er op je school afspraken over wat er precies in het dossier komt, naast de verplichte toetsen. Als je zelf de keuze mag maken, zou je uit elk blok het onderdeel dat je zelf het meest geslaagd vindt, kunnen nemen. Dat hoeft dus niet een tekst te zijn, denk ook aan:

- één of meerdere ontwerpen die je getekend of zelfs uitgevoerd hebt;
- verslagen van onderzoeken (klein of groot) die je verricht hebt;
- verzamelingen die je hebt aangelegd;
- artikelen die je hebt geschreven;
- video's, foto- of diaseries, computerprogramma's die je gemaakt hebt.

Omdat iedereen er baat bij heeft niet alleen maar beoordeeld te worden op zo'n centraal (schriftelijk) (eind)examen, heeft ieder apart de verantwoordelijkheid om van dat examendossier iets moois te maken. Dat examendossier is namelijk een leuke afsluiting van je schoolloopbaan, waarin je kunt laten zien wat je wel kunt. (Bij het centraal schriftelijk word je veelal afgerekend op datgene wat je niet kunt!)

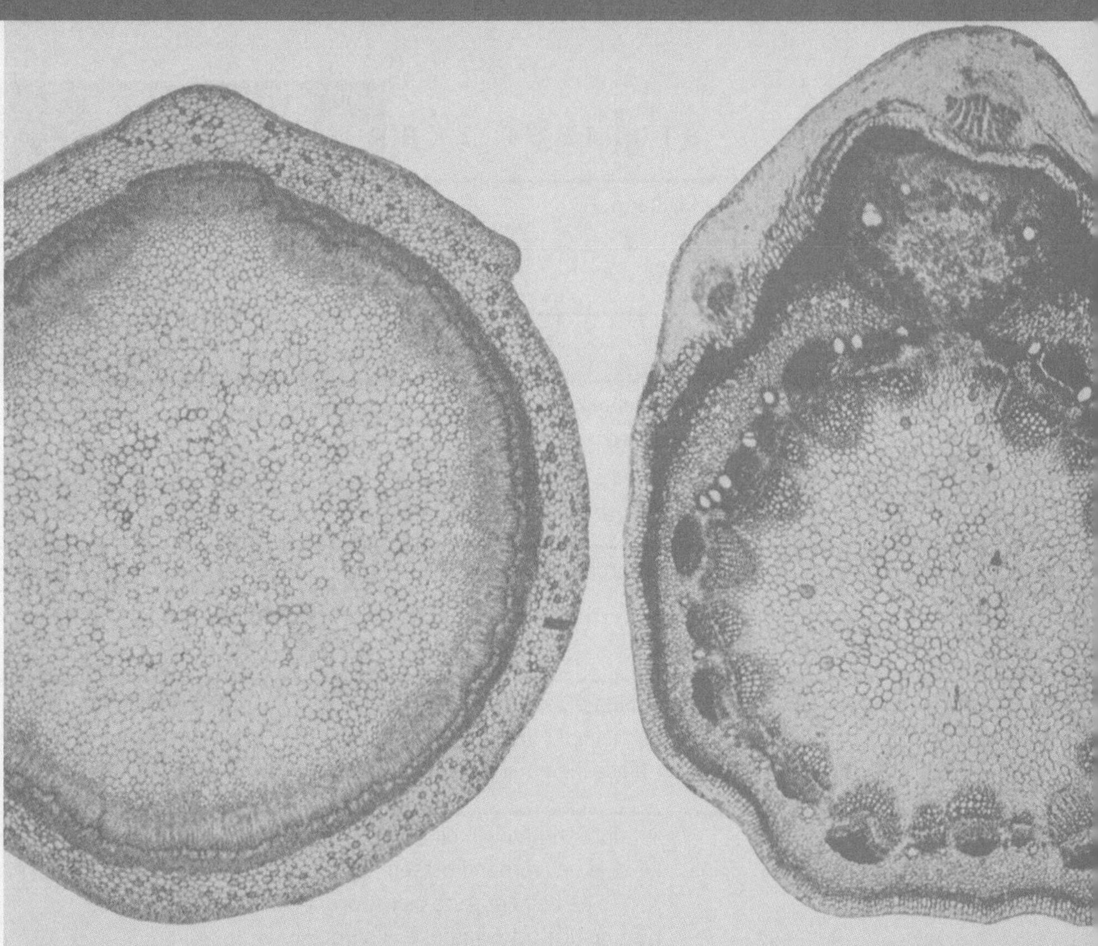

ORIËNTATIE EN PLANNING

1 Een wandeling als oriëntatie
2 Wat weet je al van planten?
3 Planning maken

UITVOERING

4 Hoe ziet jouw plant eruit?
5 Doorsneden van stengels
6 Huidmondjes
7 Eenzaadlobbigen en tweezaadlobbigen (Monocotylen en Dicotylen)
8 Theorie bestuderen
9 Relaties in ecosystemen
10 Kieming van tuinkers, met hoeveel tegelijk?
11 Invloed van abiotische factoren op de kieming van tuinkers
12 Onderzoek van planten in hun biotoop
13 Transport in de plant: kleur bekennen

BLOK 2
PLANTENWERK

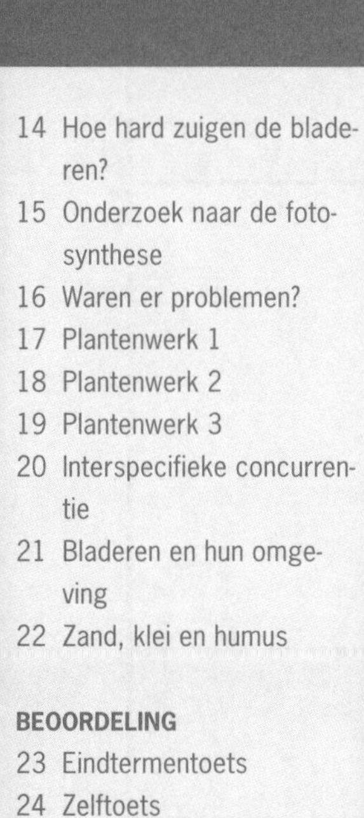

14 Hoe hard zuigen de bladeren?
15 Onderzoek naar de fotosynthese
16 Waren er problemen?
17 Plantenwerk 1
18 Plantenwerk 2
19 Plantenwerk 3
20 Interspecifieke concurrentie
21 Bladeren en hun omgeving
22 Zand, klei en humus

BEOORDELING

23 Eindtermentoets
24 Zelftoets

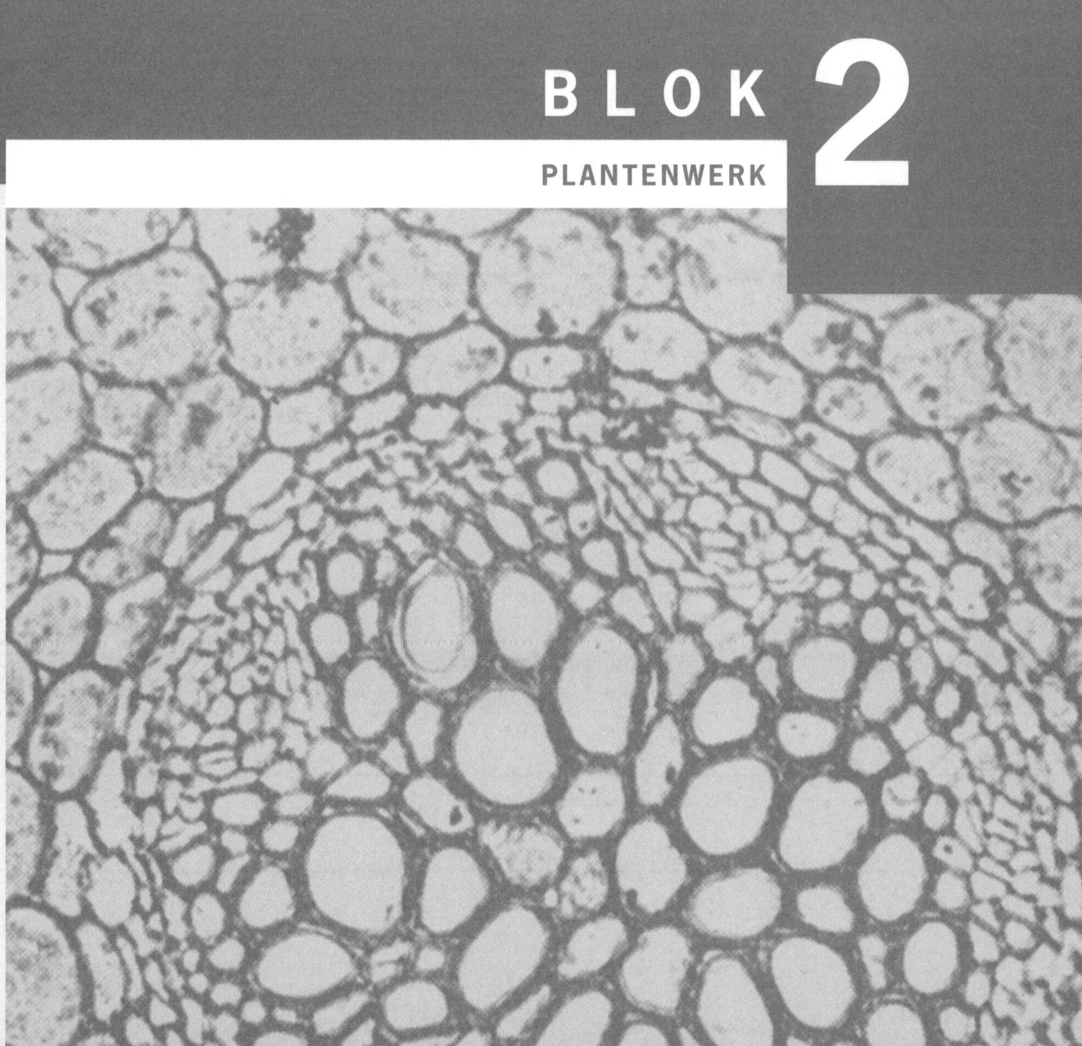

STUDIEWIJZER BLOK 2

TITEL	Plantenwerk
BLOKCODE	PaWe
STUDIELAST	18 uur.
BRONNEN	Theorieboek. Naslagwerken. Flora. Internet.
AFSLUITINGSWIJZE	Ingeleverde opdrachten. Presentatie. Onderzoeksverslagen. Tekeningen.
VERPLICHT	Ja.
BESCHRIJVING	Door middel van veldwerk en anatomisch en fysiologisch onderzoek aan planten ontdek je hoe planten functioneren en welke rol ze spelen in ecosystemen. Je verkrijgt kennis over biotische en abiotische factoren en over populatiebiologie.
LEERDOELEN	Na het doorwerken van dit blok: – Weet je het verband tussen de vorm van bladeren en hun functie. – Ken je de belangrijkste transportmechanismen in planten. – Weet je hoe fotosynthese is ontdekt. – Weet je hoe fotosynthese verloopt. – Ken je een aantal interspecifieke relaties in een ecosysteem. – Ken je de belangrijkste abiotische en biotische factoren en hun invloeden op organismen. – Weet je hoe kiemingsproeven uitgevoerd worden. – Kun je plantenweefsels kleuren ten behoeve van microscopisch onderzoek. – Weet je wat populaties zijn en hoe deze onderzocht worden. – Weet je wat successie inhoudt.
VAARDIGHEDEN	Veldwerk verrichten. Kiemingsproeven doen. Planten kweken. Microscopisch onderzoeken. Vaatbundels kleuren. Experimenteren. Onderling rapporteren. Werkstuk maken. Grafiek maken. Historisch-biologisch onderzoek doen.
VOORKENNIS	Basisvorming over planten. Ecosystemen en kringlopen. Milieukunde. Celleer.
RELATIE MET ANDERE VAKKEN	Scheikunde en natuurkunde.

ORIËNTATIE

INLEIDING

Dit blok gaat over planten. Je gaat je verdiepen in de plant zelf (van buiten, van binnen), maar ook in de wisselwerking die er bestaat tussen planten en de omgeving waarin ze voorkomen. Planten hebben invloed op allerlei processen in de natuur en wij, mensen, zijn in veel opzichten afhankelijk van planten. In het theorieboek staat geen apart hoofdstuk over planten. Je gaat je kennis van vroeger (1e en 2e klas) opfrissen. Je wordt in dit blok naar verschillende delen van je theorieboek verwezen, waar leerstof over planten aan de orde komt.

OPDRACHT 1
3/4 SLU

EEN WANDELING ALS ORIËNTATIE

Om je te oriënteren op dit blok ga je een wandeling maken in de schoolomgeving en daarbij kijk je wat je aan planten kunt ontdekken. Ook al ligt je school midden in de stad, er is altijd wel wat natuur in de buurt. Denk aan parken, onbebouwde stukjes grond, volkstuincomplexen en groene woonwijken.

▶ a Je maakt een wandeling en als product van je wandeling lever je een beschrijving van de wandeling in of een lijst met waarnemingen. Daarbij let je op de planten zelf, maar ook op de plaats waar ze staan (donker, licht, vochtig, droog, op stenen, op zand, in de wind of beschut enzovoort).

■ b Mogelijke locaties zijn:
- de schooltuin en de groenvoorzieningen om de school;
- openbare groenvoorzieningen in de buurt van de school: weg- en middenbermen;
- wilde planten, 'onkruid', tussen straatstenen, op muren en daken en in hoekjes en gaatjes;
- plantsoenen en parken;
- bomen in straten en langs wegen;
- tuinen van particulieren;
- geveltuinen en -tuintjes;
- kwekerijen en tuinderijen (vaak aan stads- en dorpsrand);
- weilanden, akkers, bollenvelden;
- bos, heide, duinen;
- ruigten, opgespoten terreinen;
- bedrijfsterreinen, parkeerterreinen, spoorwegemplacementen;
- moerassen, uiterwaarden;
- oevers van sloten, plassen;
- ..... .

▶ c Maak groepen van 4 personen en verdeel de verschillende biotopen of locaties.

■ d Dus je gaat of naar een kwekerij of naar een wegberm of naar een weiland of .....

▶ e Ieder groepje brengt na de wandeling kort verslag uit, waardoor je ook het presenteren weer een keer oefent. De presentatie mag niet langer dan 10 minuten duren! Doe dit in overleg met je docent. Hij/zij kan ervoor kiezen dat je (nu) niet presenteert, maar dat je een verslag bij hem/haar inlevert.

f Formuleer in je groep een gerichte opdracht, zoals:
- we verzamelen 20 bladeren van verschillende plantensoorten;
- we maken een schets van 10 onkruiden tussen de straatstenen;
- we observeren een tijdje een plant met alle invloeden waar hij aan bloot staat;
- we maken een schets van 5 locaties/landschappen: park, weiland, slootkant enzovoort;
- we gaan tellen hoeveel verschillende soorten planten er staan op 1 vierkante meter berm of begroeide bosgrond of .....;
- we maken een lijst van .....;
- we .....

Verzamel eventueel alvast materiaal voor andere opdrachten (onder andere 4, 5, 6 en 7).

OPDRACHT 2
1/2 SLU ▶

WAT WEET JE AL VAN PLANTEN?

a Kijk of je de volgende vragen/opdrachten al kunt beantwoorden/maken. Noteer welke vragen/opdrachten je niet weet en probeer het na dit blok nog eens.

1 Zonder planten zouden mensen niet kunnen leven. waar/onwaar
2 Planten maken zuurstof. waar/onwaar
3 Tropische regenwouden zijn de longen van de aarde. waar/onwaar
4 Maak een schets van een plant met bloemen en geef zoveel mogelijk organen en weefsels aan.
5 Waar komt stro vandaan?
6 Wat is hooi?
7 Wat is turf?
8 Wat gebeurt er bij de fotosynthese?
9 Gebruiken planten zuurstof?
10 Wat is plantenvoedsel?
11 Wat is humus?
12 Hoe komt een plant aan de stoffen waaruit hij bestaat? Kies uit.
  A Die haalt hij voornamelijk uit humus.
  B Die haalt hij voornamelijk uit mineralen.
  C Die haalt hij voornamelijk uit water.
  D Die haalt hij voornamelijk uit lucht.
13 Wat is het drooggewicht van een plant?
14 Hoe bepaal je het drooggewicht van een plant?
15 Wat zijn huidmondjes?
16 Wat zijn wortelharen?
17 Wat zijn vaatbundels?
18 Hebben planten een hart?
19 Hoe komt water uit de bodem boven in een plant terecht?
20 Wat is de belangrijkste functie van de bladeren?
21 Waarom verliezen de meeste bomen in Nederland in de herfst hun bladeren?
22 Waardoor wordt een plant slap als hij te weinig water krijgt?
23 Wanneer groeien kiemplantjes sneller, in het donker of in het licht?
24 Noem een paar abiotische factoren die van invloed zijn op de groei van planten.
25 Noem een paar biotische factoren die van invloed zijn op de groei van planten.
26 Welke invloeden kunnen planten hebben op hun omgeving?
27 Wat is een populatie?

PLANNING

OPDRACHT 3
1/2 SLU ▶

PLANNING MAKEN

Maak een planning voor dit blok.

Plannen moet je niet alleen in de tijd, maar ook op grond van de doelen die je zelf wilt halen. Als je ‘alleen maar’ je eindexamen (zie dan opdracht 23 en 24) wilt halen, kun je beter anders plannen dan wanneer je eigenlijk alles ontzettend leuk vindt in dit blok.

PLANNING

opdracht	titel	omschrijving	studielast in uren
1	Een wandeling als oriëntatie	Je maakt een wandeling in de schoolomgeving en maakt een beschrijving.	3/4
2	Wat weet je al van planten?	Probeer 27 vragen te beantwoorden.	1/2
3	Planning maken	Je maakt een planning van dit blok.	1/2
Basisopdrachten			
Cluster 1 Planten bekijken			
4	Hoe ziet jouw plant eruit?	Je observeert een (eigen, gekweekte) plant en maakt er tekeningen van.	3/4
5	Doorsneden van stengels	Je doet verslag van het bekijken van de doorsnede van de stengel van jouw plant.	3/4
6	Huidmondjes	Je bekijkt huidmondjes onder de microscoop en doet vergelijkend onderzoek.	1
7	Eenzaadlobbigen en tweezaadlobbigen	Je leest over het verschil tussen één- en tweezaadlobbige soorten.	1/4
Cluster 2 Biotische en abiotische factoren			
8	Theorie bestuderen	Je frist je kennis op en bestudeert een deel van hoofdstuk 15 van je theorieboek: je beantwoordt een aantal vragen.	1 1/2
9	Relaties in ecosystemen	Je beantwoordt een aantal vragen over de biotische relaties in een Hollands bosecosysteem.	1
10	Kieming van tuinkers, met hoeveel tegelijk?	Je onderzoekt de intraspecifieke concurrentie bij de kieming van tuinkers.	1
11	Invloed van abiotische factoren op de kieming van tuinkers	Je onderzoekt de invloed van een zelf gekozen abiotische factor op de kieming van tuinkers.	1
Cluster 3 Planten en hun omgeving			
12	Onderzoek van planten in hun biotoop	Je verricht veldwerk door buiten een biotoop naar keuze nader te onderzoeken.	2
Cluster 4 Wat gebeurt er in de plant?			
13	Transport in de plant: kleur bekennen	Je onderzoekt de sapstroom in een plant.	3/4
14	Hoe hard zuigen de bladeren?	Je onderzoekt het verband tussen de luchtvochtigheid en de opname van water door de plant.	3/4
Cluster 5 Fotosynthese ontrafeld			
15	Onderzoek naar de fotosynthese	Iedere groep doet een deelopdracht: een herhaling van een proef, experiment of onderzoek uit de geschiedenis van de biologie.	1-2 1 1/2
16	Waren er problemen?	Je evalueert een uitgevoerde opdracht.	1/2
Keuzeopdrachten			
Cluster 6 Producten van planten			
17	Plantenwerk 1	Je kijkt wie binnen 10 minuten de meeste plantenproducten kent.	1/2
18	Plantenwerk 2	Je onderzoekt de precieze herkomst van de plantenproducten.	1/2
19	Plantenwerk 3	Je richt een tentoonstelling over plantenproducten in.	1 1/2

Cluster 7 Invloed van de omgeving			
20	Interspecifieke concurrentie	Je onderzoekt de invloed van interspecifieke concurrentie op de kieming van tuinkers en radijs.	1
21	Bladeren en hun omgeving	Je onderzoekt de aanpassingen van bladeren in relatie met het milieu waarin ze voorkomen.	1 ½
22	Zand, klei en humus	Je onderzoekt de rol van humus.	1
Beoordelingsopdrachten			
23	Eindtermentoets		1 ½
24	Zelftoets		1 ½

Tabel 2.1 Overzicht van de opdrachten van dit blok.

UITVOERING

BASISOPDRACHTEN

CLUSTER 1

PLANTEN BEKIJKEN

OPDRACHT 4
PRACTICUM
3/4 SLU

HOE ZIET JOUW PLANT ERUIT?

Als je de theorie in het boek bestudeert, is het handig en verstandig er een plant of een paar verschillende planten bij te hebben. Als je een tuin hebt, dicht bij een tuin of plantsoen woont of een wegberm of slootkant in de buurt hebt, is dat eenvoudig. Maar je kunt ook tijdig een paar bonen of erwten in een pot met aarde stoppen, zodat je je eigen planten hebt ter observatie. Ook een aardappel in een pot met aarde levert een alleraardigste plant op, die – evenals een bonen- of erwtenplant – niet misstaat in de vensterbank. Dat duurt wel ongeveer een maand, houd er met de planning dus rekening mee. En voor een paar euro's koop je al een mooie plant op de markt. Voor weinig geld kun je trouwens in het seizoen tomaten- en paprikaplanten kopen, die nog wat opleveren ook.

► a Welke plant kies je? Zorg dat medeleerlingen andere planten kiezen, zodat er meerdere soorten naast elkaar staan.
b Maak er een schets van.
c Bestudeer de bladeren van de plant (vorm, nerven, bladsteel enzovoort) en maak schetsen.
d Hoe is de vorm van de stengel (rond, vierkant of hoekig, lengte)?
■ e Let op de stengelleden.
► f Waar zitten de knoppen van de bladeren en de bloemen?
g Teken een bloem in de knop.
h Teken een bloem en vergeet daarbij de details van de mannelijke en vrouwelijke geslachtsorganen niet.
i Heeft jouw plant insecten- of windbloemen? Leg uit waar je dat aan kunt zien.

OPDRACHT 5
PRACTICUM
3/4 SLU

DOORSNEDEN VAN STENGELS

Als door elke groep van twee leerlingen de stengeldoorsnede van een andere plant wordt gepresenteerd, krijg je snel een overzicht van de verscheidenheid in de bouw van stengels. In (school)boeken worden vaak heel schematische tekeningen aangeboden, die je dus een heel schematisch beeld van de werkelijkheid geven. Het is goed een keer te zien en te ervaren hoeveel verscheidenheid er is.

► a Maak een doorsnede op verschillende hoogten van de stengel van een plant die je daarvoor kunt gebruiken (de plant is daarna 'total loss').
b Bekijk de doorsneden met een loep en kijk of er verschil is doordat de doorsneden op verschillende hoogten gemaakt zijn.
c Maak snel een vergrote schets (A3) van één van de doorsneden.

d Zoek op hoe de verschillende weefsels die je ziet, genoemd moeten worden.

■ e Je zoekt dit op in een theorieboek of naslagwerk (of in je biologieboek uit de onderbouw?).

► f Vertel in één minuut de opmerkelijkste kenmerken van de door jou bestudeerde stengel.

g Sluit aan bij de rapportage van de leerling vóór jou, dus begin het verhaal niet telkens opnieuw.

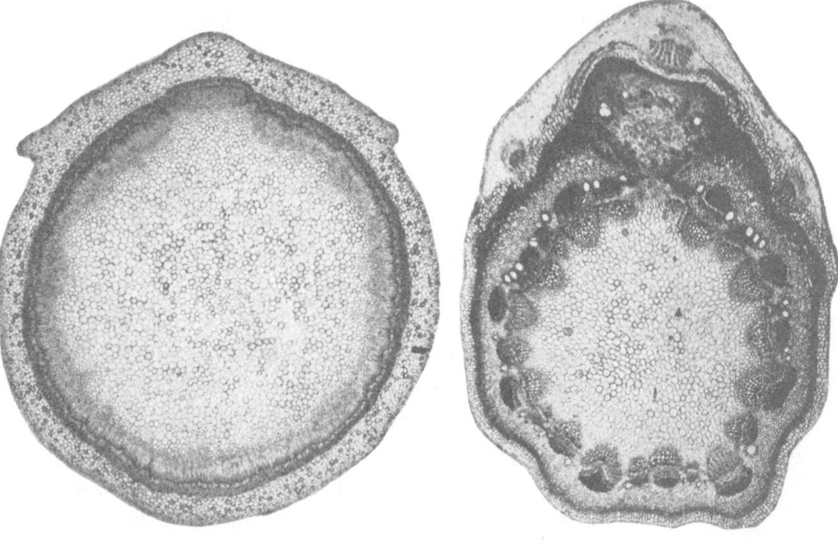

Figuur 2.1 Doorsneden van enkele stengels.

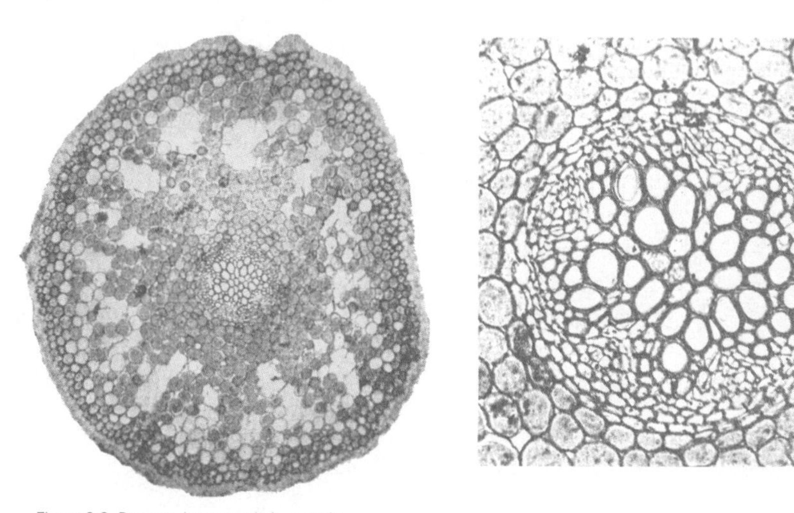

Figuur 2.2 Doorsneden van enkele wortels.

HUIDMONDJES

OPDRACHT 6
MICROSCOPIE
1 SLU

Materiaal
- Stevige plantenbladeren (bijvoorbeeld liguster, *Tradescantia* of 'wandelende jood', gele lis, tulp, anjer, rode kool; probeer zelf uit).
- Pincet.
- Microscoop + microscopieset.

► a Trek een stukje opperhuid van de onderkant van het blad en maak er een preparaat in water van.

b Bekijk dit onder de microscoop (400 x) en teken het.

■ c Neem er een bestaande tekening bij.

● d Er staat geen tekening in je theorieboek, je moet ergens anders zoeken.

► e Wat zijn de (twee) verschillen tussen de sluitcellen en de omringende 'gewone' opperhuidcellen? (Geef dit duidelijk in je tekening aan.)

f Maak ook een dergelijk preparaat van de opperhuid van de bovenkant van het blad. Zie je verschil?

■ g Je moet dan vooral kijken naar de hoeveelheid huidmondjes per oppervlakte-eenheid.

► h Schat hoeveel huidmondjes er in totaal per volgroeid blad zijn.

i Huidmondjes kunnen open en dicht gaan. Ze sluiten wanneer bijvoorbeeld de zuurgraad van het omringende vocht lager wordt (de pH stijgt dan). Ook een zout- of een glucoseoplossing veroorzaakt sluiting. Voer dit proefje zelf uit (met een versgemaakt preparaat).

■ j Je maakt eerst een preparaat in water en je zuigt dan, terwijl je door de microscoop kijkt, de oplossing door het preparaat.

● k Je legt aan de ene kant van het dekglaasje een druppel vloeistof en aan de andere kant zuig je met een strookje filterpaier het vocht door het preparaat.

► l Laat in je tekening duidelijk zien wat er gebeurt.

m Je kunt huidmondjes heel goed zichtbaar maken met doorzichtige nagellak. Je maakt daarmee als het ware een afdruk van de structuur van het bladoppervlak. Doe dat eens bij planten die in verschillende biotopen leven (nat en droog) en vergelijk deze met elkaar.

n Verklaar waarom er bij veel landplanten aan de onderkant van het blad meer huidmondjes zitten dan aan de bovenkant. Hoe zit het met waterplanten?

o Maak een verslag of eventueel een werkstuk (in overleg met je docent).

OPDRACHT 7
1/4 SLU

EENZAADLOBBIGEN EN TWEEZAADLOBBIGEN (MONOCOTYLEN EN DICOTYLEN)

► a Lees het volgende schema door.

■ b Je hoeft het niet te leren voor je eindexamen, maar het is wel nuttig om enig idee van deze indeling te hebben.

► De bedektzadige zaadplanten vallen in twee grote groepen uiteen: de eenzaadlobbigen (of monocotylen) en de tweezaadlobbigen (of dicotylen). Peuter maar eens een pinda (een hele met het velletje er nog omheen) of een boon en een maïskorrel uit elkaar om te zien waar die naam vandaan komt: de helften van de pinda zijn de zaadlobben (cotylen) waar het voedsel voor de kiemplant in zit. Een maïskorrel valt niet in twee helften uiteen. Die zaadlobben kun je aan de planten zelf niet meer waarnemen, maar de groepen hebben nog een aantal onderscheidende kenmerken:

Eenzaadlobbigen		Tweezaadlobbigen
Eén.	**Zaadlobben**, maar die zie je dus meestal niet meer	Twee.
Altijd parallelnervig, altijd met een bladschede om de (bloei)stengel.	**Bladeren**	Handnervig, veernervig of kromnervig (dat laatste lijkt op parallel-nervig), zelden een bladschede.
Altijd drie- of zestallig, altijd meerzijdig symmetrisch.	**Bloemen**	Vier- of vijftallig, zelden drietallig,vaak vergroeidbladig, vaak tweezijdig symmetrisch.
Verspreid.	**Vaatbundels**	In een cirkel.
Een groot aantal gelijkvormige wortels,'bijwortels' genoemd.	**Wortels**	Hoofdwortel met zijwortels.
Nooit hout, wel 'houtachtig' (denk maar aan bamboe en stro).	**Hout**	Bij meerjarige soorten: bomen en struiken met echt hout.
Bolgewassen, dus tulp, lelie, gladiool, ook ui. Grassen, dus riet, maïs, tarwe en bamboe.	**Voorbeelden**	Roos, paardebloem, viooltje, boon, tomaat, aardappel, appel, bijvoet,eik en berk.

Tabel 2.2 Eenzaadlobbigen en tweezaadlobbigen.

c Geef een lijst van 10 andere eenzaadlobbigen en van 10 andere tweezaadlobbigen. Het moeten soorten zijn die je kent.

■ d Gebruik een Flora of ander plantenboek.

▶ e Verzamel bladeren van riet, weegbree, esdoorn en beuk en je hebt voorbeelden van de belangrijkste bladtypen.

CLUSTER 2 BIOTISCHE EN ABIOTISCHE FACTOREN

OPDRACHT 8
THEORIE
1 1/2 SLU

THEORIE BESTUDEREN

De eindtermen die bij dit blok horen, zijn: 2 t/m 9 en 116 t/m 120.

▶ a Fris je kennis op door de volgende delen van je theorieboek nog eens te lezen: paragraaf 3.2.8, 3.2.9, 12.1.1, 12.1.2 en 12.1.3.

b Doe hetzelfde met paragraaf 15.3.1, 15.3.2, 15.3.4 en 15.3.5.

■ c Het is eindexamenstof, dus het is verstandig om het meteen nog eens te bestuderen.

▶ d Bestudeer nu par. 15.4 en 15.5 en beantwoord daarover de volgende vragen.

1 In een tropische zee leven drie krabbensoorten A, B en C. Voor krab A liggen de tolerantiegrenzen bij 18 en 40 °C, voor krab B bij 22 en 41 °C en voor krab C bij 20 en 34 °C.
In een gedeelte van de zee schommelt de temperatuur tussen de 20 en 36 °C.
- Welke krab(ben) kan (kunnen) daar voorkomen wanneer alle overige milieufactoren gunstig zijn?
- Zet de gegevens uit in een grafiek.
- Noem ten minste 5 overige milieufactoren die van invloed kunnen zijn op het aantal krabben in deze zee.

2 Zwaluwen leven van insecten. Bij een bepaalde temperatuur vliegen er veel insecten rond, vooral boven het water. Bij zo'n temperatuur zie je heel veel zwaluwen vlak boven het water scheren.
Is er verband tussen de enzymactiviteit bij de insecten en de grotere aantallen zwaluwen boven het water? Verklaar je antwoord.

3 Bedenk waarom het belangrijk is dat parasieten veel zaden of eieren produceren.

4 Noem vijf abiotische factoren die heersen in een rivier.

5 Meranti is een economisch belangrijke boomsoort in Indonesië, waarnaar al veel onderzoek is gedaan. Zaailingen van Meranti groeiden in potjes korte tijd even goed als in het bos, maar daarna werden de nieuwe blaadjes geel en gingen de plantjes dood. De onderzoekers probeerden van alles: andere temperatuur, andere verlichtingssterkte, andere bodem, andere daglengte, maar steeds zonder resultaat. Ten slotte voegde men een beetje grond die onder een Meranti-boom in het regenwoud weggehaald was, bij de potjes met zaailingen. Toen gingen de plantjes niet dood: ze groeiden goed.
Het bleek dat er een relatie bestaat tussen Meranti en een bepaalde schimmel, die in de bodem van het regenbos voorkomt. Deze schimmel leeft op de wortels van de Meranti. De Meranti-bomen hebben geen wortelharen.
- Geef een verklaring voor het gegeven dat een Meranti-boom zonder schimmel niet door kan groeien en met schimmel wel.
- Welk voordeel zou de schimmel kunnen hebben van zijn relatie met de Meranti?
- Van welk type relatie is hier sprake?

UITVOERING

e Bestudeer paragraaf 6 van hoofdstuk 15, 'Populaties', en beantwoord de volgende vragen.
1 Noem 7 factoren waardoor er sterfte binnen een populatie kan optreden.
2 Wat wordt bedoeld met 'biologisch evenwicht'?
3 Wat is het verband tussen het begrip 'soort' en het begrip 'populatie'?
4 Neem figuur 15.29b erbij en vertel of beschrijf wat hier weergegeven is.
5 Wat is een pioniersoort?
6 Wat is het belang van dynamische biotische en abiotische factoren voor het duinlandschap aan onze kust?

OPDRACHT 9
THEORIE ►
1 SLU

RELATIES IN ECOSYSTEMEN

a Lees de onderstaande tekst.

Biologen bedoelen met 'een relatie tussen biotische en abiotische factoren' dat er relaties bestaan tussen organismen. Geen enkel organisme kan zonder een ander organisme leven. Organismen zijn afhankelijk van elkaar. In een ecosysteem bestaan talrijke relaties tussen organismen. Hieronder staan een aantal voorbeelden van relaties in een gewoon Hollands bos.

1 Eencellige algen die op een boomstam leven.
2 Loopkevers die op de bosbodem een slak aan het verorberen zijn.
3 Schimmeldraden van de vliegenzwam die rondom de wortels van de berk gevlochten zijn en die de berk behulpzaam zijn bij het opnemen van water en mineralen in ruil voor suikers.
4 Jonge plantjes van het vingerhoedskruid en wilgenroosje die 'vechten' om een open plekje in het bos.
5 Een koolmeesmannetje en een koolmeesvrouwtje die voedsel zoeken voor hun jongen.
6 Sluipwespen die eieren leggen in een larve van een andere insectensoort.
7 Een tonderzwam die op een berk groeit en organische sappen uit de berk zuigt.
8 Rode bosmieren die gezamenlijk druk in de weer zijn met het bouwen van hun nest.
9 Bijen die nectar uit een bloem halen, daarbij stuifmeel meenemen en bij aankomst op een andere bloem van dezelfde soort, het meegenomen stuifmeel op de stamper achterlaten.
10 Een rups die van een blad aan het eten is.
11 Een roodborst die zijn territorium verdedigt tegen een soortgenoot.
12 Een havik en een uil die in hetzelfde gebied wonen en hetzelfde voedsel eten.

b Beantwoord de volgende vragen (je hoeft alleen de nummers op te schrijven).
1 Bij welke voorbeelden werken individuen van dezelfde soort elkaar tegen?
2 Bij welke voorbeelden 'helpen' individuen van dezelfde soort elkaar?
3 Bij welke voorbeelden is sprake van een relatie tussen individuen van verschillende soorten?
4 Bij welke voorbeelden is er sprake van een langdurige 'intieme' relatie tussen organismen van verschillende soorten?
5 In welke van de voorbeelden is sprake van een relatie waar beide individuen voordeel van hebben?
6 In welke van de voorbeelden is sprake van een relatie waarvan één individu voordeel en het andere nadeel heeft?
7 In welke van de voorbeelden is sprake van een relatie waarvan één individu voordeel heeft en het andere voordeel noch nadeel heeft?

8 Bij welke van de voorbeelden is er helemaal geen sprake van een 'intieme' relatie tussen organismen van dezelfde soorten?
9 In welke van de voorbeelden is sprake van een relatie waarbij individuen elkaar tegenwerken zonder elkaar op te eten?
10 In welke van de voorbeelden is er sprake van een relatie waarbij een individu van de ene soort een individu van de andere soort opeet? In welke voorbeelden wordt plantaardig en in welke voorbeelden wordt dierlijk materiaal geconsumeerd?

c Beschrijf de termen: commensalisme, parasitisme en mutualisme.

OPDRACHT 10
ONDERZOEK
1 SLU

KIEMING VAN TUINKERS, MET HOEVEEL TEGELIJK?

► a Onderzoek de intraspecifieke concurrentie bij de kieming en groei van tuinkers.

■ b Zoek eerst uit wat intraspecifiek betekent.

Materiaal
- Tuinkerszaden.
- 5 reageerbuizen met etiketten.
- Watten.

Methode
- Doe in de vijf buizen natte watten (niet te nat, niet te droog! Als je het buisje omdraait mag er geen water uitlopen).
- Doe in buis 1 één zaadje, in buis 2 vijf tuinkerszaden, in buis 3 tien, in buis 4 twintig en in buis 5 veertig tuinkerszaden.
- Sluit de buizen met watten af en zet ze bij het raam.
- Beschrijf de resultaten na ongeveer een week.

Verslag
- Maak van dit experiment een verslag, waarin je de resultaten verklaart.

OPDRACHT 11
ONDERZOEK
1 SLU

INVLOED VAN ABIOTISCHE FACTOREN OP DE KIEMING VAN TUINKERS

In dit experiment ga je de relaties tussen een abiotische factor en de ontkieming, groei en ontwikkeling van tuinkers onderzoeken. Doe dit met zijn tweeën.

► a Kies zelf de abiotische factor(en) waarvan je de invloed wilt onderzoeken.

b Bedenk een vraagstelling en een hypothese.

c Beschrijf je methode (= proefopzet).

■ d Bespreek je methode met je docent of TOA, wanneer je niet zeker weet of die haalbaar is.

► e Gebruik de kennis die je bij opdracht 10 hebt verworven!

■ f Kijk nog even naar opdracht 10: wat ging er toen niet goed? Hoeveel zaadjes moet je in een buis doen om intraspecifieke concurrentie uit te sluiten?

► g Voer het experiment uit en maak een verslag. Geef de resultaten weer in een tabel en – indien mogelijk – in een grafiek.

Materiaal
Je hebt in ieder geval nodig:
- Tuinkerszaden.
- Buizen en etiketten (eventueel petrischaaltjes).
- Watten.

UITVOERING

CLUSTER 3 PLANTEN EN HUN OMGEVING

OPDRACHT 12
ONDERZOEK
2 SLU

ONDERZOEK VAN PLANTEN IN HUN BIOTOOP

Deze opdracht doe je in groepen van drie of vier.

▶ a Zoek buiten in een omgeving naar keuze een begroeid stukje natuur op (zie opdracht 1).

b Onderzoek zo veel mogelijk abiotische en biotische factoren die van invloed zijn op enkele planten die je daar hebt uitgekozen voor nader onderzoek (de planten laat je staan). Het veldwerkonderzoek zal gedeeltelijk buiten, maar ook op school moeten worden uitgevoerd. Enkele suggesties staan hieronder gegeven.

1 Kijk nog eens naar keuzeopdracht 9 van werkboek 1, blok 9, 'De bus rijdt op een borrel' en zoek op wat je daarvan nu weer kunt gebruiken (of uitbreiden wanneer je de opdracht vorig jaar gedaan hebt).
2 Bepaal het vocht(= water)gehalte van de grond (overleg eventueel met je docent hoe je dat moet doen).
3 Bepaal hoeveel vocht de grond maximaal kan vasthouden (waarom is dit belangrijk?).
4 Bepaal het humusgehalte van de grond. Omdat humus organisch materiaal is, kan het verbranden. Je kunt grond dus uitgloeien tot er geen brandbaar materiaal meer over is.
5 Wat leeft er in, onder en op de plant?
6 Neem een hoeveelheid losse grond rondom de planten mee en onderzoek welke soorten diertjes er voorkomen.
7 Onderzoek een stukje grond nader onder binoculair en microscoop.
8 Zijn er bacteriën aanwezig in en op de grond? Bij keuzeopdracht 11 van blok 9 (werkboek 1 van vorig jaar) staat precies beschreven hoe je dat kunt onderzoeken.
9 Zijn er schimmels in en op de grond? Bedenk zelf hoe je dat kunt bepalen. (Wat is het belang van schimmels in dit verband?)
10 Hoe is het microklimaat rondom de plant(en)?
11 Welke groepen planten en dieren kom je er tegen? (Predatoren? Herbivoren?)
12 Je kunt zelf ook nog wel een vraag bedenken.

c Ongetwijfeld is er in jouw buurt een IVN-afdeling (IVN = Vereniging voor Natuur- en Milieu-Educatie). IVN'ers zijn vrijwilligers die veel weten van de natuur bij jou in de buurt. Je kunt ze bellen om te vragen of ze je willen helpen met dit soort veldwerk. Informeer bij je docent.

d Maak een verslag, werkstuk of presentatie.

CLUSTER 4 WAT GEBEURT ER IN DE PLANT?

OPDRACHT 13
ONDERZOEK
3/4 SLU

TRANSPORT IN DE PLANT: KLEUR BEKENNEN

Materiaal
- Verse witte bloemen (tulpen, anjers, vlijtig liesje, bleekselderijstengels, witte dovenetel).
- Kleurstof (verdund): tolueenblauw, eosine of ecoline, inkt.
- Reageerbuizen.
- Horloge of stopwatch.
- Microscoop + microscopieset.

▶ a Zet de vers afgesneden (bloem)stengel in een reageerbuis met een verdunde kleurstofoplossing. Geschikte kleurstoffen zijn: tolueenblauw (= heel donker, dus heel geschikt), eosine of ecoline, inkt.

b Observeer de plant en bepaal de transportsnelheid.
■ c Wanneer de stengel licht van kleur is, kun je de weg van de sapstroom ook al zien.
▶ d Schrijf je observaties op en geef er verklaringen voor.
e Maak een dunne coupe (dwarsdoorsnede) van het gekleurde deel van de stengel en bekijk hem onder de microscoop.
■ f Je hebt nu de vaatbundels gekleurd in zicht!

OPDRACHT 14
ONDERZOEK
3/4 SLU

HOE HARD ZUIGEN DE BLADEREN?

Materiaal
- Verse bebladerde stengels (bijvoorbeeld van witte dovenetel of liguster), eventueel de witte bloemen en de kleurstoffen die je gebruikt hebt bij opdracht 13.
- Water.
- Reageerbuizen.
- Plastic boterhamzakjes.
- Elastiekjes.

▶ a Neem een bebladerde stengel van een plant.
b Bedenk een onderzoek waarbij je aantoont dat de luchtvochtigheid invloed heeft op de zuigkracht van de bladeren (dus ook op de sapstroom in de plant) met of zonder de witte bloemen.
■ c Zet de afgesneden stengels in water en zorg ervoor dat de bladeren in een afgesloten ruimte komen te staan, waardoor de luchtvochtigheid 100 % wordt. Je kunt de bladeren bijvoorbeeld in een plastic zakje verpakken.
d Je kunt ook twee planten nemen en de een gewoon in een bekerglas in water zetten en de ander ook, maar dan verpakt. Je kunt dan na een tijdje meten hoeveel water er verdampt is door de bladeren. Pas op: zorg er wel voor dat er geen water op een andere manier verdampt.
▶ e Maak een verslag.

CLUSTER 5 FOTOSYNTHESE ONTRAFELD

OPDRACHT 15
ONDERZOEK
1 1/2 SLU

ONDERZOEK NAAR DE FOTOSYNTHESE

De volgende deelopdrachten (15.1 t/m 15.11) maken alle deel uit van een groot onderzoek naar de fotosynthese dat door je hele groep verricht kan worden. Door een dergelijk groepsonderzoek kun je de hele ontdekking die zich over 4 eeuwen (!) heeft uitgestrekt in 4 maanden of zelfs 4 weken reconstrueren, herhalen en ten dele herbeleven. Het groepsonderzoek bestaat eruit dat je met z'n tweeën of drieën één van de experimenten herhaalt die tot de ontrafeling van de fotosynthese hebben geleid. Met z'n allen 'dek' je ongeveer het hele ontrafelingsproces. Het is niet nodig dat iedereen alles doet, omdat je je voldoende zult kunnen voorstellen wat anderen hebben gedaan op basis van de tekst van het theorieboek, de rapportages van de andere groepen en je eigen ervaringen. In overleg met je docent en met medeleerlingen moet je afspreken wie wat doet en of een groep wellicht twee deelonderzoeken kan doen. Maak bijvoorbeeld een intekenlijst en houd daarbij ook rekening met de presentatie(tijd).
Er kan ook voor gekozen worden alle biologieleerlingen (van alle klassen) gezamenlijk aan dit project te laten werken. Dit vereist een goede organisatie (roostertechnisch en organisatorisch), maar je krijgt zo wel een indruk van de omvang en de complexiteit van het onderzoek naar een zo verschrikkelijk belangrijk biologisch onderwerp als de fotosynthese. Elke opdracht die bij een deelonderzoek hoort, is genummerd en verwijst naar een beschrijving in het theorieboek (voornamelijk hoofdstuk 2).

UITVOERING

Opmerking: dit onderwerp leent zich goed voor uitbreiding tot Praktische Opdracht of Profielwerkstuk.

1 1/2 SLU

1 Proef van Helmont, pagina 33 en 34 van je theorieboek

Aanwijzingen
- Het experiment duurt een aantal weken en moet dus tijdig gepland (en geplant) worden!
- Je kunt de proef het beste doen door zaad van een grote plant te planten (bijvoorbeeld een bruine boon, tuinboon of zonnebloem). Zorg dat de plant voldoende licht krijgt.
- Bedenk zelf de rest.

1 SLU

2 Proef van Hales, pagina 34, 35 en 36 van je theorieboek

Aanwijzingen
- Gebruik muntplanten, leeuwebek of dovenetel.
- Hales meldt 49 kubieke inch (= 49 x 16,36 cm^2 = 800 cm^2 = 0,8 liter). De stolp zal groter geweest zijn, maar toch niet bijzonder groot.
- Het verwisselen van planten onder de stolp (onder water door!) is minder ingewikkeld dan het lijkt, als je de stolp in een ruime teil zet (zie ook figuur 2.8 van je theorieboek).
- Handig is de stolp met een statief vast te zetten.
- Alternatieven voor een stolp: een omgekeerde glazen vaas, maatcylinders van 1 of 2 liter, potten van zure augurken, mayonaise enzovoort voor grootverbruikers (je kunt gemakkelijk potten van 3,5 liter krijgen bij restaurants).

1 SLU

3 Proef van Priestley (en Mayow), pagina 36 en 37 van je theorieboek

Aanwijzingen
- Gebruik muntplanten (zie figuur 2.7 van het theorieboek) of dovenetel.
- Je doet uiteraard alleen de proef met de kaars en de plant (en niet die met de muizen).

1/2 SLU

4 Proef van Black, pagina 37 van je theorieboek

Aanwijzingen
- Informeer bij de TOA naar de aantoonreactie van CO_2 met kalkwater.
- Er is op school waarschijnlijk wel een CO_2-cilinder.

1 SLU

5 Proef van Senebier en Ingenhousz, pagina 38 en 39 van je theorieboek

Aanwijzingen
- De proeven zijn duidelijk beschreven.

1 SLU

6 Proeven van de Saussure, pagina 40 van je theorieboek

Aanwijzingen
- Wanneer deze proeven niet herhaald kunnen worden, beschrijf je heel nauwkeurig wat hij gedaan en ontdekt heeft.

1 SLU

7 Proef van Sachs, pagina 40 en 41 van je theorieboek

Aanwijzingen
- Plak van een blad een gedeelte lichtdicht af (met aluminiumfolie, zie figuur 2.14) en laat de plant 24 uur zo veel mogelijk in het licht staan.
- Pluk het blad en kook het een minuut (houd het aan een knijper in kokend water).
- Doe het blad in een klein bekerglas samen met wat alcohol (ethanol) zodat het helemaal bedekt wordt.
- Laat dit bekerglas au bain marie (informeer bij de TOA) opwarmen (laat het water niet koken, want dan wordt de alcohol te heet!).
- Haal het blad uit de alcohol zodra het van kleur veranderd is.
- Leg het blad in een petrischaal en giet een joodoplossing op het hele blad.
- Probeer dit ook met een fotonegatief.

1 1/2 SLU

8 Glucose in prei, pagina 41 van je theorieboek

Aanwijzingen
- Als je bedenkt dat prei en ook uien een beetje zoet smaken, dan zal het je wellicht niet verbazen dat je in het sap van deze planten glucose kunt aantonen. Doe dat met Fehlings reagens, eventueel na filtreren van het sap.
- Interessant is het van prei (liefst een verse plant en anders één die een dag in het volle licht heeft gestaan, waarom trouwens?) monsters te nemen op verschillende hoogten in de plant en te kijken of de hoeveelheid glucose in groene en witte delen verschilt.
- Tegelijkertijd kun je proberen zetmeel aan te tonen in de verschillende delen van de lange (stengelomvattende) bladeren en in schijfjes van het blad. Houd deze apart van de glucosemonsters, omdat jodium met Fehlings reagens zou kunnen interfereren. Bekijk de schijfjes ook onder een binoculair om kleine hoeveelheden zetmeelkorrels te ontdekken.
- Als je nog nooit zetmeelkorrels hebt gezien, bekijk dan eerst wat aardappelsap onder de microscoop. Kleur dit eventueel met een joodoplossing.
- Bedenk zelf onderdelen van de plant waarin je zetmeel en/of glucose wil aantonen (proef eerst!).

1 1/2 SLU

9 Theorie van Mayer en de proef van Joule, pagina 43 van je theorieboek

Aanwijzingen
- Probeer de gedachtegang van Mayer te volgen.
- Bouw de proefopstelling van figuur 2.18 (theorieboek) na.
- Dit is goed voor een Praktische Opdracht!

1 1/2 SLU

10 Caloriemeter van Liebig, pagina 44 en figuur 2.19 van je theorieboek

Aanwijzingen
- Misschien is er een caloriemeter op school aanwezig.
- De methode met de pinda kun je in ieder geval uitvoeren.
- Ook uit te voeren met: een halve of hele ml alcohol (zonder isolatie) geïsoleerd met glaswolmantel (onbrandbaar), papier, houtspaander (gewichtsvermindering).

1/2 SLU

11 De formule van de fotosynthese, pagina 45 van je theorieboek

Aanwijzingen
- Er zit een fout in de formule op pagina 45. Reken uit welke.

OPDRACHT 16
1/2 SLU ▶

WAREN ER PROBLEMEN?

a Je bent tijdens een practicum of een onderzoek ongetwijfeld op problemen gestuit. Bekijk nog eens wat je gedaan hebt om de problemen op te lossen.

b Beantwoord hierover de volgende vragen, zodat je inzicht krijgt in de aard van de problemen. De bedoeling is dat je daar bij de volgende keer rekening mee kunt houden. Een gewaarschuwd mens telt voor twee!

1. Had je genoeg gegevens (voldoende, duidelijk genoeg)? Ja/nee. Zo nee: hoe heb je dat opgelost?
2. Was de vraagstelling duidelijk? Ja/nee. Zo nee: schrijf hem dan duidelijker op.
3. Was het doel van de opdracht je duidelijk? Ja/nee. Zo nee: schrijf hem eens beter op.
4. Verliep de planning naar wens? Ja/nee. Zo nee: waar lag dat aan?
5. Was je gemotiveerd? Ja/nee. Zo nee: wat valt daaraan te doen?
6. Wist je het verband met de leerstof? Ja/nee. Zo nee: bespreek het met je docent.
7. Had je wat aan het onderzoek bij het begrijpen van de leerstof? Ja/nee. Verklaar je antwoord.

KEUZEOPDRACHTEN

CLUSTER 6 PRODUCTEN VAN PLANTEN

OPDRACHT 17
1/2 SLU ▶
WEDSTRIJD

PLANTENWERK 1

a Organiseer een wedstrijd met minimaal 5 medeleerlingen.

1. Wie kan in 10 minuten de meeste plantenproducten opschrijven?
2. Ieder leest zijn lijstje op, de gemeenschappelijke producten worden aangekruist (niet doorstrepen!).
3. Wie de meeste niet-aangekruiste producten overhoudt, wint! Een plant als prijs?
4. Bewaar je eigen lijstje voor de volgende opdracht!

OPDRACHT 18
1/2 SLU ▶
ONDERZOEK

PLANTENWERK 2

a Neem je lijstje van opdracht 17 en schrijf achter elk product van welke soort plant dat afkomstig is en van welk deel van de plant.

■ b Je kunt dit ook gezamenlijk doen. Voor sommige producten zul je een naslagwerk of een encyclopedie nodig hebben.

▶ c Gebruik deze kennis eventueel voor opdracht 19.

OPDRACHT 19
1 1/2 SLU ▶
TENTOONSTELLING

PLANTENWERK 3

a Ieder kiest drie verschillende plantenproducten (zie opdracht 17) en probeert daar zoveel mogelijk informatie over te verzamelen.

b Maak er een tentoonstelling van.

c Zet er een binoculair bij en enkele producten die je daaronder zou kunnen bekijken. In ieder geval: kappertjes, kruidnagels, saffraan en ook andere dingen die je interessant vindt (bekijk ze in elk geval zelf, welke plantendelen zijn het?). Hiervoor geldt: hoe origineler en exotischer, des te hoger zal de waardering zijn!
Je kunt deze opdracht enorm uitbreiden door allerlei extra onderzoek, zowel praktisch als door middel van ICT. Een idee voor een Praktische Opdracht of je Profielwerkstuk? (Je kunt allerlei verbanden leggen: met milieu, Derde Wereld, economie en techniek bijvoorbeeld.)

CLUSTER 7

INVLOED VAN DE OMGEVING

OPDRACHT 20
ONDERZOEK
1 1/2 SLU

INTERSPECIFIEKE CONCURRENTIE

Je onderzoekt de interspecifieke concurrentie bij de kieming van tuinkers en radijs.

Materiaal
Je hebt in ieder geval nodig:
- Tuinkerszaden.
- Radijszaden.
- Reageerbuizen en etiketten.
- Watten.

▶ a Bedenk zelf een proefopzet om interspecifieke concurrentie aan te tonen.
■ b Zoek eerst uit wat interspecifiek betekent.
▶ c Kijk nog eens terug naar de experimenten en de resultaten bij opdracht 10 en 11.
d Denk goed na over je controle-experimenten om er zeker van te zijn dat je uit jouw experiment de invloed van de ene soort op de andere soort kunt afleiden!
■ e Bespreek je proefopzet met je docent of TOA.
▶ f Maak een verslag van dit experiment.

OPDRACHT 21
ONDERZOEK
2 SLU

BLADEREN EN HUN OMGEVING

Je onderzoekt op welke wijze de bladeren van planten aangepast zijn aan de hoeveelheid water in hun omgeving.

▶ a Zoek uit welke aanpassingen bladeren van verschillende plantensoorten hebben, om de in hun biotoop heersende abiotische milieufactor vochtigheid te kunnen overleven.

Materiaal
- Bladeren van de volgende plantensoorten:
  1 Waterpest (ongeveer 20 stuks);
  2 Struikheide (ongeveer 20 stuks);
  3 Wilg (ongeveer 10 stuks);
  4 Liguster (ongeveer 10 stuks);
  5 Grove den (ongeveer 15 stuks).
- Prepareerset.
- Microscoop.
- Weegschaal.
- Grafiekpapier.
- Petrischalen.
- Flora en andere plantenboeken.

Methode A
- Leg van elke plantensoort één blad apart.
- Weeg van elke plantensoort de rest van de bladeren.
- Leg de afgewogen bladeren per soort in een open petrischaal weg op een droge plaats.
- Herhaal de weging na een week.
- Bereken voor elke soort de gewichtsafname in procenten.

Methode B
- Teken van elk apart gelegd blad de contouren op grafiekpapier door met een potlood het blad te omtrekken.

Methode C
- Maak preparaten van de opperhuid van zowel de onderkant als de bovenkant van het apart gehouden blad (of een ander vers blad).
- Tel het aantal huidmondjes dat je in het beeldveld van het preparaat zien.
- Werk dus steeds bij dezelfde vergroting!
- Herhaal dit vijf keer per preparaat.
- Bereken het aantal huidmondjes per blad.

Verslag
- Zoek allereerst in een plantengids op in welke typen milieu de plantensoorten groeien.
- Verwerk per soort alle resultaten in één tabel met de volgende vijf kolommen: plantensoort, milieutype, gewichtsafname in procenten, bladoppervlak, aantal huidmondjes per blad.
- Trek conclusies uit je gegevens.
- Verwerk in je verslag de volgende (verdiepings)vragen:
  1 Welke functie hebben huidmondjes?
  2 Bij welke plantensoort verwacht je de dikste cuticula? Verklaar je antwoord.
  3 Bij welke plantensoort verwacht je de dunste cuticula? Verklaar je antwoord.
  4 Hoe komt het dat de grove den in de winter niet uitdroogt ondanks het feit dat hij zijn bladeren niet laat vallen?
  5 Verklaar waarom hulst in de winter niet uitdroogt ondanks het feit dat hij zijn bladeren niet laat vallen.

OPDRACHT 22
ONDERZOEK
1 SLU

ZAND, KLEI EN HUMUS

In het theorieboek staat een tekst over zandige en kleiige bodems en de rol die humus daarbij speelt (zie paragraaf 15.4). Er staat dat humus de grond 'verbetert'. Jij gaat dit uitzoeken. Deze opdracht kun je in een groep van twee of drie doen.

▶ a Ontwerp een onderzoek waarmee je gaat aantonen op welke manieren humus de grondstructuur verbetert.

■ b Let daarbij op de eigenschappen van zandige en kleiige bodems.

▶ c Laat het ontwerp aan je docent zien.

d Voer het onderzoek eventueel uit.

BEOORDELING

OPDRACHT 23
TOETS
1 1/2 SLU

EINDTERMENTOETS

De nummers voor de vragen van deze toets verwijzen steeds naar de bijbehorende eindtermen.

1 Noem 5 abiotische factoren die invloed uitoefenen op levende wezens.
2 Hebben abiotische factoren ook invloed op ecosystemen? Verklaar je antwoord.
3 Leg uit dat de invloed van abiotische factoren op organismen terug te voeren is op processen in de cellen.
4 Noem 5 voorbeelden van eigenschappen van organismen die het gevolg zijn van bepaalde abiotische factoren in de leefomgeving van de genoemde organismen (je kunt zowel aan planten als dieren denken), bijvoorbeeld: een cactus met stekels als bladeren vind je in een droog en heet milieu.

BEOORDELING

6 Noem 5 verschillende relaties die er kunnen bestaan in een ecosysteem. Doe dat voor populaties van verschillenden planten, verschillende dieren (inclusief de mens), schimmels en bacteriën.
7 Welke methoden ken je voor het bepalen van populatiedichtheden?
8 Wat bedoelt men wanneer men zegt dat de groei, ontwikkeling en het leven van individuen begrensd zijn? (Gebruik in je antwoord de termen tolerantiegrenzen en beperkende factoren.)
9 Wat wordt bedoeld met een voedselrelatie? En met een voortplantingsrelatie?
Beschrijf van welke relatie er sprake is bij: competitie, predatie, symbiose, mutualisme, commensalisme en parasitisme.
72 Welke stoffen gebruikt een plant bij de fotosynthese?
72 Wat zijn de producten van de fotosynthese? Welke daarvan wordt of worden gebruikt door de plant?
72 Heeft licht invloed op de fotosynthese? Verklaar je antwoord.
72 Heeft temperatuur invloed op de fotosynthese? Verklaar je antwoord.
72 Heeft luchtvochtigheid invloed op de fotosynthese? Verklaar je antwoord.
72 Heeft vocht in de bodem rondom de plant invloed op de fotosynthese? Verklaar je antwoord.
72 Heeft wind invloed op de fotosynthese? Verklaar je antwoord.
73 Welke organische stof ontstaat bij de fotosynthese? Waarvoor gebruikt de plant deze stof?
74 Waar in de plant is sprake van transport door middel van stroming?
74 Noem twee plaatsen in de plant waar diffusie plaatsvindt. Waar vindt osmose plaats?
116 Leg uit welke rol competitie speelt binnen en tussen populaties bij de instandhouding en ontwikkeling van een ecosysteem.
117 In een populatie is sprake van populatiedichtheid, emigratie/immigratie, geboortecijfer en sterftecijfer. Deze begrippen worden met aantallen aangegeven. Leg voor elk van de begrippen uit wat er in de populatie gebeurt wanneer de aantallen veranderen.
118 Hoe verloopt de populatiegroei wanneer deze plaatsvindt in een ecosysteem met beperkte hulpbronnen (= omstandigheden die beperkend werken op de groei)? En hoe verloopt de groei in een ecosysteem met onbeperkte hulpbronnen?
119 Wat wordt bedoeld met de uitspraak dat een populatie kan instorten? Noem een voorbeeld.
120 Wat wordt bedoeld met successie van een ecosysteem? Noem een voorbeeld.

OPDRACHT 24
TOETS
1 1/2 SLU

ZELFTOETS

Maak de volgende eindexamenopgaven:
- 1998-I: 7, 14, 16
- 1997-I: 3 t/m 5, 7 t/m 11, 14
- 1997-II: 7 t/m 10, 14, 17 t/m 21
- 1996-I: 3, 4, 7, 8, 10, 11, 12, 17 en 18
- 1996-II: 3 t/m 6, 8 t/m 11, 16 en 17

VIDEO'S

1 *Bloemen in de woestijn*, over aanpassingen van planten aan de droogte (30 min.); te bestellen bij Video Educatief Leiden, Bachstraat 418, 2324 GZ Leiden.
2 *Karoo, het woeste paradijs*, over de extreme milieu-omstandigheden en de aanpassingen van plant en dier (45 min.); BBC Wildlife. Te bestellen bij British Council Amsterdam.
Specials SCV 63109 (Nederlands ondertitels), Warner Home video.
3 Serie 1 Bio-bits bovenbouw: Blok 2, *Weefselkweek: klonen van planten* (over de techniek van klonen; 10 min.).
4 Serie 1 Bio-bits bovenbouw: Blok 5, *Papierchromatografie: samenstelling van bladgroen.*
5 Serie 1 Bio-bits bovenbouw: Blok 11, *Meting van zuurstofproductie.*
6 Serie 3 Bio-bits bovenbouw: Blok 29, *Zonlicht en zetmeelvorming* (10 min.) en *De productie van zetmeel in groene bladeren* (10 min.).
7 Serie 3 Bio-bits bovenbouw: Blok 30, *Ontkieming van zaden* (10 min.) en *De remmende werking van stoffen op het kiemen van zaden* (10 min.).

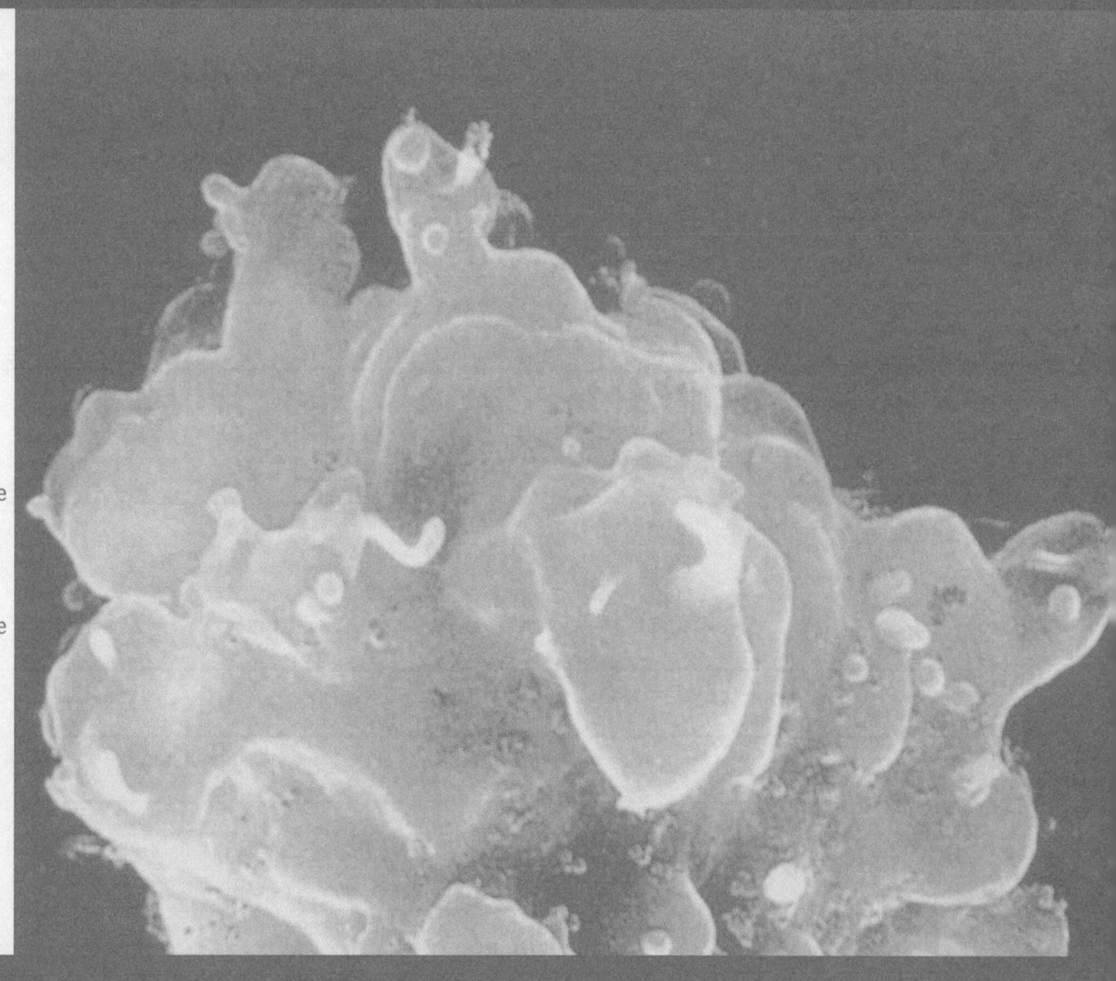

BLOK 3

OVERLEVEN MET EEN VARKENSHART

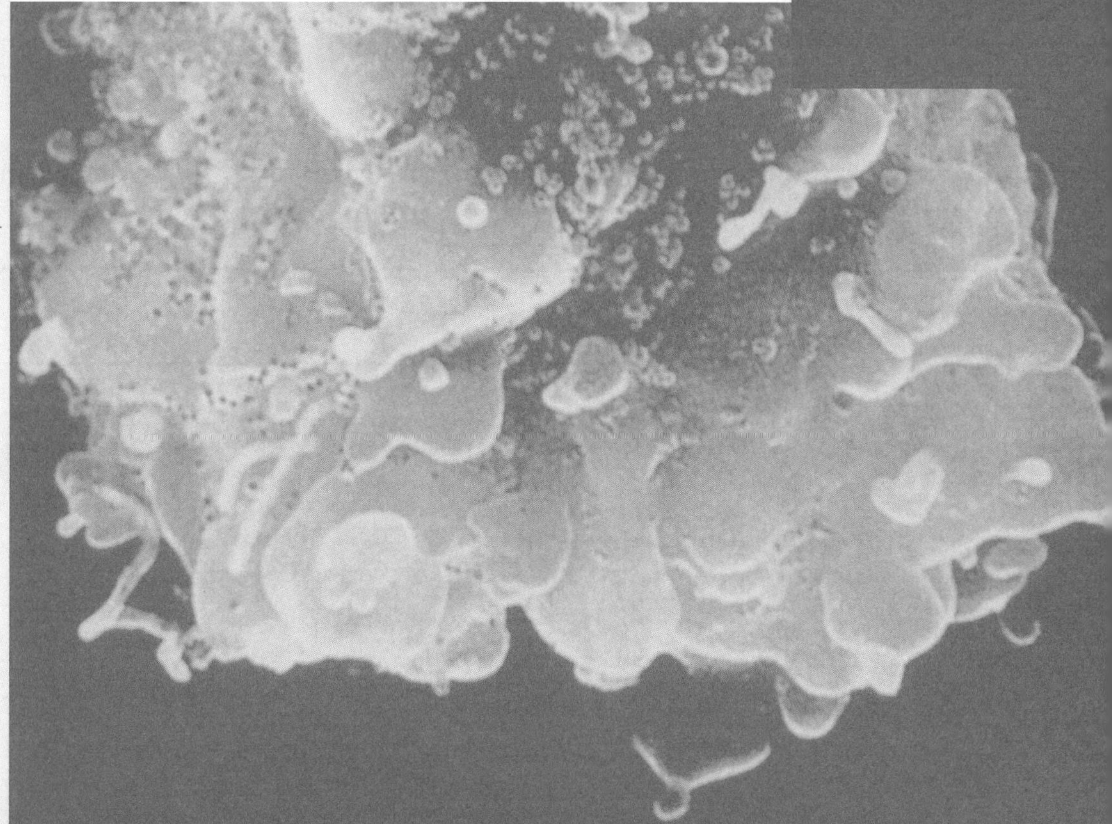

STUDIEWIJZER BLOK 3

TITEL	Overleven met een varkenshart?
BLOKCODE	LeVa
STUDIELAST	18 uur.
BRONNEN	Theorieboek. Naslagwerken. Internet.
AFSLUITINGSWIJZE	Presentatie van enkele figuren. Ingeleverde opdrachten. Onderzoeks- en practicumverslagen. Debat.
VERPLICHT	Ja.
BESCHRIJVING	In dit blok ga je je verdiepen in afweer en immuniteit van het menselijk lichaam.
LEERDOELEN	Na het doorwerken van dit blok: – Ken je de beschermende functies van de huid. – Ken je de afweermechanismen van het menselijk lichaam. – Weet je wat afstoting van donororganen inhoudt. – Weet je wat xenotransplantatie is. – Weet je hoe het aids-virus werkt. – Weet je wat immuniteit en immunisatie inhouden. – Kun je schimmels kweken. – Ken je de ABO- en resusbloedgroepen.
VAARDIGHEDEN	Artikel lezen en begrijpen. Figuren begrijpen en uitleggen aan anderen. Microscopisch onderzoeken. Experimenteren. Schimmels kweken.
VOORKENNIS	Basisvorming biologie. Celleer.
RELATIE MET ANDERE VAKKEN	Geneeskunde.

ORIËNTATIE

OPDRACHT 1
1/2 SLU ▶

VERDERLEVEN MET HET ORGAAN VAN EEN BAVIAAN

a Lees het onderstaande artikel en maak meteen een lijstje van (in jouw ogen) belangrijke begrippen.

Verder leven met het orgaan van een baviaan

Je wiskundeleraar heeft koeienogen, de buurvrouw varkensoren en je oom een apenhart. In sommige gevallen zou je denken dat het echt waar is. Als het aan bepaalde wetenschappers ligt, staat een dergelijke toekomst ons inderdaad te wachten. Door xenotransplantatie, het overbrengen van dierlijk weefsel naar een menselijk lichaam, zouden mogelijk veel patiënten die wachten op donororganen, geholpen kunnen worden.

Xenotransplantatie is niet helemaal iets van de laatste tijd. In de jaren zestig kreeg in de Verenigde Staten een vrouw met slecht functionerende nieren chimpanseenieren ingeplant. Na de operatie leefde zij nog negen maanden, waarin ze zelfs haar baan als lerares weer oppakte. In 1984 werd de Amerikaanse baby Fae geboren met een hartafwijking die verder leven onmogelijk zou maken. Toen de baby twee weken oud was, besloot de chirurg tot een revolutionaire ingreep. Faes afwijkende hartje werd vervangen door het hart van een baviaan. Aanvankelijk leek de operatie succesvol, maar na drie weken bleek het babylichaam het vreemde hart toch niet te accepteren. De afbraak van het bavianenhart door haar eigen immuunsysteem werd de baby fataal.

Een menselijk varken

Die afstotingsreactie van het immuunsysteem is een van de eerste barrières die genomen moeten worden op weg naar een succesvolle transplantatie. En dat is nog niet zo eenvoudig. Het immuunsysteem kun je je voorstellen als een soort agressieve vreemdelingenpolitie van ons lichaam. Dat politiekorps bestaat uit een verzameling cellen en moleculen die feilloos onderscheid kunnen maken tussen lichaamsvreemde en lichaamseigen cellen. Als cellen niet door de moleculaire paspoortcontrole komen, worden ze binnen een mum van tijd vernietigd. Zo beschermt het immuunsysteem ons lichaam tegen allerlei ongewenste indringers zoals virussen, bacteriën en parasieten. Maar ook vreemde getransplanteerde cellen en organen blijven niet onopgemerkt. Het afbreken van de vitale onderdelen van een lichaamsvreemd orgaan door het immuunsysteem is een kwestie van minuten. Hyperacute afstoting noemen ze dat.

Toch is succesvolle xenotransplantatie geen verre toekomstmuziek. Sinds de vrouw met de chimpanseenieren en de baby met het bavianenhart zijn de technieken om de afstoting door het immuunsysteem van lichaamsvreemde organen te voorkomen, flink verbeterd. Engelse wetenschappers zijn er met behulp van genetische manipulatie zelfs in geslaagd een varken te fokken met organen die er voor het menselijk immuunsysteem uitzien alsof ze bij het lichaam van de mens horen.

Hoe lang gaat het nog duren voordat we ons zonder zorgen een varkensoor aan kunnen laten naaien? 'Dat weet niemand,' zegt dr. Marquet, chirurg aan de Erasmusuniversiteit in Rotterdam. Volgens Marquet is de hyperacute afstoting nu redelijk onder controle. De recordtijd dat een aap met een varkensnier kan overleven is ongeveer zeventig dagen, maar daar kun je een patiënt nog niet blij mee maken. Het zou heel goed kunnen dat transplantatie van een varkensnier naar een mens meer succes heeft. Varkens hebben door de eeuwen heen altijd veel dichter bij mensen geleefd dan bij apen. Dat is volgens Marquet ook de reden waarom varkens eerder dan apen in aanmerking zullen komen om als donordier te dienen voor mensen. Varkens hebben bovendien het voordeel dat ze gemakkelijker in een steriele omgeving te fokken zijn.

Mensen met apenkuren

Ook al stemmen de ontwikkelingen om ons immuunsysteem om de tuin te leiden hoopvol, er kleven nog andere en misschien veel grotere gevaren aan xenotransplantatie. Met een vreemd orgaan kunnen we namelijk ook allerlei bacteriën, virussen of ziekten binnenhalen die voordien alleen bij dieren voorkwamen.

Een recent voorbeeld van zo'n ziekte die van dieren naar mensen overwaaide, is de gekkekoeienziekte. Alleen werd deze ziekte, die bij mensen de ziekte van Creutzfeldt-Jakob heet, niet overgebracht via getransplanteerde organen, maar door het eten van gekke koeien. Ook het Ebola apenvirus, dat de afgelopen twintig jaar verantwoordelijk was voor epidemieën in Afrika en de Verenigde Staten, heeft de sprong naar mensen gewaagd. Bij het transplanteren van dierlijke organen naar mensen kunnen ziekteverwekkers de natuurlijke barrière van de huid omzeilen en ons dus nog gemakkelijker ziek maken. Nu zal niet onmiddellijk varkenspest of mond- en klauwzeer uitbreken onder de mensen, maar misschien wel allerlei ziekten die bij dieren niet zo tot uiting komen.

Van de ziekteverwekkers zijn de retrovirussen nog de meest ongrijpbare. Een retrovirus is een virus dat bestaat uit een stukje genetische informatie dat, eenmaal in de gastheer, zichzelf vermomt als een stukje DNA dat bij het slachtoffer hoort. Het is dus ontzettend moeilijk op te sporen en kan zich zo ongebreideld verspreiden. Het aids-virus is zo'n retrovirus. Heel waarschijnlijk heeft het ooit ergens in Centraal-Afrika de sprong van aap naar mens gemaakt. Door xenotransplantatie zouden nog meer aids-achtige retrovirussen zich gemakkelijk over de mensen kunnen verspreiden. De gevolgen van zo'n overgesprongen retrovirus kunnen dus desastreus zijn voor de hele mensheid. Wie wil daar nou voor verantwoordelijk zijn? Het is dus de vraag of je de hele mensheid wel zo'n groot risico moet laten lopen ter wille van enkele individuen.

Toch noemt dr. Marquet zich gematigd optimistisch. 'De mens staat al eeuwen bloot aan varkensbloed in bijvoorbeeld slachthuizen. Dat is ook nooit fout gegaan. Als retrovirussen uit varkens echt een gevaar voor de samenleving zouden zijn, dan hadden we de gevolgen al wel gemerkt,' aldus Marquet.

Na de vele experimenten op dieren vinden vooral farmaceutische bedrijven de tijd nu rijp om xenotransplantatie van organen op mensen te testen. Het is ook een gat in de markt, want de vraag naar donororganen overschrijdt momenteel het aanbod ruimschoots. In Nederland is het experimenteren met xenotransplantatie naar mensen nog verboden, maar in Amerika is het toegestaan. Wij wachten met spanning af waar dat toe zal leiden. Maar die koeienogen die je tijdens de wiskundeles zo aan zitten te staren, die zijn toch echt nog van je leraar zelf.

Auteur: Jasper Wamsteker

b Om te testen of je het artikel begrepen hebt, moet je de volgende opdracht maken en de vragen beantwoorden.

1 Maak een lijstje van xenotransplantaties die in het artikel genoemd worden, schrijf het jaartal erachter.
2 Wat is hyperacute afstoting?
3 Waarom maakt xenotransplantatie met varkensorganen waarschijnlijk meer kans dan met apenorganen?
4 Hoe werkt een retrovirus? En waarom is het zo moeilijk te bestrijden?
5 Welke gevaren kleven er aan xenotransplantatie, afgezien van de 'gewone' afstotingsproblemen?
6 Welke drie ziekten zijn 'overgesprongen' van dieren naar mensen? Noem het oorspronkelijke dier erbij.

OPDRACHT 2
1/2 SLU

WAT WEET JE AL VAN IMMUNITEIT EN BESCHERMING?

► a Probeer de volgende vragen en opdrachten zo goed mogelijk te maken, zonder gebruik te maken van het theorieboek of een ander naslagwerk. Je kunt het met z'n tweeën doen. Je hoeft deze vragen niet foutloos te beantwoorden. Het gaat er nu om dat je inzicht krijgt in wat je al weet en wat je nog niet weet over dit onderwerp. Na dit blok vergelijk je de opgedane kennis met wat je nu weet. Dan kun je nagaan of je iets al goed wist, nog niet zo goed wist of nog helemaal niet wist. Op die manier word je je meer bewust van wat je eigenlijk leert. Om je huidige beginsituatie te kunnen vergelijken met je verworven kennis en vaardigheden aan het eind van dit blok, is het nodig elke vraag schriftelijk te beantwoorden. Indien je helemaal geen antwoord kunt verzinnen, schrijf je alleen het vraagnummer op en laat je de vraag verder open.

1 Welke bloedcellen houden zich bezig met de afweer?
2 Welke rol speelt de huid bij de afweer?
3 Wat zijn lymfocyten?
4 Waarom kun je bij een ontsteking (bijvoorbeeld van je keel) dikke klieren in je nek en hals krijgen?
5 Wat betekent het dat je immuun bent voor een bepaalde ziekte?
6 Hoe kun je immuun worden tegen een bepaalde ziekte?

7 Wat zijn antistoffen?
8 Met welk soort afweer is de vreemdelingenpolitie in het artikel te vergelijken?
9 Beschrijf in twee zinnen wat bedoeld wordt met afstoting.
10 Geef in een tekening weer hoe het komt dat iemand met bloedgroep A geen bloed van bloedgroep B maar wel bloed van bloedgroep O kan krijgen zonder afstoting (klontering)?
11 Hoe komt het dat bij een transplantatie van een orgaan tussen twee leden van een eeneiige tweeling geen afstoting plaatsvindt, terwijl dit tussen twee willekeurige mensen wel gebeurt?
12 Wat moet de werking van de medicijnen zijn als iemand een donororgaan (van een mens) geïmplanteerd heeft gekregen?
13 In het erfelijk materiaal van de cellen in een varkensorgaan kunnen complete virussen zitten. Maak dit met een tekening duidelijk.
14 Noem twee argumenten tegen xenotransplantatie.
15 Noem twee argumenten voor xenotransplantatie.
16 Hoe dik is je huid? En hoe groot schat je je huidoppervlak?
17 Is je huid een orgaan, vind je? Waarom wel/niet?
18 Zijn haren dood of levend?
19 Wat is precies een mee-eter in je huid?
20 Wat is het verband tussen een gat in de ozonlaag en huidkanker?
21 Waar beschermt de huid je allemaal tegen?

OPDRACHT 3
1/2 SLU

HOE WERKT HET AFWEERSYSTEEM VOLGENS JOU?

Kareltje speelt met Joris die waterpokken heeft. Na een aantal dagen wordt Kareltje ziek: hij heeft koorts en de rode huiduitslag die zo karakteristiek is voor waterpokken. Na twee weken zijn alle ziekteverschijnselen bij Kareltje verdwenen en is hij weer gezond. Overigens is Joris ook al weer helemaal genezen.
Ook de volgende opdracht kun je met z'n tweeën doen.

► a Hoe komt het dat Kareltje ziek wordt?
b Beschrijf zo precies mogelijk waardoor Kareltje beter wordt. Maak eventueel een tekening bij jouw verklaring.
■ c Waterpokken wordt veroorzaakt door een virus. Kun je uit het ziektebeeld afleiden waar de waterpokkenvirussen zitten tijdens de ziekte? Zo ja, waar zitten ze dan?
d Houd rekening met het gegeven dat de virussen zowel buiten de lichaamscellen als in de lichaamscellen aanwezig zijn.
► e Een jaar later komt Kareltje in de crèche weer in contact met een kind dat besmet is met waterpokken. Veel kinderen worden ziek, maar Kareltje niet. Waardoor krijgt Kareltje nu geen waterpokken?
f Beschrijf weer precies wat er in Kareltje gebeurt of wat er een jaar geleden gebeurd is. Verduidelijk je theorie (eventueel) met een tekening.

Vele jaren later, Kareltje is dan al Karel geworden, krijgt hij een ernstige nierziekte. Hij krijgt een donornier, maar die wordt binnen een week afgestoten. Er zijn daarna wel enkele nieren bij Eurotransplant beschikbaar, maar geen daarvan past bij Karels weefseltype. Voordat een goede donornier gevonden wordt, bezwijkt Karel aan zijn kwaal ...

g Beschrijf precies waardoor een vreemde nier soms wordt afgestoten.
h Waarom wordt een vreemde nier soms niet afgestoten?
i Wat heeft het afstoten van een nier te maken met het krijgen en genezen van waterpokken?

PLANNING

OPDRACHT 4
1/2 SLU

PLANNING MAKEN

▶ a Bij de planning van dit blok moet je rekening houden met opdracht 5. Het is niet zo leuk om alle presentaties van deze opdracht achter elkaar uit te voeren. Plan ze over 3 à 4 weken. Houd er rekening mee dat elke presentatie bij deze opdracht $2\frac{1}{2}$ uur vergt.

■ b Lees opdracht 5 aandachtig door en kijk in welke vijf stukken je deze opdracht kunt verdelen.
Bepaal voor elk deel de hoeveelheid slu.
Let erop dat je niet meer dan 4 slu voor de hele opdracht plant.

opdracht	titel	omschrijving	studielast in uren
1	Verderleven met het orgaan van een baviaan	Je leest een artikel over xenotransplantatie.	1/2
2	Wat weet je al van immuniteit en bescherming?	Je probeert 21 vragen te beantwoorden.	1/2
3	Hoe werkt het afweersysteem volgens jou?	Over afweer tegen waterpokken en een donornier.	1/2
4	Planning maken	Je maakt een planning van dit blok.	1/2
Basisopdrachten			
Cluster 1 Afweer door het menselijk lichaam			
5	Alle figuren uit hoofdstuk 14 van het theorieboek	Met de hele klas presenteer je aan elkaar alle figuren in de goede volgorde.	4
6	Bestuderen van de theorie over afweer	Je bestudeert hoofdstuk 14 en beantwoordt er vragen over.	1 1/2
7	Antigenen en antistoffen: is er verschil?	Dit kom je te weten door middel van vragen.	1/2
Cluster 2 Huid als beschermend orgaan			
8	Bestuderen van de theorie over de huid	Je bestudeert hoofdstuk 13 en beantwoordt er vragen over.	1
9	Begrippenlijst	Je werkt de begrippenlijst bij.	1/2
10	Terugblik	Je kijkt hoeveel je nu wijzer bent geworden.	1/2
11	Hoe warmte- en koudegevoelig ben jij?	Je onderzoekt koude- en warmtezintuigen in je huid.	1 1/2
Keuzeopdrachten			
12	Microscopie van de huid	Je bekijkt huid en huidproducten.	1/2
Cluster 3 Afweer en afstoting			
13	Hyperacute afstoting	Je gaat een transplantatie nabootsen.	1 1/2
14	Fagocytose onder de microscoop	Je bekijkt de werking van de witte bloedcellen van een poelslak.	1 1/2
Cluster 4 Besmet worden en weer genezen			
15	Besmet met een schimmel!	Je laat fruit beschimmelen.	1 1/2
16	Antibiotica uit penicillium-soorten	Je kweekt je eigen penicilline.	1 1/2
Cluster 5 Xenotransplantatie			
17	Debat over xenotransplantatie	Je organiseert met je groep een debat.	3
Beoordelingsopdrachten			
18	Eindtermentoets		1
19	Zelftoets over afweer en de huid		3/4

Tabel 3.1 Overzicht van de opdrachten van dit blok.

UITVOERING

BASISOPDRACHTEN

CLUSTER 1 AFWEER DOOR HET MENSELIJK LICHAAM

OPDRACHT 5
PRESENTATIE
4 SLU

ALLE FIGUREN UIT HOOFDSTUK 14 VAN HET THEORIEBOEK

Het is je waarschijnlijk opgevallen dat het theorieboek rijk geïllustreerd is. De reden daarvoor is dat de schrijvers menen dat de figuren je helpen om de leerstof te begrijpen. Ze hebben ernaar gestreefd alleen figuren op te nemen die een bijdrage leveren aan de verduidelijking van de leerstof.
Hoofdstuk 14 bevat 27 figuren. Ze zien er op het eerste gezicht heel ingewikkeld en moeilijk uit. Als je al deze figuren echter begrijpt, begrijp je de theorie ook. Maar hoe kun je nagaan of je een figuur echt begrijpt? Een heel goede manier is door de figuur aan iemand anders uit te leggen. Uit onderzoek is gebleken dat het grootste leereffect optreedt wanneer je iets moet uitleggen.
Nu kunnen we wel iedereen alle figuren aan iedereen laten uitleggen, maar het is natuurlijk veel efficiënter, beter en leuker als groepen leerlingen enkele figuren voor hun rekening nemen om die in een korte presentatie aan de medeleerlingen uit te leggen.

Hoe organiseer je dit met elkaar?
Je werkt in groepen. Als elke groep willekeurig wat figuren zou kiezen en de presentaties in een willekeurige volgorde uitgevoerd worden, dan ontstaat er geen gestructureerde samenhang tussen de verschillende verhalen. Dat zou het leereffect verminderen.
Daarom zijn de figuren die bij elkaar horen, geclusterd. Om je te helpen de figuren te begrijpen, zijn er bij elke figuur vragen gesteld. Behandel deze vragen ook in je presentatie. Elk figurencluster heeft een titel. Elke groep neemt een figurencluster voor zijn rekening.

Verdeling van de figurenclusters
Bij de verdeling van de figurenclusters onder de verschillende groepen kun je onderstaande tabel als leidraad gebruiken. Het kan natuurlijk voorkomen dat je groep uit minder dan 26 leerlingen bestaat. Dan moeten er 2 (of 3?) figurenclusters per groep genomen worden. Dat betekent natuurlijk ook dat je meer tijd kwijt bent.

Groepsnummer	Groepsgrootte (aantal leerlingen)	Figurencluster	Figuren
1	3	1 Overzicht afweerlinies en eerste afweerlinie	14.1, 14.2, 14.3
2	3	2 Tweede afweerlinie	14.4, 14.5, 14.6
3	4	3 Derde afweerlinie (immuunsysteem)	14.7, 14.8, 14.9, 14.10, 14.11
4	4	4 B- en T-lymfocyten (cellulaire immuniteit)	14.12, 14.13, 14.14, 14.15
5	3	5 ABO-bloedgroepensysteem	14.16, 14.17, 14.18
6	2	6 Transfusies en transplantaties	14.19, 14.20
7	3	7 Immunisatie en geneesmiddelen	14.21, 14.22, 14.23
8	4	8 Allergie en aids	14.24, 14.25, 14.26, 14.27

Tabel 3.2 Verdeling van de figurenclusters over de groepen.

UITVOERING

Deze opdracht beslaat veel studielasturen omdat er veel verschillende activiteiten moeten plaatsvinden, namelijk de volgende.

1 Intekenen op de lijst die je docent in het klaslokaal opgehangen heeft. Hierbij worden groepen gevormd en wordt de clusterkeuze van elke groep vastgelegd.
2 Eerste werkbespreking in je groep. Hierin worden de figuren onder de leerlingen verdeeld. Als een leerling twee figuren moet uitwerken, let er dan op dat hij/zij niet de twee moeilijkste toegewezen krijgt.
3 Elke leerling werkt aan zijn/haar figuur. Dat betekent: het figuur lezen volgens vaardigheid 20 (achter in het werkboek), de richtvragen die bij de desbetreffende figuur gesteld zijn, beantwoorden en de figuur klaarmaken voor presentatie. (Roep eventueel de hulp van je docent in, wanneer je de figuur niet goed begrijpt.)
4 Bij het klaarmaken voor de presentatie wordt bedoeld dat je op een of andere manier de figuur aan alle medeleerlingen kunt laten zien. Dat kan bijvoorbeeld door de figuur te kopiëren op een sheet of door de figuur op een A2-vel over te tekenen of te kopiëren.
5 Tweede werkbespreking in je groep. Hierin toont elke leerling zijn klaargemaakte figuur en legt hij/zij aan de andere groepsleden de figuur uit. Vervolgens bereidt de groep haar presentatie voor. Bedenk bij elk figuur één vraag die je aan medeleerlingen kunt stellen om te kijken of ze je verhaal echt begrepen hebben. Zorg ervoor dat iedereen uit de groep zijn/haar bijdrage levert aan de presentatie.
6 Het houden van de presentatie duurt 1/4 slu.
7 Het luisteren naar de andere presentaties duurt $2\frac{1}{4}$ slu.

Presentatie

Gebruik vaardigheid 15, maar ook de specifieke aanwijzingen hieronder.
De presentatie van je figuren moet als volgt opgebouwd zijn.

1 Titel. Een sheet waarop de titel is geschreven. Dit is de titel van je cluster.
2 Inleiding. Hier kondig je onder andere aan wat je gaat presenteren. Je kunt bijvoorbeeld de figuurtitels onder elkaar op een sheet schrijven.
3 De uitleg van de figuren. Bespreek ook de gestelde richtvragen bij dit onderdeel.
4 Slot. Je geeft een samenvatting van de belangrijkste punten. Ook stel je hier je bedachte vraag aan medeleerlingen.
5 De hele presentatie mag niet langer dan 15 minuten duren.
Spreek met elkaar de volgorde af!
Presenteer de figurenclusters in de juiste volgorde. Er ontstaat dan een hoorcollege met een duidelijke structuur. Maak aantekeningen terwijl je naar een presentatie luistert, want je moet het met deze uitleg van een figuur doen.

FIGURENCLUSTER 1 OVERZICHT AFWEERLINIES EN EERSTE AFWEERLINIE

Figuur 14.1 De drie linies van het afweersysteem.

1a Wat wordt bedoeld met externe niet-specifieke afweer, interne niet-specifieke afweer en specifieke afweer?
1b Noem drie plekken in je lichaam waar slijmvliezen zitten.
1c Welk verschil bestaat er tussen macrofagen en 'natural killer'-cellen?
1d Noem twee verschillen tussen niet-specifieke afweer en specifieke afweer.

Figuur 14.2 De eerste afweerlinie.

2a Welke afweer is hier getekend? (niet-specifiek of specifiek, extern of intern?)
2b Naast elke aanwijslijn staan termen of korte zinnen geschreven. Leg voor elke term of zin uit hoe deze bijdraagt aan de verdediging van het lichaam.

Figuur 14.3 Overzicht van de belangrijkste leucocyten.
3a Er is een stukje B-lymfocyt en een stukje T-lymfocyt in detail getekend. Om welke reden is dit zo gedaan?
3b Zijn deze details ook onder een lichtmicroscoop zichtbaar?
3c Noem heel kort de functies van de verschillende leucocyten.

FIGURENCLUSTER 2

TWEEDE AFWEERLINIE

Figuur 14.4 De ontstekingsreactie bij verwonding van de huid.
4a Vertel stap voor stap wat hier te zien is.
4b Welke twee typen witte bloedcellen behoren tot de fagocyten?

Figuur 14.5 Fagocytose.
5a Behoort dit proces tot de niet-specifieke of specifieke afweer? Leg dit uit.
5b Welke functie hebben de lysosomen in deze figuur?
5c Op welke plekken in het lichaam kan dit fagocytoseproces plaatsvinden?
5d Noem drie ziekteverwekkers die op deze manier onschadelijk gemaakt kunnen worden.
5e Noem twee typen witte bloedcellen die op deze manier een ziekteverwekker onschadelijk maken.
5f Wat is het verschil tussen deze twee typen bloedcellen?

Figuur 14.6 'Natural killer'-cellen in actie.
6a Behoort dit proces tot de niet-specifieke of specifieke afweer? Leg uit.
6b Welke twee verschillende moleculen worden door 'natural killer'-cellen geproduceerd en afgegeven?
6c Welk effect hebben deze moleculen op de geïnfecteerde cel?
6d Noem drie ziekteverwekkers die op deze manier onschadelijk gemaakt kunnen worden.

FIGURENCLUSTER 3

DERDE AFWEERLINIE (IMMUUNSYSTEEM)

Figuur 14.7 Schematische weergave van een experiment waaruit de werking van het immuunsysteem blijkt.
7a Leg uit wat hier bij muis A en muis B gebeurt.
7b Welke twee basisprincipes van het immuunsysteem worden met dit experiment duidelijk gemaakt? (Zie ook tabel 14.1.)

Figuur 14.8 De structuur van een antistofmolecuul.
8a Welke van de twee is het antistof en welke het antigeen?
8b Wat gebeurt er in deze tekening?
8c Hoeveel antigenen kan één antistofmolecuul binden?
8d Kan één antistofmolecuul tegelijk verschillende soorten antigenen binden? Leg uit.

Figuur 14.9 Het ontstaan van humorale immuniteit door klonale selectie.
9a Geef aan wanneer en hoe de kloonvorming plaatsvindt.
9b Wanneer je lichaam in contact geweest is met 15 verschillende virussen, waar je immuun tegen bent geworden, hoeveel soorten geheugencellen heb je dan in je lichaamsvloeistof rondcirculeren? Leg uit.
9c Noem twee verschillen tussen plasmacellen en geheugen B-cellen.
9d Leg uit dat deze figuur de humorale immuniteit weergeeft.
9e In de plasmacellen zijn organellen getekend die niet in de geheugen B-cellen getekend zijn. Welke organellen zijn dat?

9f Waarom zullen deze organellen talrijker zijn in plasmacellen dan in geheugen B-cellen?

Figuur 14.10 Primaire en secundaire immuunreactie.
10a Hoe kun je uit de grafiek aflezen dat bij een secundaire immuunreactie sneller en meer antistoffen gemaakt worden dan bij een primaire immuunreactie?
10b Op welke manier toont de grafiek aan dat het immuunsysteem specifiek werkt?

Figuur 14.11 Op verschillende manieren worden ongewenste indringers door antistoffen onschadelijk gemaakt.
11a Je ziet dat antistoffen op drie manieren ziekteverwekkers onschadelijk maken. Leg elke manier uit.
11b Uit dit plaatje blijkt dat de derde afweerlinie de tweede afweerlinie helpt. Leg dit uit.
11c Hoe zou het komen dat macrofagen een antigeen beter kunnen fagocyteren als daaraan een antistof gekoppeld is?

FIGURENCLUSTER 4 B- EN T-LYMFOCYTEN (CELLULAIRE IMMUNITEIT)

Figuur 14.12 Schematische weergave van een experiment waaruit blijkt dat B-lymfocyten T-lymfocyten nodig hebben om antistoffen te maken.
12a Wat voor soort cellen zijn B- en T-lymfocyten?
12b Waarom worden muis 2, 3, 4 en 5 radioactief bestraald?
12c Een conclusie uit dit experiment is dat B-lymfocyten T-lymfocyten nodig hebben om antistoffen te kunnen maken. Maak duidelijk waarom deze conclusie getrokken kan worden.

Figuur 14.13 De centrale rol van helper T-cellen bij de activatie van humorale immuniteit.
13a Wat is hier uitgebeeld?
13b Wat is het verband met figuur14.9?

Figuur 14.14 De ontwikkeling van lymfocyten in beenmerg en thymus.
14a Tot welke twee typen witte bloedcellen kan een lymfoïde stamcel zich ontwikkelen?
14b Waar ontstaan lymfoïde stamcellen? Verklaar het woord 'stam'cellen.
14c Wat is de thymus? Waar zit dit orgaan?
14d Kun je bedenken waarom de thymus vooral in je jeugd sterk ontwikkeld is?
14e Hoe komen lymfoïde stamcellen in de thymus terecht?

Figuur 14.15 Het lymfesysteem.
15a Welke rol spelen de lymfeknopen in de afweer?
15b Hoe staat het lymfe in contact met de bloedsomloop?
15c Op welke manieren kunnen witte bloedcellen in een lymfeknoop terechtkomen?
15d Hoe komt het dat lymfeknopen opzwellen bij een infectie?

FIGURENCLUSTER 5 ABO-BLOEDGROEPENSYSTEEM

Figuur 14.16 Het ABO-systeem.
16a In de figuur zijn twee verschillende antistoffen getekend. Welke? Waarin verschillen ze?
16b Waarom staan de genotype ook afgebeeld in deze figuur?

UITVOERING

Figuur 14.17 Een bloedtransfusie alleen gebaseerd op het ABO-bloedgroepensysteem.
17a Welke bloedgroep is de universele (algemene) donor (gever)?
17b Verklaar dit met behulp van figuur 14.17.
17c Welke bloedgroep is de universele acceptor (ontvanger)?
17d Verklaar dit met behulp van figuur 14.17.
17e Waarom wordt het bloedgroepensysteem in het hoofdstuk 'afweer' behandeld?

Figuur 14.18 Problemen bij zwangerschap bij een resusnegatieve moeder en een resuspositief kind.
18a Welk verschil bestaat er hier tussen het bloed van de moeder wanneer ze voor de eerste keer zwanger is en wanneer ze voor de tweede keer zwanger is?
18b Verklaar dat verschil.
18c Leg uit waarom een verschil in resusbloedgroep tussen moeder en kind gevaarlijk kan zijn voor het kind, maar dat een verschil in ABO-bloedgroep geen gevaar voor het kind oplevert.
18d Hoe worden complicaties met resus bij zwangerschappen tegenwoordig voorkomen?

FIGURENCLUSTER 6

TRANSFUSIES EN TRANSPLANTATIES

Figuur 14.19 Bloed na centrifuge.
19a In welke laag van het reageerbuisje bevinden zich antistoffen?
19b Leg uit hoe het komt dat de rode bloedcellen onder liggen.

Figuur 14.20 Transplantaties.
20a Waardoor kun je zien dat de transplantatie meer kans van slagen heeft wanneer er veel antigenen van donor en acceptor hetzelfde zijn?
20b Betrek xenotransplantatie bij deze figuur.
20c Welke medicijnen krijgen de patiënten nadat ze een donororgaan hebben gekregen?
20d Wat is het verband tussen afweer en orgaantransplantaties?

FIGURENCLUSTER 7

IMMUNISATIE EN GENEESMIDDELEN

Figuur 14.21 Een spotprent van Jenner.
21a Waar wordt hier de spot mee gedreven?
21b Wat is de aanleiding geweest om deze spotprent te maken?

Figuur 14.22 Vier vormen van immunisatie.
22a Wat is passieve immunisatie?
22b Wat is actieve immunisatie?
22c Hoe komt het dat een pasgeboren baby tegen een aantal ziekten immuun is?
22d Wat is het essentiële verschil tussen kunstmatige en natuurlijke immunisatie?

Figuur 14.23 Kweekplaat met schimmel van Fleming.
23a Flemings eerste reactie bij het zien van deze kweekplaat was: dit is een verontreinigde kweekplaat, weg ermee. Waarmee was de kweekplaat verontreinigd?
23b Welke twee typen organismen heeft Fleming waargenomen op zijn kweekplaat?
23c Na een wat meer nauwkeurige bestudering van zijn kweekplaat, nam Fleming iets 'bijzonders' waar. Wat was dat?
23d Welke veronderstelling deed Fleming op grond van deze waarneming?

23e Welke doorbraak heeft de 'mislukte' kweekplaat van Fleming tot gevolg gehad in de medische wetenschap?
23f Wat verstaat men tegenwoordig onder antibiotica?

FIGURENCLUSTER 8

ALLERGIE EN AIDS

Figuur 14.24 Mestcellen en de allergische reactie.
24a Wat zijn mestcellen?
24b Wat is de prikkel voor mestcellen om histamine af te geven? Wat is de werking van histamine?
24c Wat hebben mestcellen met allergie te maken?
24d Wat hebben mestcellen met afweer te maken?

Figuur 14.25 Aids-virus.
25a Voor welke cellen in het lichaam is het aids-virus gevaarlijk?
25b Heeft dit virus ook DNA?

Figuur 14.26 HIV verlaat een helper T-cel.
26a Waar is het HIV (de paarse bolletjes) gevormd?
26b Wat kun je voorspellen voor de helper T-cel waar ze uitkomen?

Figuur 14.27 De stadia bij een besmetting met HIV.
27a Kun je het verloop van de rode stippellijn uitleggen?
27b Hoe kun je verklaren dat het aids-virus na één jaar, als het bijna geheel vernietigd is, weer enorm toeneemt?
27c Leg uit hoe het komt dat de concentratie T-cellen afneemt na één jaar.
27d Hoe kan besmetting met HIV optreden?
27e Via welke lichaamssappen is besmetting niet mogelijk?

OPDRACHT 6
THEORIE ▶
1 1/2 SLU

BESTUDEREN VAN DE THEORIE OVER AFWEER

a Bestudeer hoofdstuk 14. Omdat er meer theorie in dit hoofdstuk staat dan je voor het eindexamen moet kennen, worden hieronder gerichte vragen gesteld, aan de hand waarvan je de stof kunt leren.
Wanneer opdracht 5 nog niet uitgevoerd is, kun je zelf de vragen bij de figuren proberen te beantwoorden. Dat kan een goede hulp bij het bestuderen zijn.
De eindtermen die hierbij horen, zijn: 163 t/m 167 (zie ook achter in dit blok bij de eindtermentoets).

1 Welke weefsels zorgen voor de eerste, niet-specifieke afweer?
2 Welke witte bloedcellen zijn actief bij de tweede afweerlinie? Wat zijn 'natural killer'-cellen?
3 Wat zijn antistoffen?
4 Beschrijf wat er gebeurt wanneer je aangestoken wordt met griep (griep wordt veroorzaakt door een virus). Beschrijf wat er op alle drie de afweerlinies gebeurt.
5 Je bent weer beter van de griep. Kun je nu weer aangestoken worden door hetzelfde virus? Verklaar je antwoord.
6 Veel mensen worden jaarlijks ingeënt tegen de griep. Wat wordt er dan geïnjecteerd?
7 Wat gebeurt er precies bij fagocytose?
8 Wat zijn stamcellen?
9 Heeft iemand met bloedgroep A anti-B, anti-A of allebei? Verklaar je antwoord.
10 Hoe komt het dat mensen bij wie een orgaan getransplanteerd wordt, afweerremmende medicijnen moeten slikken?

UITVOERING

11 Wat is een 'resuspositief' kind?
12 Kun je iemand met bloedgroep AB een bloedtransfusie met bloedgroep O geven?
13 Wat is xenotransplantatie?
14 Maak een schema van de verschillende vormen van immunisatie (actief/passief/kunstmatig/natuurlijk).
15 Wat is penicilline? Wat is antibiotica?
16 Waarom is het aids-virus zo moeilijk te bestrijden?
17 Wat is een auto-immuunziekte?

OPDRACHT 7
THEORIE
1/2 SLU

ANTIGENEN EN ANTISTOFFEN: IS ER VERSCHIL?

► a Wanneer je deze vragen goed kunt beantwoorden, weet je het verschil!
1 Wat suggereert de term 'antigenen'?
2 Welk woord is het enkelvoud van 'antigenen'?
3 Vergelijk dit woord met het enkelvoud van 'genen'. Zijn er dan nog overeenkomsten?
4 In een Amerikaans biologieboek staat geschreven: "*Antigen* is a contraction of *anti*body-*gen*erating". Vertaal dit in het Nederlands.
5 Wat wordt dus bedoeld met antigenen?
6 Waar zitten antigenen op een ziekteverwekker, aan de binnen- of buitenkant?
7 Neem aan dat je gezond bent. Dan heb je toch antigenen in je lichaam. Waar zitten die dan?
8 Heb je ook antistoffen in je lichaam (in gezonde situaties)?
9 Welke cellen maken antistoffen?
10 Waarom maken die cellen antistoffen?
11 Wanneer maken die cellen antistoffen?
12 Wat doen die antistoffen?
13 Wat is het verband tussen antigenen en antistoffen?

CLUSTER 2 HUID ALS BESCHERMEND ORGAAN

OPDRACHT 8
THEORIE
1 SLU

BESTUDEREN VAN DE THEORIE OVER DE HUID

De eindtermen die hierbij horen, zijn: 158 t/m 162 (zie ook achter in dit blok bij de eindtermentoets).

► a Bestudeer hoofdstuk 13, 'De huid' van je theorieboek.

■ b Doe dat met behulp van de vaardigheden 1 en 3. Bepaal je studeersnelheid en deel het hoofdstuk in stukken van een half uur of een uur in.

► c Aan de hand van de onderstaande vragen kun je toetsen of je de leerstof onder de knie hebt. Schrijf de antwoorden in je schrift.
1 Tegen welke uitwendige gevaren beschermt de huid ons?
2 Het weefselhormoon histamine wordt onder andere in de huid gevormd. Wanneer gebeurt dat? Wat is het effect van dit hormoon?
3 Hoe komt het dat we meer last hebben van vochtige warmte dan van droge warmte?
4 Welke lagen van de huid zijn beschadigd bij een bloedende schaafwond? Verklaar je antwoord.
5 Wat is een blaar? Hoe komt het dat je het velletje van een blaar zonder pijn kunt verwijderen? Wat is eelt?
6 Voor welke milieufactor zijn donkere mensen beter aangepast dan blanke mensen? Leg uit hoe deze aanpassing werkt.
7 De egel, pad, muis, bij, kruisspin, regenworm, naaktslak, huisjesslak en spanrups leven in veel tuinen. Welke van deze dieren zijn door hun huid beschermd tegen uitdroging? Hoe voorkomen de andere dieren dat ze uitdrogen?

UITVOERING

8 Mensen van wie een groot deel van de huid is beschadigd, bijvoorbeeld door verbranding, lopen grote kans op ontregeling van de homeostase. Wat wordt er dan precies ontregeld en hoe komt dat?
9 Noem drie functies van het onderhuids bindweefsel.
10 Waarom is vitamine D belangrijk?
11 Je hele leven lang heb je eenzelfde hoeveelheid vitamine D nodig. Waardoor veroorzaakt een tekort hieraan bij kinderen veel eerder bepaalde afwijkingen dan bij volwassenen?
12 Een echte tatoeage blijft het hele leven zichtbaar. Waar precies wordt de inkt ingebracht?
13 Hoe kun je verklaren dat waterzoogdieren meestal een dikkere vetlaag hebben dan even grote landzoogdieren?
14 Hoe komt het dat iemand met opkomende koorts bleek ziet?

OPDRACHT 9
1/2 SLU

BEGRIPPENLIJST

▶ Werk je eigen begrippenlijst bij met de nieuwe termen en begrippen. Overleg over je beschrijvingen in ieder geval met een medeleerling. Vraag bij twijfel je docent erbij.

OPDRACHT 10
1/2 SLU

TERUGBLIK

In opdracht 2 heb je je aan de hand van een vragenlijst georiënteerd op het onderwerp van dit blok en op de kennis die je reeds had. In hoeverre was jouw kennis vooraf al goed en in hoeverre was jouw kennis vooraf nog niet zo goed?

▶ a Beantwoord nogmaals de 21 vragen van opdracht 2.
b Vergelijk deze antwoorden met de antwoorden die je hebt opgeschreven in de oriëntatiefase.
c Op welke vragen had je in de oriëntatiefase goede antwoorden gegeven?
d Op welke vragen had je in de oriëntatiefase foute antwoorden gegeven?
e Op welke vragen had je in de oriëntatiefase nog helemaal geen antwoord gegeven?
f Vertel aan je buurman of buurvrouw één fout antwoord uit de oriëntatiefase. Vertel wat er fout was en vertel vervolgens het goede antwoord.
g Vertel aan je buurman of buurvrouw het goede antwoord op een vraag waarop je in de oriëntatiefase nog geen antwoord wist.

OPDRACHT 11
ONDERZOEK
1 1/2 SLU

HOE WARMTE- EN KOUDEGEVOELIG BEN JIJ?

Je huid is één groot zintuigorgaan. Je kunt er onder andere temperatuurverschillen mee voelen. Iemand met een huidoppervlak van 1,8 m^2 bezit 240.000 koudezintuigen en 40.000 warmtezintuigen. In deze proef ga je verschillende plaatsen van de huid onderzoeken op warmte- en koudezintuigen. Gebruik de vaardigheden 7 en 14 uit het vaardighedenkatern achter in dit boek.

▶ a Bedenk met een medeleerling wat je precies wilt onderzoeken en formuleer de vraagstelling

■ b Enkele suggesties: is er verschil tussen verschillende huiddelen? Is er verschil tussen jou en je medeleerling? Zijn er speciale stukjes huid, bijvoorbeeld waar een litteken zit, die andere resultaten te zien geven?

Materiaal
- Warmwaterbad van 50 °C.
- Bakje met ijswater.
- 4 breinaalden of dunne metalen staafjes.
- 4 kurken.
- 3 viltstiften van verschillende kleur (zwart, rood, blauw).
- Centimeter.

- Eventueel een blinddoek.
- Keukenpapier of tissue.

Werkwijze

1 Bepaal wie van jullie twee proefpersoon dan wel proefnemer is (wissel dat uiteraard steeds om).
2 Plaats twee breinaalden (of staafjes) die je aan één kant in een kurk hebt gestoken, in het warmwaterbad en twee in het ijswater.
3 Teken met een zwarte viltstift op het te onderzoeken stukje huid een rechthoek van 1 x 2 cm.
4 Blinddoek de proefpersoon of laat haar/hem de ogen dichthouden gedurende de hele proef.
5 Neem een warme breinaald en droog hem snel met een tissue af.
6 Plaats de punt – zonder te drukken – in de rechthoek.
7 De proefpersoon laat weten wanneer hij/zij een warmteprikkel (dus geen gevoel van aanraking!) gewaar wordt. Geef dat puntje op de huid met een rode viltstift aan.
8 Werk zo systematisch de rechthoek af, maar zorg ervoor dat je na maximaal 2 minuten een nieuwe warme breinaald neemt.
9 Herhaal met de koude breinaalden de proef en geef de koudepunten met een blauwe viltstift aan.
10 Plaats dan warme naalden op de blauwe punten en koude naalden op de rode punten. Wat wordt de proefpersoon nu gewaar?
11 Doe ditzelfde onderzoek in totaal minstens vier maal (dus op twee plaatsen bij de ene en op twee plaatsen bij de andere persoon).

▶

c Maak een verslag. Doe dat zó volledig dat de proeven – net als in 'echt' wetenschappelijk onderzoek – reproduceerbaar zijn.

d Beantwoord/behandel in je verslag in ieder geval de volgende vragen/zaken.
 1 Komen jullie resultaten overeen met die van de wetenschap? (Je docent beschikt over een tabel waarin voor een aantal lichaamsdelen de – wetenschappelijk bepaalde – verdeling van warmte- en koudezintuigen is weergegeven.)
 2 Waarom moet er een kurk op de breinaalden?
 3 Waarom moet de proefpersoon zijn ogen dicht doen (of geblinddoekt worden)?
 4 Waarom moet een experiment of een onderzoek reproduceerbaar zijn?
 5 Welke problemen kwam je tegen?
 6 Zou je een vervolgonderzoek willen doen over zintuigen in de huid? Wat zou je dan willen onderzoeken?

KEUZEOPDRACHTEN

OPDRACHT 12
MICROSCOPIE ▶
1/2 SLU

MICROSCOPIE VAN DE HUID

a Maak preparaten van delen van je huid (schilfers, haren mét haarzakje, eelt, velletje) en bekijk ze onder de microscoop. Neem vaardigheid 11 erbij. Maak duidelijke tekeningen met bijschrift.

b Vraag aan de leraar kant-en-klare preparaten van de huid. Maak duidelijke tekeningen met bijschrift.

UITVOERING

CLUSTER 3

AFWEER EN AFSTOTING

OPDRACHT 13
ONDERZOEK
1 SLU

HYPERACUTE AFSTOTING

Als bij transplantatie van organen tussen mensen al grote kans bestaat op hyperacute afstoting, dan is het niet verwonderlijk dat medische onderzoekers verwachten dat hyperacute afstoting een zeer groot probleem zal zijn wanneer dierlijke organen bij de mens worden geïmplanteerd. Immers, dieren hebben totaal andere antigenen op hun cellen dan mensen. Maar is er altijd sprake van hyperacute afstoting als een orgaan of weefsel diersoortoverschrijdend getransplanteerd wordt? Dat ga jij onderzoeken met bloed afkomstig van twee verschillende dieren.

▶ a Je zult je waarschijnlijk afvragen wat bloed mengen met orgaantransplantaties te maken heeft. Dat is een essentiële gedachtenstap. Voordat je dit practicum gaat uitvoeren, moet je dat eerst voor jezelf duidelijk hebben gemaakt. Beantwoord daarvoor de volgende twee vragen.
1 Is een bloedtransfusie te vergelijken met een orgaantransplantatie, een weefseltransplantatie of met geen van beide?
2 Worden met klontering en afstoting verschillende of dezelfde processen bedoeld?

■ b Beantwoord de volgende vragen.
1 Wat is ook alweer een orgaan?
2 Bestaat bloed uit één type bloedcellen met dezelfde functie of uit meerdere typen cellen?
3 Is bloed dus een orgaan?
4 Wat is een weefsel?
5 En als alleen rode bloedcellen via transfusie worden overgebracht, is dat dan een orgaantransplantatie of iets anders?

▶ c Maak een keuze uit de volgende twee vraagstellingen om te onderzoeken.
Vraagstelling 1: Stoot een varken rode bloedcellen van een schaap of lam hyperacuut af?
Vraagstelling 2: Stoot een schaap of lam rode bloedcellen van een varken hyperacuut af?

d Schrijf een verslag van dit experiment volgens de wetenschappelijke werkmethode. Gebruik vaardigheid 7 en 14.

e Bloed haal je bij het slachthuis. Maak het bloed onstolbaar. Dat gaat als volgt: ongeveer 1 liter (975 ml) bloed maak je onstolbaar door toe te voegen: 2 gr kaliumoxalaat of 1,5 gr natriumoxalaat of 1,5 gr ammoniumoxalaat of 3 gr natriumcitraat in 20 ml water.

In verband met je eigen veiligheid en gezondheid is het belangrijk dat je erg voorzichtig met het dierlijk bloed omgaat en dat je plastic handschoenen draagt. Vanwege de risico's bij onvoorzichtig handelen zijn abattoirs niet meer zo scheutig met het aanleveren van dierlijk bloed. Informeer hiernaar.

■ f Zo moet het niet: een leerling kiest vraagstelling 1 en mengt het schapenbloed met het varkensbloed. Er treedt klontering op. Zijn conclusie is: het varken stoot de rode bloedcellen van het schaap hyperacuut af. Bedenk waarom deze conclusie niet getrokken mag worden.

● g Als je vraagstelling 1 kiest, moet je het varkensbloeddeel gebruiken dat de antistoffen bevat. De antistoffen zitten in het bloedplasma. Je scheidt bloedplasma van de bloedcellen door centrifugeren.

h Als je vraagstelling 2 kiest, moet je het schapenbloed centrifugeren.

UITVOERING

OPDRACHT 14
MICROSCOPIE
1 1/2 SLU

FAGOCYTOSE ONDER DE MICROSCOOP

In het theorieboek staat in diverse afbeeldingen het fagocytoseproces getekend (zie bijvoorbeeld figuur 14.5). Het is mogelijk om de fagocytose te zien gebeuren waar je bij zit!

Voor deze proef heb je fagocyten nodig. Die haal je uit de poelslak. Het bloed van de poelslak bevat één type witte bloedcel, namelijk de zogenaamde amoebocyt. Dat zijn fagocyterende cellen die wat functie betreft te vergelijken zijn met macrofagen bij zoogdieren.

Als de slak aan zijn voet sterk geprikkeld wordt, stoot hij wat kleurloos bloed uit. Als het bloed op een voorwerpglaasje wordt gebracht, hechten de amoebocyten zich aan het glas vast. Als er vreemd materiaal in de omgeving aanwezig is, bijvoorbeeld gistcellen, zal dat gefagocyteerd worden. De preparaten moeten worden gekleurd waardoor de amoebocyten en de gefagocyteerde gistcellen goed zichtbaar zijn.

Kernen van amoebocyten zijn egaal paars-roze.

Cytoplasma is zeer licht van kleur.

Gistkorrels zijn felblauw en liggen in het cytoplasma van de amoebocyt met een licht hofje eromheen.

Materiaal
- Poelslakken.
- Een gistsuspensie (goed troebel).
- Microscoop en voorwerpglaasjes.
- Immersie-olie.

Materiaal voor de kleuring
- Kleurrek.
- Platbekpincet.
- May-Grünwald oplossing.
- Giemsa-oplossing 1:20 verdund met kraanwater.
- Filtreerpapier.
- Spuitfles met kraanwater (geen aqua dest. want dat heeft een verkeerde zuurgraad).

Werkwijze
1. Houd de slak met de opening naar boven vast.
2. Prikkel de voet vooraan met een pasteurpipet. De slak zal zich terugtrekken met uitstoot van minstens 0,5 ml kleurloos bloed.
3. Zuig het bloed op in een pipet en breng dit op een voorwerpglaasje.
4. Voeg een druppel gistsuspensie toe.
5. Laat dit 20 minuten tot een uur in een vochtige ruimte staan.
6. Spoel het voorwerpglaasje af met kraanwater en schud het overtollige water ervan af.
7. Laat het preparaat opdrogen: 5 minuten tot een dag.
8. Leg het preparaat op een kleurbak.
9. Breng May Grünwald-kleurstof op het preparaat, zodanig dat het preparaat hiermee geheel bedekt is.
10. Laat dit 3 minuten staan.
11. Doe er kraanwater bij tot het preparaat weer geheel bedekt is.
12. Laat dit 1 minuut staan.
13. Spoel het preparaat af met kraanwater.
14. Doe er verdunde (1:20) Giemsa-oplossing op en laat dit 10 tot 20 minuten staan.

15 Spoel het af met kraanwater.
16 Droog het voorzichtig af (niet wrijven) met filtreerpapier.
17 Het preparaat kan bekeken worden. Het best kan dit met immersie-olie. Er hoeft geen dekglaasje op het preparaat. Het preparaat is enkele jaren houdbaar.

▶ a Maak een duidelijk tekening van een fagocyterende cel en een niet-fagocyterende cel.
b Benoem de onderdelen.

CLUSTER 4 BESMET WORDEN EN WEER GENEZEN

OPDRACHT 15
ONDERZOEK
1 1/2 SLU

BESMET MET EEN SCHIMMEL!

Het is uiteraard lastig op scholen experimenten te doen met besmetting en ziekte. Het kan ook stuiten op ethische bezwaren. Waarschijnlijk vind je het geen goed idee om een muis, cavia of parkiet met een besmettelijke ziekte te infecteren. Bovendien kan zoiets ook gevaar voor jezelf opleveren. Toch is het voor jou belangrijk ook enig praktisch inzicht in besmetting en verspreiding van ziekten te verkrijgen. Daarom werken we hier met planten en schimmels. Om het besmettingsproces te bestuderen, maakt het namelijk niet zo veel uit of je planten, dieren of mensen bekijkt.
De schimmel *Monilia fructigena* is een van de schimmels die het rotten van fruit, voornamelijk appels, veroorzaakt. Bij deze schimmel is het voortschrijden van een infectie heel fraai te volgen. De schimmel maakt namelijk elke dag een nieuwe cirkel van zogenoemde 'vruchtlichamen', waarin de sporen gevormd worden.

Materiaal
- Een met *Monilia* besmette appel of een cultuur van de schimmel.
- Een of meer ongeschonden appel(s), eventueel van verschillende rassen.
- Injectiespuit.
- Een microscoop.
- Materiaal om preparaten te maken.

Werkwijze
1 Maak een sporen- of schimmeldradensuspensie door een stuk geïnfecteerd weefsel van een appel fijn te malen met een beetje water. Eventueel krijg je een kant-en-klare suspensie van de TOA.
2 Zuig een beetje van deze suspensie op in een injectiespuit (zie ook punt 8).
3 Prik de spuit in een onbeschadigde appel (goudrenetten zijn erg gevoelig) en spuit een beetje van de schimmelsuspensie in de appel.
4 Volg het besmettingsproces gedurende een aantal (minimaal 5) dagen.
5 Maak elke dag een tekening (foto) en een beschrijving.
6 Bekijk de schimmel/het aangetaste weefsel ook onder de microscoop in de verschillende stadia van het besmettingsproces, maak tekeningen/foto's.
7 Als je geen beschikking hebt over een injectiespuit, kun je de appel ook aankrassen en de suspensie met een vinger over deze verwonding strijken. Je kunt ook beide methoden van infecteren met elkaar vergelijken.

UITVOERING

8 *Monilia* is niet schadelijk voor mensen, dus je kunt er rustig met je vinger aankomen. Maar het hoort een goede gewoonte te worden om je handen goed te wassen als je met bacteriën, schimmels of virussen hebt gewerkt, anders kun je wel sporen of virus verspreiden. Ook het materiaal mag niet zomaar weggegooid worden in prullenbak of gootsteen, maar moet worden vernietigd of onschadelijk gemaakt. Volg de richtlijnen van je TOA of docent.
9 Het maken van een preparaat is simpel. Je brengt een heel klein stukje besmet appelweefsel op een objectglas in een druppeltje water en maakt er een squash-preparaat van. Je kunt ook mycelium uit een cultuur of de vruchtlichamen nemen. Door oefening (herhaling) moet je hier een beetje handigheid in krijgen.
10 Schrijf een verslag van je experiment.

OPDRACHT 16
ONDERZOEK
1 1/2 SLU

ANTIBIOTICA UIT PENICILLUM-SOORTEN

Het is niet moeilijk een sinaasappel of mandarijntje te vinden waar een groene schimmel op zit. Deze schimmel is bijna altijd een *Pencillum*-soort. De twee soorten die heel vaak op citrus voorkomen, zijn *Penicillum digitatum* en *Penicillum italicum* en niet *Penicillum notatum*, de soort die Fleming bij toeval waarnam op zijn bacteriekweekplaat. De schimmel die in en om de Franse camembert zit, is *Penicillum camemberti*. Op brood en kaas kan *Penicillum notatum* voorkomen. Je gaat onderzoeken of de groene schimmel die op camembert, brood, sinaasappel of kaas zit, de bacteriegroei remt en dus een antibioticum maakt.

Materiaal

- Een beschimmeld stuk kaas, brood, sinaasappel, mandarijn of Camembert.
- Twee petrischalen met steriele voedingsbodems.
- Fysiologische zoutoplossing.
- L-vormige glasstaaf.
- Pipet.

Werkwijze

1 Besmet een petrischaal met bacteriën door bijvoorbeeld zachtjes met een vuile doek over de voedingsbodem te wrijven.
2 Zet de petrischaal op een warme plek weg.
3 Wacht totdat er bacteriekolonies ontstaan.
4 Vul een reageerbuisje met 1 ml fysiologische zoutoplossing.
5 Schraap een bacteriekolonie uit de petrischaal en breng deze in de 1 ml zoutoplossing.
6 Breng stukjes schimmel op een tweede petrischaal met voedingsbodem.
7 Giet in de petrischaal de 1 ml zoutoplossing waarin een bacteriekolonie is gesuspendeerd.
8 Zet de petrischaal weg op een warme plek.
9 Bekijk het resultaat na enkele dagen.
10 Schrijf een verslag van je experiment.

UITVOERING

CLUSTER 5

XENOTRANSPLANTATIE

OPDRACHT 17
DEBAT
3 SLU

DEBAT OVER XENOTRANSPLANTATIE

Bij een debat verkondigen twee partijen hun mening over een bepaalde stelling. In tegenstelling tot een discussie wordt in een debat niet gestreefd naar een oplossing van een meningsverschil.

► a Verdeel de klas in twee groepen (A en B). Groep A en B kiezen elk een andere stelling.

b Kies één van de onderstaande stellingen voor een debat in de klas.
1 Xenotransplantatie kan in de toekomst mensenlevens redden en daarom moet het onderzoek voortgezet worden.
2 Bij xenotransplantatie zullen varkens gedegradeerd worden tot orgaanproductie-organismen en dat is niet wenselijk, ook al is het voor medische doeleinden.
3 Het dierenleed voor varkens die gefokt worden voor xenotransplantatie, is beperkt en in ieder geval aanvaardbaar voor de doeleinden.
4 Xenotransplantatie is noodzakelijk in de toekomst.
5 Xenotransplantatie is wenselijk in de toekomst.

c Elke groep verdeelt zich in een gelijk aantal voorstanders en tegenstanders. Ook al ben je persoonlijk een tegenstander, toch kan het zo zijn dat je in dit debat een voorstander moet spelen om een evenwicht te krijgen tussen voorstanders en tegenstanders. Dat is niet erg maar zelfs goed voor je inlevingsvermogen.

d De voorstanders en de tegenstanders trekken zich terug en bereiden zich voor op hun rol. Je bedenkt dan argumenten. Deze voorbereiding duurt ± 10 minuten.

e Dan start debat 1 (met groep A als debaters), daarna is groep B aan de beurt.

f Lees eerst de 'regels' hieronder!

Regel 1

Voor een debat zijn de volgende personen nodig:
- een voorzitter
- een jury
- een tijdwaarnemer
- de debaters
- het publiek

Als groep A de debaters zijn, levert groep B een voorzitter, twee juryleden, een tijdwaarnemer en het publiek. (En omgekeerd bij debat 2.)

Regel 2

Een debater die het woord wil voeren, gaat staan en wacht op het sein van de voorzitter om te mogen spreken. De tien geboden voor debaters (uit: *Op weg naar het Lagerhuis* door P.M. van der Geer):
1 Gelijk hebben is nog geen gelijk krijgen.
2 Elke mening mag betwist worden.
3 Geloof niet dat de tegenstander beter is.
4 Kom nooit op je eigen woorden terug. Nooit. Denk er zelfs niet aan.
5 De beste volgorde is: luisteren, denken en dan spreken.
6 Zelf het meest serieuze onderwerp leent zich voor humor.
7 Overtuigen is overdrijven.
8 De wil van de voorzitter is wet.
9 De jury heeft altijd gelijk.
10 Laat de rivaliteit nooit tot na het debat duren.

Regel 3

De jurycriteria zijn:

- Is de argumentatie goed?
- Hoe is het teamwork?
- Is iedereen aan het woord geweest?
- Is er een goede timing van argumenten?
- Zijn er krachtige tegenvragen?
- Zijn de reacties bij aanval en verdediging effectief?
- Hoe wordt ingespeeld op het publiek?
- Hoe zijn taalgebruik en presentatie?

De jury geeft aan het eind van het debat een korte samenvatting en wijst een winnaar (wie was het overtuigendst in de verdediging van zijn standpunt?) aan.

Regel 4

De voorzitter handhaaft de orde. Hij/zij geeft en ontneemt debaters het woord. Houd je aan de bepalingen van de voorzitter. De voorzitter moet ervoor zorgen dat beide teams ongeveer gelijke spreektijd krijgen. De voorzitter mag het debat niet inhoudelijk sturen.

Regel 5

Het debat duurt 20 minuten en elke debater van een groep moet minstens één keer aan het woord zijn geweest.

BEOORDELING

OPDRACHT 18
TOETS
1 SLU

EINDTERMENTOETS

158 Wat wordt bedoeld met het interne milieu van het lichaam?
158 Welke rol speelt de huid bij de handhaving van het interne milieu?
159 Maak een schets van de doorsnede van de huid en vermeld er de volgende onderdelen bij: opperhuid, lederhuid, onderhuids bindweefsel, bloedvaten, zenuwen, haren, hoornlaag, kiemlaag en vetcellen.
160 In welk deel van de huid bevindt zich de pigmentlaag?
160 Waar in de huid vindt productie van vitamine D plaats?
160 Wat gebeurt er wanneer je gebrek aan vitamine D hebt?
160 Waar beschermt het pigment in je huid je tegen?
161 Welke opslagstof bevindt zich in het onderhuids bindweefsel?
161 Noem drie functies van het onderhuids bindweefsel.
162 Beschrijf de temperatuurregulerende rol van de huid (bij te lage en te hoge temperatuur van de omgeving).
163 Wat zijn antigenen? Wat zijn antistoffen?
163 Wanneer worden er in je lichaam antistoffen gevormd?
164 Leg uit wat seropositiviteit betekent (in het algemeen).
165 Wat is immunisatie?
165 Wat is het verschil tussen actieve en passieve immunisatie? (Betrek in je antwoord: vaccin en serum.)
166 Wat zijn antibiotica?
166 Tegen welke ziekteverwekkers worden antibiotica gebruikt?
166 Bestaat er een antibioticum tegen het aids-virus? Verklaar je antwoord.
167 Verklaar hoe het komt dat een getransplanteerde nier (van een mens) afgestoten kan worden door de acceptor.
167 Wat is xenotransplantatie?
167 Welke bloedgroepen bedoelt men wanneer men spreekt over het ABO-systeem?

BEOORDELING

167 Wat wordt bedoeld met resusfactor?
167 Wat is een bloedtransfusie?
167 Hoe beschermt je lichaam zich tegen 'vreemd' mensenbloed?
167 Hoe moet je bij een bloedtransfusie voorkomen dat er een afweerreactie optreedt?

OPDRACHT 19
TOETS
3/4 SLU

ZELFTOETS OVER AFWEER EN DE HUID
Bekijk je antwoorden bij de vragen van opdracht 2 en opdracht 3. Beantwoord de vragen die je toen (nog) niet (precies) wist, nogmaals.
Maak de volgende eindexamenopgaven:
- 1998-I: 49 en 50
- 1997-I: 44 t/m 46
- 1997-II: 38 en 39
- 1996-I: 44 t/m 47
- 1995-II: 45 t/m 48

INTERNETSITES
Xenotransplantatie
www.xenotransplantatie.nl (van de Stichting Consument & biotechnologie in opdracht van het Ministerie voor Volksgezondheid).
www.proefdiervrij.nl (van AVS-Proefdiervrij).
www.dierenbescherming.nl (van de Dierenbescherming).
www.stelling.nl (van de Werkgroep Xenotransplantatievraagstukken).
www.islet.org (van Canadese voorstanders).
www.crt-online.org (van Amerikaanse tegenstanders).
www.dukenews.duke.edu
www.reformatorischdagblad.nl

Genetica van de mens
www.people.virginia.edu/~rjh9u/hgenes.html
MendelWeb:
hermes.astro.washington.edu:80/mirrors/MendelWeb/
www.esp.org/

VIDEO'S
1 Serie: Kwintessens, aflevering: *Opduikende virussen* door Ab Osterhaus, uitgezonden: 1998.
2 Serie: Noorderlicht, aflevering: *Gevleugeld virus*, uitgezonden: 1 februari 1998.
3 *De huid als batterij van zintuigorganen*, 12 minuten, v.o. (huidgewaarwordingen en verwerking in de hersenen). Te bestellen bij NAM, postbus 97734, 2509 GC Den Haag, tel. 070-31435 00.
4 Serie 5 Bio-bits bovenbouw: Blok 51, *HIV en aids*.
5 Serie 5 Bio-bits bovenbouw: Blok 52, *HIV en bestrijding*.
6 Serie: Mijlpalen in de natuurwetenschap: Biologie, aflevering 6: *Louis Pasteur, Robert Koch en de bacteriologie* (15 min.); te bestellen bij Teleac/NOT educatieve omroep, postbus 1070, 1200 BB Hilversum.
7 Serie: Mijlpalen in de natuurwetenschap: Biologie, aflevering 7: *Paul Ehrlich, Elias Metchnikoff en het immuunsysteem* (15 min.).
8 Serie: Mijlpalen in de natuurwetenschap: Biologie, aflevering 8: *Edward Jenner, Paul Ehrlich, Emil von Behring en het inenten* (15 min.).

BLOK 4

SLEUTELEN AAN GENEN

ORIËNTATIE EN PLANNING

UITVOERING

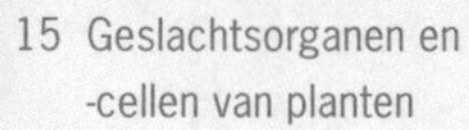

BEOORDELING

STUDIEWIJZER BLOK 4

TITEL	Sleutelen aan genen
BLOKCODE	SIGe
STUDIELAST	18 uur.
BRONNEN	Theorieboek. Biologieboek basisvorming. Naslagwerken. Internet.
AFSLUITINGSWIJZE	Ingeleverde opdrachten. Stamboom van je familie. Knipselmap. Onderzoeksverslagen. Kruisingsschema.
VERPLICHT	Ja.
BESCHRIJVING	In dit blok ga je veel kruisingen uitvoeren en leer je de erfelijkheidsregels kennen. Je verdiept je in de biotechnologie in verband met de overerving van bepaalde eigenschappen. Je vormt een mening over onder andere genetische modificatie en prenatale diagnostiek.
LEERDOELEN	Na het doorwerken van dit blok: Weet je wat genotype met fenotype te maken heeft. Ben je bekend met de erfelijkheidsregels. Weet je wat het verband is tussen DNA, chromosomen en genen. Ken je een aantal manieren van ongeslachtelijke voortplanting. Kun je mono- en dihybride kruisingen uitwerken. Weet je wat onafhankelijke en gekoppelde overervingen betekenen. Weet je wat X-chromosomale overerving inhoudt. Weet je dat bepaalde ziektes erfelijk zijn. Weet je wat prenatale diagnostiek inhoudt. Weet je wat genetische modificatie is. Weet je wat mutaties zijn. Heb je kennisgemaakt met enkele biotechnologische ontwikkelingen. Weet je dat virussen en bacteriën een grote rol spelen bij genetische modificatie.
VAARDIGHEDEN	Mening vormen. Standpunt verdedigen. Kruisingsschema's invullen. Demonstratie geven. Microscopisch onderzoeken. Mediaonderzoek doen. Discussiëren.
VOORKENNIS	Basisvorming biologie. Celleer. Voortplanting bij de mens.
RELATIE MET ANDERE VAKKEN	Wiskunde, statistiek en biotechnologie.

ORIËNTATIE

OPDRACHT 1
1/2 SLU

PLANTEN ROEPEN OM HULP

a Lees beide onderstaande teksten aandachtig.

SOS-signalen van planten

Planten vormen een rijke bron aan chemische verbindingen. Er zijn 100.000 plantenstoffen bekend die de plant niet nodig heeft voor groei en ontwikkeling, maar waarvoor dan wel? Dagelijks worden nog nieuwe stoffen ontdekt. Alle insecten, of ze nu planteneters of diereneters zijn, leven dus in een chemische wereld. Het is allang bekend, dat een tabaksplant bijvoorbeeld meer nicotine aanmaakt, zodra hij 'merkt' dat een insect stukjes van hem aan het opeten is. Nicotine is giftig en het insect sterft aan nicotinevergiftiging.

Een bonenplant krijgt op een kwade dag last van bladluizen. De luizen doen zich te goed aan de bladeren en beschadigen de plant aanzienlijk. Enkele uren later verschijnt een aantal sluipwespen, een natuurlijke vijand van bladluizen. Ze leggen hun eieren in de bladluizen, die er op termijn aan zullen sterven. Daarmee verlossen ze de bonenplant van zijn plaaggeesten. Toeval? Nee, waarschijnlijk niet: men heeft ontdekt, dat veel planten bepaalde chemische signalen uitzenden die bestemd zijn voor insectenetende insecten.

Planten die last hebben van vraat door insecten, roepen om hulp. Dat doen ze met allerlei chemische signalen; zo proberen ze de natuurlijke vijanden van hun belagers aan te trekken. Deze driehoeksverhouding tussen plant, plantenetend insect en insecteneter is wellicht belangrijker dan iedereen tot nu toe dacht.
Enkele soorten planten waarvan bekend is dat ze na beschadiging door plantenetende insecten de natuurlijke vijanden van deze insecten proberen te 'roepen' zijn: aardappel, appel, cassave, katoen, klimop, komkommer, roos, tomaat, sperzieboon.

(Uit: N&T nr. 9, 1998.)

Transgene aardappelen

Wie het erfelijk materiaal van een plant verandert, oefent niet alleen invloed uit op de ontwikkeling van de plant en op de interactie met vijanden van die plant. Een transgene plant heeft ook een gewijzigd effect op de vijanden van de plantenziekten en de planteneters.
Dat bleek niet lang geleden in Schotland bij een poging om aardappelplanten resistent te maken tegen bladluizen. Na erfelijke wijzigingen produceerden de – transgene – planten een stof uit sneeuwklokjes: lectine. Lectine is giftig voor bladluizen. In vergelijking met ongemodificeerde aardappelplanten liepen de bladluiskolonies op de transgene planten aanzienlijk terug.
Het verhaal eindigt echter niet bij de bladluizen. Voor een succesvolle bestrijding van bladluizen zijn ook lieveheersbeestjes nodig. Tot ieders verrassing zorgden de bladluizen die op de transgene planten overleefden, voor een probleem bij de lieveheersbeestjes die ervan aten. Waarschijnlijk geven de bladluizen het giftige lectine door aan de lieveheersbeestjes. De meeste eieren van de lieveheersbeestjes op de lectineplanten kwamen niet uit. Als de eieren toch uitkwamen, leefden de lieveheersbeestjes maar half zo lang als hun collega's die bladluizen op niet-transgene aardappelplanten aten. Qua bladluisbestrijding raakten de Schotse wetenschappers van de regen in de drup.

(Uit: N&T nr. 9, 1998.)

b Wat hebben beide teksten met elkaar te maken? Schrijf je antwoord op.

c Vergelijk je antwoord met dat van een medeleerling en bespreek dit met elkaar gedurende maximaal 10 minuten.

ORIËNTATIE

OPDRACHT 2
3/4 SLU

WAT WEET JE AL VAN HET SLEUTELEN AAN GENEN?

Deze opdracht mag je met een medeleerling maken.

▶ a Kijk of je onderstaande vragen al kunt beantwoorden. Schrijf de antwoorden in je schrift.

■ b Je weet inmiddels dat je je geen zorgen hoeft te maken wanneer je niet alles weet.

▶ c Besteed hier niet te veel tijd aan!

d Markeer de vragen die je niet (goed) weet. Na dit blok moet je ze wel weten.

1 Wat is een transgene plant?
2 Wat is een ongemodificeerde plant?
3 Wat wordt bedoeld met genetische modificatie?
4 Wat is DNA?
5 Wat is het verband tussen DNA en de chemische signaalstoffen die een plant kan maken?
6 Wanneer een plant bepaalde chemische stoffen kan maken, kan zijn nakomeling dat dan ook?
7 Verklaar je antwoord bij 6.
8 Hoe kan het dat bepaalde insectenetende insecten (bijvoorbeeld de sluipwesp) gevoelig zijn voor de signaalstoffen van de bonenplant?
9 Kunnen de jongen van zo'n sluipwesp de chemische signalen van een bonenplant ook waarnemen?
10 Verklaar je antwoord bij 9.

e Weet je al iets van stambomen?

1 Een jongeman van 25 jaar met bruine ogen trouwde in 1935 met een meisje met blauwe ogen. Ze kregen twee zoons met bruine ogen en een dochter met blauwe ogen. Teken een stamboom van dit deel van de familie (kijk in je theorieboek hoe men dat gewoonlijk doet).
2 Een van de zoons trouwde in 1960 met een meisje dat ook bruine ogen heeft. Ze kregen een zoon met bruine ogen en een dochter met blauwe ogen. Vul de stamboom aan.
3 De dochter trouwde in 1984 met een jongen met blauwe ogen. Denk je dat hun kinderen blauwe of bruine ogen zullen hebben of kan het allebei?
4 En hoe zit het met de eventuele kleinkinderen van de ouders die in 1960 trouwden? (Dat zijn dan de achterkleinkinderen van het eerste echtpaar.)
5 De zoon uit datzelfde huwelijk (van 1960) trouwde in 1985 met een meisje met bruine ogen. Ze kregen twee zoons met blauwe ogen. Vul de stamboom aan.
6 Welke kleur ogen heb jij? Welke kleur ogen hebben je grootouders, ouders en je broer(s) en/of zusje(s)? Maak een stamboom van drie generaties (eventueel ook broers en zussen van je vader en moeder).
7 Bewaar deze stambomen het hele blok! Later ga je ze verder uitwerken en genetisch begrijpen.

OPDRACHT 3
1/2 SLU

ORIËNTEREN OP DE THEORIE

▶ a Bekijk hoofdstuk 7 en 8 van je theorieboek en schat hoeveel tijd het je kost deze hoofdstukken te bestuderen.

■ b Vergeet daarbij de figuren niet!

▶ c Het nogal ingewikkelde verhaal over de eiwitsynthese hoef je niet uit je hoofd te leren, je moet het wel begrijpen.

d Bekijk hoofdstuk 17 en schat de tijd die je nodig hebt om het aandachtig te kunnen lezen en om de onbekende termen en begrippen (eventueel) op te zoeken. Voor dit hoofdstuk geldt: je hoeft het meeste niet uit je hoofd te kennen, maar je moet inzicht hebben in de zaken die een rol spelen bij de biotechnologie. Dat is noodzakelijk om een mening te kunnen vormen.

PLANNING

OPDRACHT 4
1/2 SLU

PLANNING MAKEN

a Vul je planner in, in overleg met je docent en medeleerlingen.

■ b Je hebt eerst een globale schatting gemaakt van de tijd die je nodig zult hebben voor de bestudering van de theorie, de uitvoering van de basisopdrachten en van de door jou gekozen keuzeopdrachten.

c Een aantal uren zal vastliggen: klassikale lessen, vragenuren, presentaties van de keuzeopdrachten en bepaalde practica. Vul die eerst in.

● d Zet de planning ook in je agenda en maak duidelijke afspraken met degene(n) met wie je opdrachten gaat doen.

opdracht	titel	omschrijving	studielast in uren
1	Planten roepen om hulp	Je leest twee teksten en bespreekt ze met elkaar.	1/2
2	Wat weet je al van het sleutelen aan genen?	Je test jezelf op reeds aanwezige kennis.	3/4
3	Oriënteren op de theorie	Je bekijkt de leerstof globaal.	1/2
4	Planning maken		1/2
Basisopdrachten			
Cluster 1 Erfelijkheid: klassieke en moderne inzichten			
5	Theorie bestuderen	Je bestudeert hoofdstuk 7 en 8 van het theorieboek en beantwoordt een aantal vragen.	2
6	Erfelijke eigenschappen	Je onderzoekt erfelijke trekken in je familie.	1/2
7	Waar komen de genen vandaan?	Je frist je anatomische kennis op van plant en dier.	1
8	Genen en allelen, gekoppelde en onafhankelijke overerving	Je tekent genen en allelen in het groot en geeft een demonstratie.	1
Cluster 2 Monohybride kruisingen en stambomen			
9	Monohybride kruising	Je oefent kruisingen in een schema.	1
10	Simuleren van monohybride kruisingen	Je voert in de praktijk een kruising uit volgens een methode naar keuze: op papier, met bonen of met munten.	1
11	Bloedende Europese vorsten	Je vult een koninklijke stamboom in.	1/2
Cluster 3 Dihybride kruisingen			
12	Dihybride kruising uitgeplozen	Je voert stap voor stap een dihybride kruising uit.	1
13	Simuleren van dihybride kruisingen	Je voert in de praktijk een kruising uit volgens een methode naar keuze.	1
14	Dihybride kruising met gekoppelde eigenschappen	Je oefent aan de hand van een kruising in het theorieboek.	1/2
Cluster 4 Voortplantingscellen van planten			
15	Geslachtsorganen en -cellen van planten	Je bestudeert een bloem.	1
16	Kieming van stuifmeel, groei van stuifmeelbuizen	Je laat stuifmeel kiemen en bekijkt het onder de microscoop.	1
Cluster 5 Biotechnologie en erfelijkheid			
17	Wat moet je weten over biotechnologie?	Aan de hand van vragen over hoofdstuk 17 kom je meer over biotechnologie te weten.	1
18	Biotechnologie in de media	Jullie verzamelen zo veel mogelijk artikelen over biotechnologie en leggen een knipselmap aan.	1

Keuzeopdrachten			
Cluster 6 Mensen en hun DNA			
19	Down-syndroom	Je verdiept je in de voors en tegens van prenatale diagnostiek, eventueel met een discussie.	
120	Genetische vingerafdruk	Je verdiept je in DNA-onderzoek.	$\frac{1}{2}$
Cluster 7 Ongeslachtelijke voortplanting			
21	Ongeslachtelijke voortplanting bij planten en dieren	Je zoekt informatie en afbeeldingen in verband met ongeslachtelijke voortplanting.	$\frac{1}{2}$
22	Stekken	Je stekt een plant.	$\frac{3}{4}$
Cluster 8 Nog eens kruisingen			
23	Monohybride kruisingen uit het theorieboek doen	Je werkt de kruisingen uit het theorieboek zelf uit.	1
24	Doofheid bij honden	Je werkt de kruising over doofheid bij honden uit.	1
25	Een dihybride kruising uitwerken	Je werkt een dihybride kruising met zelfbedachte eigenschappen uit.	$\frac{3}{4}$
26	Extra oefensommen over erfelijkheid	Je kunt kruisingsopgaven oefenen.	$1\frac{1}{2}$
Beoordelingsopdrachten			
27	Eindtermentoets		$1\frac{1}{2}$
28	Zelftoets		$1\frac{1}{2}$

Tabel 4.1 Overzicht van de opdrachten van dit blok.

UITVOERING

BASISOPDRACHTEN

CLUSTER 1

ERFELIJKHEID: KLASSIEKE EN MODERNE INZICHTEN

OPDRACHT 5
THEORIE ▶
2 SLU

THEORIE BESTUDEREN

a Bestudeer de theorie van hoofdstuk 7 en 8 op de wijze zoals jij dat gepland hebt. Hieronder staan vragen over de te leren theorie. Je kunt de leerstof aan de hand van de vragen gaan leren of achteraf testen of je het allemaal kent. De vragen zijn per hoofdstuk ingedeeld.
Opmerking: het oefenen met kruisingen komt bij aparte opdrachten in dit blok aan de orde.

Hoofdstuk 7 Klassieke erfelijkheid
De eindtermen die hierbij horen, zijn: 21 t/m 27, 30 t/m 33 en 51 en 52.

1 Wat is een chromatide?
2 Wat is chromatine?
3 Zitten de erfelijke eigenschappen van een organisme alleen in de geslachtscellen of ook in de lichaamscellen?
4 Waar komen in de menselijke cel chromosomen voor?
5 Zie figuur 7.3: Wat is een gen? Wat is een allel? Wat zijn homologe chromosomen? Wat wordt bedoeld met 'locus'?
6 Wat wordt bedoeld met fenotype?
7 Wat wordt bedoeld met genotype?
8 Hoe komt het dat eeneiige tweelingen genetisch identiek zijn?
9 Waarom zijn twee-eiige tweelingen genetisch niet identiek?

10 Leg in je eigen woorden uit wat figuur 7.4 te betekenen heeft.
11 Wat zijn klonen?
12 Welke middelen van ongeslachtelijke voortplanting bij planten worden door de mens toegepast? Kies uit de volgende mogelijkheden: enten, bollen, wortelstokken, stekken, wortelknollen, stengelknollen, weefselkweek en stengeluitlopers.
13 Welke van de bij vraag 12 genoemde mogelijkheden kunnen in de natuur (dus zonder ingrijpen van de mens) plaatsvinden?
14 Vertel in je eigen woorden hoe het schaap Dolly is ontstaan. Gebruik daarbij figuur 7.10.
15 Wat is een monohybride kruising?
16 Wat is een dihybride kruising? En een trihybride kruising?
17 Leg uit wat bedoeld wordt met heterozygoot en homozygoot.
18 Hoeveel paar autosomen heeft de mens? En hoeveel paar geslachtschromosomen?
19 Geef met een schema aan dat er altijd evenveel kans is op een jongen als op een meisje bij een zwangerschap (50 % - 50 %).
20 Wat is een letaal allel?
21 Leg uit wat wordt bedoeld met gekoppelde overerving van twee genen.
22 Zie figuur 7.14: hoeveel vrouwen leden aan bloederziekte? En hoeveel mannen? Hoe kun je dat verschil verklaren?
23 Wat is prenatale diagnostiek?
24 Wat is een karyogram?
25 Is de genetische afwijking bij een 'mongooltje' het gevolg van een puntmutatie of een chromosoommutatie? Leg dit uit.

Hoofdstuk 8 Moleculaire erfelijkheid

De eindtermen die hierbij horen, zijn: 26 t/m 29 en 51 t/m 56.

1 Wat is een genoom?
2 De eigenschappen van een individu (zoals haarkleur, oogkleur, lange neus, tongrollen) zijn het gevolg van duizenden genetische codes voor eiwitten. Hoe kan dat?
3 Zie figuur 8.3: leg uit wat hier getekend is.
4 Zie figuur 8.5: leg uit wat hier stap voor stap weergegeven is.
5 Wat is het doel van fokken en selecteren in de landbouw en veeteelt?
6 De wilde koolsoort was de oerplant waaruit de huidige eetbare koolsoorten zijn ontstaan (zie figuur 8.7). Leg uit waarom het noodzakelijk is dat deze oerplant niet uitsterft.
7 In figuur 8.9 staat een tekening van een DNA-recombinatie bij de mens. In de tekst ernaast wordt de recombinant-DNA-techniek beschreven bij landbouwgewassen, hierdoor worden die landbouwgewassen resistent tegen bepaalde aaltjes. Probeer aan de hand van figuur 8.9 aan een medeleerling duidelijk te maken welke stappen er bij de DNA-recombinatie nodig zijn. (Elke pijl = één stap!)
8 Voor de liefhebber: hoewel de tekst op bladzijde 149 en boven aan bladzijde 150 ('Virus als vector') extra stof is, vind je het misschien toch interessant. Probeer dan figuur 8.10 te begrijpen en te beschrijven.
9 Wat is een genmutatie?
10 Wat is een puntmutatie?
11 Ga na of je begrijpt wat er in figuur 8.12 weergegeven is. Haal er zo nodig ook de theorie over antistoffen en antigenen bij!

UITVOERING

OPDRACHT 6
ONDERZOEK
1/2 SLU

ERFELIJKE EIGENSCHAPPEN

De vraag hoe erfelijke eigenschappen van ouders op kinderen overerven, heeft mensen al heel lang beziggehouden. Bij 'overerven' dacht men vroeger aan heel iets anders dan aan de biologie: titels (van koningen, hertogen en graven) erfde je van je ouders. En je kon een kapitaal, een huis of een stuk land erven. Men zag over het hoofd dat mensen mensen voortbrengen en geen lammetjes, apen of biggen. Het feit dat jij een hoofd, armen, benen, handen en voeten hebt, is een optelsom van erfelijke eigenschappen. Daaraan dachten de mensen niet in de eerste plaats. En hoe zit het met de vorm van je neus? De kleur van je ogen en je huidskleur? Heb jij 'familietrekken'?

▶ a Kies een medeleerling uit en ga tegenover elkaar zitten. Schrijf tien eigenschappen op die je waarneemt in het gezicht van je partner en die mogelijk erfelijk zijn.

■ b Misschien hoor je al van je partner dat er in zijn/haar familie bepaalde trekken erfelijk zijn: haarkleur, vorm van de lippen, vorm van de neus, vorm van de ogen, oogkleur, vorm van de oren, vorm van de jukbeenderen, huidskleur, sproeten, inplanting van de tanden, kuiltje in de wang of kin enzovoort.

▶ c Maak van de ander een tekening en geef daarin de in a genoemde eigenschappen weer.

d Neem de tekening van je eigen gezicht mee en onderzoek of er overeenkomsten zijn met het gezicht van je ouders, broers, zussen, neven, nichten, ooms, tantes, oma's, opa's enzovoort.

e Maak van minstens één eigenschap een stamboom.

■ f Een heel duidelijk erfelijk kenmerk is het kunnen oprollen van je tong (in de lengteas) tot een kokertje. Je kunt familieleden opbellen om te vragen of ze dat kunnen of niet.

OPDRACHT 7
TEKENEN
1 SLU

WAAR KOMEN DE GENEN VANDAAN?

Hoewel de resultaten van de erfelijkheid in de nakomeling(en) te zien zijn, is het toch verstandig je te realiseren waar precies de erffactoren vandaan komen. In de tijd van Darwin en Mendel dacht men dat er 'deeltjes' van alle organen via het bloed naar de geslachtsorganen gingen en vanaf daar werden doorgegeven. Dat lijkt nu een gekke gedachte, maar als je erover nadenkt, is de gang van zaken zoals wij die nu kennen, toch niet zo heel veel anders. Of wel?

▶ a Teken de geslachtsorganen van de man en de vrouw. Neem daartoe het werkblad achter in dit boek of maak daarvan een kopie.

b Geef met stippellijnen de relatie met hormoonklieren aan.

■ c Sla hoofdstuk 4 er nog eens op na en eventueel je uitgewerkte blok 6 van vorig jaar.

▶ d Hoe komen de genen in de geslachtsorganen terecht?

e Hadden de wetenschappers zoals Darwin en Mendel het zo vreselijk mis met hun 'deeltjes'?

f Verklaar je antwoord.

g Geef in een schets aan hoe de bevruchting bij planten verloopt.

■ h Gebruik daarvoor figuur 4.1. Om je geheugen op te frissen: stuifmeel, stempel, stuifmeelbuis, stijl, vegetatieve kern, generatieve kern, eicel, zaadknop (= zaadbeginsel), vruchtbeginsel.

UITVOERING

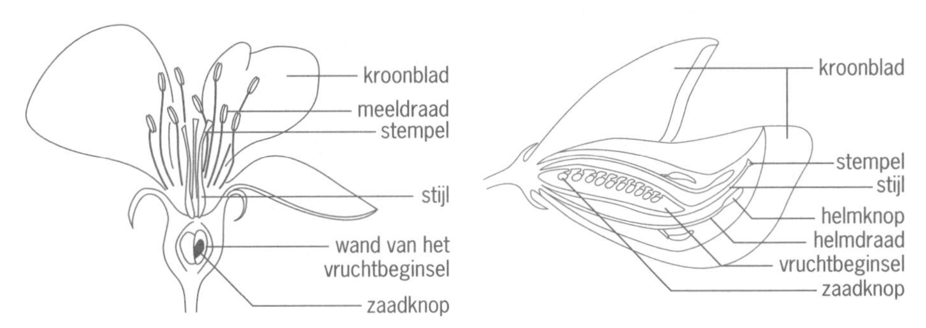

Figuur 4.1 Geslachtsorganen bij planten.

OPDRACHT 8
THEORIE
1 SLU

GENEN EN ALLELEN, GEKOPPELDE EN ONAFHANKELIJKE OVERERVING

Elk gen neemt een bepaalde plaats (= locus) op het chromosoom in. Elke lichaamscel is diploïd, het gen komt in zo'n cel altijd in tweevoud voor. Elk gen heeft dus een 'tweeling'-gen op het andere chromosoom. Twee of meer varianten van dezelfde genen noemt men allelen. Van de meeste genen bestaat er een dominant allel (A) en een recessief allel (a).

▶ a Teken een homoloog chromosomenpaar vlak voor meiose 1 op een A4'tje. Gebruik het hele papier, doe het eventueel op een overheadsheet, om het in de klas te demonstreren.

■ b Realiseer je dat elk chromosoom van het paar dan al bestaat uit twee identieke chromatiden.

▶ c Teken op de chromatiden de loci van een stuk of tien genen. Geef ze een naam (een letter). Teken van sommige genen twee verschillende allelen.

■ d Kunnen er van een gen verschillende allelen voorkomen op de twee chromatiden van een chromosoom?

e Kunnen er van een gen verschillende allelen voorkomen op de chromatiden van twee homologe chromosomen?

▶ f Knip de chromosomen los en daarna ook de chromatiden. Je hebt nu de reductiedeling uitgevoerd (voor één chromosomenpaar). Deze vier losse chromatiden komen later in vier geslachtscellen terecht.

g Demonstreer (eventueel met de overheadprojector) de gekoppelde overerving.

h Door jouw reductiedeling te combineren met die van een medeleerling kun je ook onafhankelijke overerving nabootsen en eventueel demonstreren.

i Is het mogelijk met de hele klas een totale kerndeling te simuleren (misschien zijn er wel 23 leerlingen!)?
Nummer dan de chromosomen!

CLUSTER 2 MONOHYBRIDE KRUISINGEN EN STAMBOMEN

OPDRACHT 9
THEORIE
1 SLU

MONOHYBRIDE KRUISING

▶ a Bij de mens is het allel B voor bruine oogkleur dominant over b (blauwe kleur). Een man met bruine ogen met genotype BB krijgt kinderen met een vrouw die blauwe ogen (bb) heeft. Welk oogkleur(en) kunnen hun kinderen hebben?

■ b Gebruik kopieën van het onderstaande lege kruisingsschema of neem het over.

▶ c Een man met blauwe ogen en een vrouw met bruine ogen met genotype Bb hebben twee kinderen. Welke kleur(en) ogen kunnen de kinderen hebben?

d Een bruinogige man en een bruinogige vrouw krijgen twee blauwogige kinderen. Hoe kan dat? Geef dit in een kruisingsschema aan.

e Een tuinliefhebster zorgt voor zelfbestuiving bij een scharlakenrode leeuwebek in haar tuin. Ze wil zo zaad winnen om volgend jaar alleen maar roodbloemige leeuwebekken te krijgen. Tot haar verbazing komen er het volgend jaar niet alleen scharlakenrode, maar ook paarse en fletsroze bloemen uit dit zaad. Leg uit hoe dat kan. Geef dit aan in een kruisingsschema.

f De vrouw heeft ongeveer 100 zaden laten kiemen. Hoeveel roodbloemige planten zijn er te verwachten in verhouding tot de rozebloemige? En hoeveel paarse?

g Wat moet ze doen om het volgend jaar uitsluitend scharlakenrode leeuwebekken te krijgen?

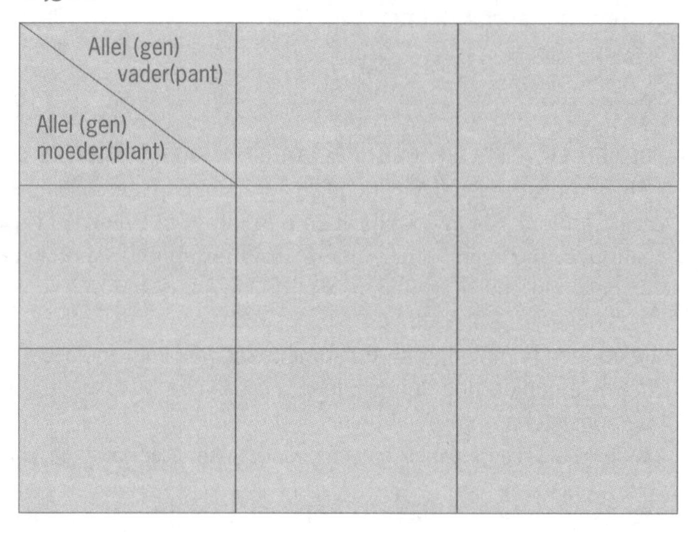

Allel (gen) vader(pant) / Allel (gen) moeder(plant)		

Tabel 4.2 Leeg kruisingsschema.

OPDRACHT 10
PRACTICUM
1 SLU

SIMULEREN VAN MONOHYBRIDE KRUISINGEN

Deze opdracht doe je met z'n tweeën.
Het uitvoeren van kruisingen zoals Mendel jarenlang deed, is een tijdrovende bezigheid. Bij planten duurt het kweken van een volgende generatie minstens een jaar, bij je eigen muizen, hamsters of konijnen wat korter, maar daar kun je de erfelijkheidsregels niet zien (je kunt alleen kansberekeningen maken). Bij fruitvliegjes duurt het drie weken, bij bacteriën en het aaltje *Caenorhabditis elegans* een week. Het kan zijn dat jullie op school fruitvliegjes kweken. In dat geval zal je docent nu een kruisingsproef inlassen.
Hieronder volgen drie methoden om monohybride kruisingen na te bootsen. Lees per methode de instructies eerst door en bespreek ze met elkaar tot je begrijpt wat de bedoeling is. Ga pas daarna aan de slag. Kies in overleg met je docent en je groep/klas voor één methode. In de groep/klas moeten ze alle drie uitgevoerd worden, zodat rapportage naar elkaar mogelijk is.

Methode 1 Kruising op en met papier
Nodig: een kopie van figuur 4.2, Pritt-stift een schaar.

► a Maak een vergrote kopie van de getekende meeldraad en maïskolf hieronder.
De helft van de stuifmeelkorrels heeft allel A, de andere helft allel a. Ook de verhouding A:a in de eicellen is 50:50 ofwel 1:1.

UITVOERING

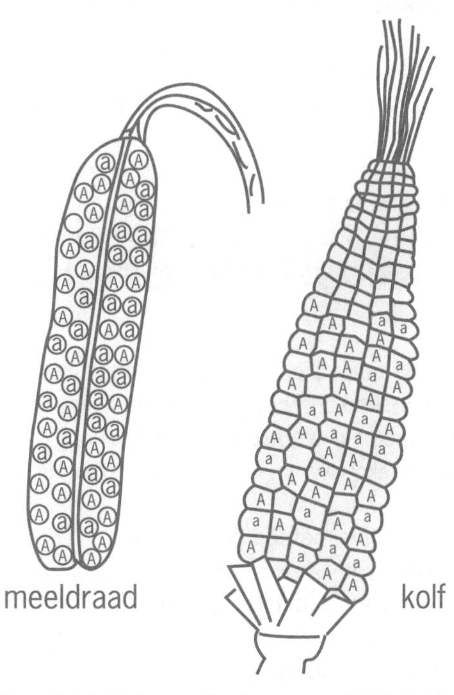

Figuur 4.2 Maïskolf en meeldraad om een monohybride kruising te simuleren.

b Een van jullie knipt de stuifmeelkorrels uit (houd ze maar vierkant, helemaal rondknippen is te veel werk). Zorg er wel voor dat ze kleiner zijn dan een maïskorrel van de tekening.
c De ander doet een voorspelling over de uitkomst van deze kruising.
■ d Maak een kruisingsschema.
e Voer de kruising Aa x Aa uit. Welk genotype hebben de nakomelingen en in welke verhouding?
▶ f Bestrijk de maïskolf met lijm (dun laagje Pritt).
g Neem alle 'stuifmeelkorrels' in je hand en laat ze boven de maïskolf dwarrelen. Terwijl de één 'bestuift', zorgt de ander ervoor dat de stuifmeelkorrels die ernaast vallen of die dubbel zijn, weer terug worden gepakt en opnieuw gedwarreld worden. Uiteindelijk moeten alle eicellen bevrucht zijn.
h Tel nu de verschillende allelencombinaties in de maïskolf. Doe dat voor de lijm is opgedroogd!
i Wat is de uitkomst van je kruising (genotypische verhouding)?
j Komt de uitkomst overeen met de voorspelling?

Methode 2 Kruising met witte en bruine bonen (of kralen in twee kleuren)
Nodig: 100 witte bonen en 100 bruine bonen en twee lege conservenblikken of ondoorzichtige bekers/potten.

a Doe 50 witte en 50 bruine bonen in elk blik/elke beker. Het ene blik is de vader(plant), het andere de moeder(plant).
▶ De bonen stellen de allelen voor in een verhouding van 1:1.
b Spreek van tevoren af welke kleur dominant is en hoe je het genotype noteert (met welke letter).
c Ieder van jullie tweeën neemt een blik voor zich. Voer nu 50 kruisingen uit, door telkens tegelijk een boon (zonder te kijken) uit je eigen blik te pakken. Schrijf de combinatie meteen op.
■ d Maak drie kolommen: bijvoorbeeld BB (= bruin/bruin), Bb (= bruin/wit), bb (= wit/wit).

▶ e Komt de genotypische verhouding van de F1 bij deze bonen overeen met wat je zou verwachten?

■ f Maak een kruisingsschema.

● g Voer de kruising Bb x Bb uit. Welk genotype hebben de nakomelingen en in welke verhouding?

Methode 3 Kruising met munten: kruis of munt?
Deze manier van 'kruisen' doet je realiseren dat erfelijkheidsleer heel veel met kansberekening te maken heeft. Biologie is hier wiskunde!
Nodig: twee munten.

▶ a Pak de munten. De ene munt stelt de vader(plant) voor, de andere munt de moeder(plant). Spreek af welke kant van de munt dominant is en welke recessief. Of werk je met een intermediair overervende eigenschap?

■ b Lees zo nodig de tekst over intermediaire overerving op bladzijde 127 van het theorieboek.

▶ c Ga nu tegelijk tossen en turf meteen de uitkomst.

■ d Maak drie kolommen: kruis/kruis, kruis/munt, munt/munt.

▶ e Doe dit 30 tot 50 keer. Bepaal dan de genotypische verhouding van de verkregen combinaties.

f Wat is de fenotypische verhouding?

g Komt de uitkomst overeen met de theoretische verhouding?

■ h Maak een kruisingsschema.

● i Voer de kruising Kk x Kk uit. Welk genotype hebben de nakomelingen en in welke verhouding?

OPDRACHT 11
THEORIE
1/2 SLU

BLOEDENDE EUROPESE VORSTEN

Gebruik bij deze opdracht figuur 7.13 en 7.14 uit je theorieboek.

▶ a Vul voor elk lid van deze vorstelijke familie het genotype in (maak een kopie van figuur 7.14).

■ b Bloederziekte is een X-chromosomale afwijking die veroorzaakt wordt door een recessief allel. Geef het gen aan met een letter.

c Lees zo nodig nog eens kruising 1b op bladzijde 130 van het theorieboek door.

● d Stel bijvoorbeeld: koningin Victoria (draagster) is: X^NX^n en haar man: X^NY^-.

e Als jullie er echt niet uitkomen, vraag dan raad bij je docent.

CLUSTER 3 DIHYBRIDE KRUISINGEN

OPDRACHT 12
THEORIE
1 SLU

DIHYBRIDE KRUISING UITGEPLOZEN

Doe deze opdracht met z'n tweeën. Voer hem stap voor stap uit!

▶ a Wat is een dihybride kruising?

b Erwtenplanten kunnen gerimpelde of gladde erwten hebben en de erwten kunnen geel of groen zijn. Erwtvorm en erwtkleur erven onafhankelijk van elkaar over. Wat wil dat zeggen?

■ c Kijk ook nog eens naar opdracht 8 van dit blok (nabootsing van de meiose).

▶ d Bekend is dat de gele erwtkleur en gladde erwtvorm dominant overerven: groen en gerimpeld zijn recessief. Maak (eventueel met een voorbeeld) duidelijk wat met dominant en recessief bedoeld wordt.

e Een plant met gele en gladde erwten wordt gekruist met een plant met groene en gerimpelde erwten. De planten zijn voor beide eigenschappen homozygoot. Schrijf de genotypen van beide planten op. (Kies zelf letters.)

f Teken de chromosomen van een lichaamscel van beide planten en geef de verschillende allelen met een ander kleurtje aan.

UITVOERING

- ■ g Zijn lichaamscellen haploïd of diploïd?
- h Liggen de allelen voor erwtkleur en erwtvorm op hetzelfde chromosoom of op twee verschillende chromosomen?
- ● i Bij twee onafhankelijk overervende eigenschappen moet je kijken naar vier chromosomen.

► j Welk genotype hebben de gameten van deze planten?

- ■ k Bedenk dat gameten ontstaan zijn na reductiedeling.
- ● l Er zijn maar twee verschillende gameten mogelijk.

► m Voer nu de kruising uit en gebruik (kopieer of neem over) het hieronder weergegeven kruisingsschema P. Om je op weg te helpen, hebben wij al iets ingevuld.

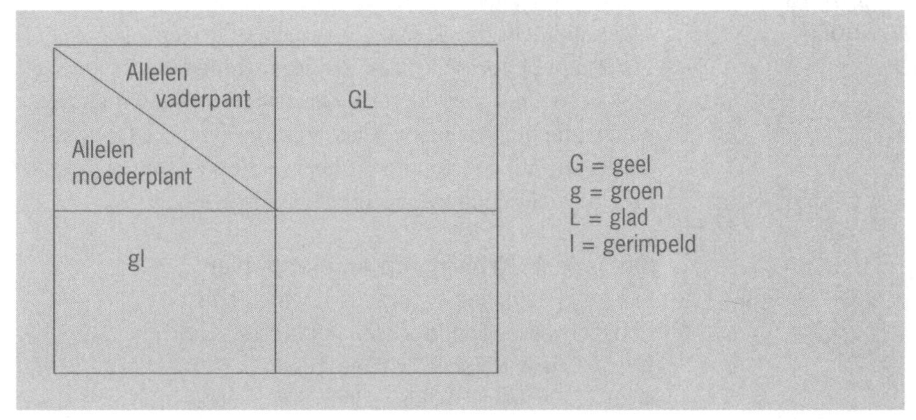

Allelen vaderpant / Allelen moederplant	GL
gl	

G = geel
g = groen
L = glad
l = gerimpeld

Tabel 4.3 Schema P (ouders).

n Wat is het fenotype van de F1? Wat is het genotype van de F1?

o Nu wordt de F1 onderling gekruist door zelfbestuiving. Voer deze kruising uit en gebruik het onderstaande kruisingsschema F, dat ook al gedeeltelijk is ingevuld.

Allelen vaderpant / Allelen moederplant	GL	Gl	gL	gl
GL	GGLL			GgLl
Gl				
gL				
gL			ggLl	

Tabel 4.4 Schema F (zelfbestuiving van de F1).

UITVOERING

■ p Zorg er eerst voor dat je weet welke mogelijke gameten er ontstaan bij een erwtenplant die heterozygoot is voor erwtkleur en erwtvorm.

▶ q Welke fenotypes ontstaan in de F2 en in welke verhoudingen?

■ r In totaal ontstaan er 16 verschillende genotypen in de F2. Je kunt uitzoeken welke fenotypes bij die genotypen horen want je weet welke eigenschappen dominant overerven.

● s Wanneer je goed geteld hebt, kom je tot het volgende: 9 van de 16 zijn geel en glad, 3 van de 16 zijn geel en gerimpeld, 3 van de 16 zijn groen en glad en 1 van de 16 is groen en gerimpeld.

OPDRACHT 13
PRACTICUM
1 SLU

SIMULEREN VAN DIHYBRIDE KRUISINGEN

Deze opdracht doe je met z'n tweeën of drieën.
Nu je monohybride kruisingen kunt nadoen (zie nog eens opdracht 10 van dit blok), moet dat met dihybride kruisingen ook kunnen. Je gaat dan uit van twee ouders die heterozygoot zijn voor twee eigenschappen die onafhankelijk van elkaar overerven. Bij deze opdracht hoef je niets zelf uit te voeren (dat kost te veel tijd), maar je moet de methode alleen beschrijven.

Methode 1 Kruising op en met papier

▶ a Kijk (nog) eens naar opdracht 10, methode 1.

b Hoeveel verschillende allelen heeft elke ouder?

■ c Spreek af hoe je de allelen aanduidt.

● d Bijvoorbeeld: AaBb (vader) x AaBb (moeder).

▶ e Wat is de theoretische uitkomst van deze kruising?

■ f Kijk nog eens naar opdracht 12.

▶ g Hoeveel zaadcellen en eicellen zou je minimaal nodig moeten hebben om de theoretische verhouding in het echt te krijgen?

■ h Als je hier samen niet uitkomt, roep je de hulp van je docent in.

Methode 2 Kruising met bonen en erwten

Voor een dihybride kruising met bonen heb je niet twee verschillende bonen nodig (zoals in opdracht 10, methode 2: wit en bruin) maar twee typen, elk in twee kleuren. Neem voor het andere allelenpaar erwten: groene en grauwe. Er is nu immers sprake van twee allelenparen. (Je kunt ook vier kleuren kralen in twee vormen of maten gebruiken.)

▶ a Zoek nu verder zelf uit hoe je de simulatie van een monohybride kruising met bonen moet aanpassen om er een dihybride kruising van te maken.

■ b Doe dit stap voor stap. Haal er een voorbeeld bij dat je goed begreep.

● c Als je er samen niet uitkomt, roep je de hulp van je docent in.

Methode 3 Kruising met munten

▶ a Zoek zelf uit hoe je de simulatie van een monohybride kruising met munten (zie opdracht 10, methode 3) moet aanpassen om er een dihybride kruising van te maken.

■ b Doe dit stap voor stap. Haal er een voorbeeld bij dat je goed begreep.

● c Als je er samen niet uitkomt, roep je de hulp van je docent in.

OPDRACHT 14
THEORIE
1/2 SLU

DIHYBRIDE KRUISING MET GEKOPPELDE EIGENSCHAPPEN

▶ a In het theorieboek staat een voorbeeld van een dihybride kruising met eigenschappen die gekoppeld overerven. Leg uit wat gekoppelde overerving inhoudt.

■ b Kijk nog eens naar opdracht 8.

▶ c Het betreft hier een voorbeeld van het fruitvliegje (*Drosophila*) waarbij lichaamskleur en vleugellengte gekoppeld overerven. Zie figuur 7.13: een homozygoot vrouwtje met genotype GGLL wordt gekruist met een homozygoot mannetje ggll. Welk genotype hebben de gameten van beide vliegjes?

d Zouden de genotypen van de gameten anders zijn wanneer deze eigenschappen niet gekoppeld overerfden?
e Welke lichaamskleur en vleugellengte hebben de nakomelingen? Schrijf het bijbehorende genotype op.
f De F1 wordt onderling gekruist. Voer deze kruising uit. Gebruik een kruisingsschema.
g Waar ben je de verhouding 3:1 al eerder tegengekomen?

CLUSTER 4 VOORTPLANTINGSCELLEN VAN PLANTEN

OPDRACHT 15
MICROSOPIE
1 SLU

GESLACHTSORGANEN EN -CELLEN VAN PLANTEN

Deze opdracht kun je uitvoeren met elke bloem waarin meeldraden en stampers te zien zijn. Heel geschikt zijn tulpen, narcissen, lelies en petunia's, maar ook grassen! Het leukst is het wanneer iedereen van de klas/groep een andere bloem neemt en jullie later elkaars uitwerkingen kunnen bekijken. Combineer dit zo mogelijk met opdracht 16.

Materiaal
- Verse bloemen.
- Prepareernaalden.
- Pincet.
- Mesje.
- Loep.
- Microscoop.

► a Ontleed een bloem en leg voorzichtig de stamper en de meeldraden bloot.
■ b Je hebt in de onderbouw bloembiologie gehad. Fris je kennis op (leen een leerboek uit de onderbouw, haal er een ander biologieboek bij).
► c Bekijk een meeldraad met de loep en teken hem. Geef helmdraad en helmknop aan. Waar zitten precies de stuifmeelkorrels? Geef dit ook aan in je tekening.
d Maak een microscopisch preparaat van enkele rijpe stuifmeelkorrels. Teken een paar korrels, geef duidelijk kleur, vorm en afmeting aan. Pas op: bewaar stuifmeel voor de volgende opdracht (16).
e Prepareer de stamper uit de bloem. Teken de stempel, stijl en het vruchtbeginsel zoals je die van buiten ziet.
f Maak een dwarsdoorsnede van het vruchtbeginsel en zoek de zaadknoppen (= zaadbeginsels) op. Hoeveel zaadknoppen heeft jouw bloem?
■ g Om daarachter te komen, moet je ook een lengtedoorsnede van het vruchtbeginsel maken.
► h Maak een doorsnede van de zaadknop, zoek de eicel op. Bekijk dit met de loep of met een microscoop.
i Maak een tekening.

OPDRACHT 16
PRACTICUM
1 SLU

KIEMING VAN STUIFMEEL, GROEI VAN STUIFMEELBUIZEN

Materiaal
- Verse bloemen.
- Microscoop.
- Glucoseoplossing (5 – 10 %).
- Roerstokje (cocktailprikker).
- Petrischaal.
- Filtreerpapier.
- Enkele dagen geduld!

UITVOERING

Werkwijze

1 Breng een druppel glucoseoplossing op het objectglas aan.
2 Stuif er wat stuifmeel op en roer met het stokje of leg een hele, maar wel rijpe helmknop (moet wel klein zijn) in de druppel, aan de zijkant.
3 Doe er een dekglaasje op.
4 Bekijk dit onder de microscoop.

► a Er is nu nog geen kieming te zien. Waarom niet?
b Bewaar dit preparaat in een petrischaal, waarin je een laagje vochtig (niet nat) filtreerpapier hebt gedaan, zodat het niet uitdroogt. Na een dag of twee zullen er stuifmeelkorrels gekiemd zijn.
c Bekijk dit weer onder de microscoop en maak een schets.
d Wissel eventueel preparaten uit met medeleerlingen.
e Wanneer de kieming niet gelukt is, maak je een nieuw preparaat met glucoseoplossing, probeer eventueel een fructose- of saccharoseoplossing.
■ f Besteed er niet te veel tijd aan tenzij je het echt leuk vindt en je er eventueel een Praktische Opdracht of zelfs een (onderdeel van een) Profielwerkstuk van wilt maken! (Een vergelijkend onderzoek naar de kieming en groei van stuifmeel van verschillende soorten stuifmeelplanten zou dan een mooi subthema zijn.)

CLUSTER 5 BIOTECHNOLOGIE EN ERFELIJKHEID

OPDRACHT 17
THEORIE
1 SLU

WAT MOET JE WETEN OVER BIOTECHNOLOGIE?

De eindtermen die hierbij horen, zijn: 51 t/m 56, 112, 113 en 114.

► a Lees hoofdstuk 17 van het theorieboek aandachtig door. (Dus niet gaan leren!)
b Beantwoord de volgende vragen. Doe dit met een medeleerling en schrijf de antwoorden op.
1 Kunnen wij nog zonder biotechnologie? Geef een voorbeeld.
2 Wat zijn 'biologische' wasmiddelen? Noem de belangrijkste bestanddelen ervan. Welke zijn biotechnologische producten? Waarom is het voor het milieu beter als we ook 'oppervlakte-actieve' stoffen via de biotechnologie zouden kunnen verkrijgen?
3 Wat zijn transgene gewassen?
4 Wat is genetische modificatie?
5 Hoe ontstaat een 'aardmaat'?
6 Bekijk figuur 17.9. Komt het je bekend voor? Waarschijnlijk wel, want figuur 8.12 geeft hetzelfde weer als figuur 17.9. Er worden alleen soms andere namen gebruikt. Vergelijk beide tekeningen en geef er commentaar op.
7 Wat is een DNA-fingerprint?
8 Noem minstens 7 manieren waarop bacteriën door de mens gebruikt worden.
9 Beschrijf hoe en hoe vaak de mens ingrijpt in het leven van een gemiddelde koe waarvan het vlees als biefstuk en tartaar bij de slager te koop is.
10 Wat wordt bedoeld met gentherapie?
11 Leg uit waarom er staat (op bladzijde 412, tweede alinea): 'De boer die dit herbicide gebruikt, wordt dan gedwongen ook het bijbehorende ras aardappels of maïs te kopen.'
12 Vat paragraaf 17.8.1 samen en probeer te verklaren waarom er staat: 'In werkelijkheid neemt hierdoor de kloof tussen rijke en arme landen alleen maar toe.'
c Vul je begrippenlijst aan.

OPDRACHT 18
MEDIA
1 SLU

BIOTECHNOLOGIE IN DE MEDIA

▶ a Verzamel met 4 medeleerlingen gedurende enkele weken alle artikelen in dag- en weekbladen die over biotechnologie gaan.

■ b Je moet hier iets over afspreken met elkaar: wie kijkt in welk tijdschrift/welke krant, hoe lang enzovoort.

▶ c Maak kopieën of knipsels en verzamel ze in een map.

d Deel de verzamelde knipsels naar onderwerp in.

KEUZEOPDRACHTEN

CLUSTER 6 MENSEN EN HUN DNA

OPDRACHT 19
DISCUSSIE
1 SLU

DOWN-SYNDROOM

Doe deze opdracht met z'n tweeën.

▶ a Haal paragraaf 7.9 (prenatale diagnostiek) uit het theorieboek erbij. Lees de tekst nog eens.

b Kunnen jullie onder woorden brengen wat er bedoeld wordt met de tabel op bladzijde 134 ('Aard van de foetale ...')?

c De prenatale diagnostiek berust op onderzoek van vruchtwater of embryonaal weefsel. Beschrijf de methode stap voor stap nadat wat weefsel of vruchtwater is verkregen.

d Waarom wordt het weefsel eerst gekweekt voordat het eigenlijke onderzoek wordt gedaan?

e Stel dat na onderzoek vaststaat dat het kindje een meisje met het Down-syndroom (mongooltje) is. Teken het bijbehorende karyogram.

■ f Bekijk eerst goed een 'gewoon' karyogram (zie bladzijde 135 van het theorieboek).

▶ g Wat vinden jullie ervan dat iemand een foetus laat 'weghalen'(abortus), wanneer blijkt dat het een ernstige afwijking heeft? Organiseer een discussie hierover in de klas.

OPDRACHT 20
1/2 SLU

GENETISCHE VINGERAFDRUK

▶ a In paragraaf 17.3 staat iets geschreven over DNA-onderzoek bij verdachten. Is dit onderzoek hetzelfde als het onderzoek om vast te stellen dat een kindje het syndroom van Down heeft (zie opdracht 19)? Leg uit, stap voor stap, welke onderzoeksmethode gebruikt wordt.

■ b Als de tekst nog een beetje onbegrijpelijk is, probeer dan samen alinea voor alinea van paragraaf 17.3 in eigen woorden samen te vatten.

UITVOERING

CLUSTER 7 ONGESLACHTELIJKE VOORTPLANTING

OPDRACHT 21 TEKENEN 1/2 SLU

ONGESLACHTELIJKE VOORTPLANTING BIJ PLANTEN EN DIEREN

Planten	Kenmerken	Voorbeelden
1 Stengelknollen	Verdikte stengels met knoppen.	Aardappel
2 Wortelknollen	Verdikte wortels.	Speenkruid, dahlia
3 Bollen	Niet uitgegroeide stengel, tussen de 'rokken' ontstaan okselknoppen.	Tulp, narcis
4 Uitlopers	Kruipende stengels.	Aardbei
5 'Wortel'stokken	Ondergrondse stengels.	Dovenetel, brandnetel, lelietje-van-dalen, helmgras
6 Broedknoppen	Knolletjes in de bladoksels.	Kindje-op-moeders-schoot, speenkruid
Dieren		
1 Parthenogenese	Uit de cellen van een ouder groeit een nieuw individu.	Bladluizen, wandelende takken
2 Afsnoering	Uit een 'knop' groeit een nieuw dier.	Sponzen en poliepen

Tabel 4.5 Ongeslachtelijke voortplanting bij planten en dieren.

► a In tabel 4.5 staat een aantal manieren van ongeslachtelijke voortplanting. Kies er één bij planten en één bij dieren en maak er een tekening bij.

■ b Ga op zoek (in je theorieboek, Flora, andere biologieboeken, encyclopedie enzovoort) naar afbeeldingen/foto's.

OPDRACHT 22 ONDERZOEK 3/4 SLU

STEKKEN

► a Neem een blad van een begonia en maak insnijdingen op de plaatsen waar de vaatbundels zich vertakken. Vul een bloempot tot 3 cm onder de rand met tuinaarde en leg het ingesneden blad op de tuinaarde. Maak de tuinaarde goed vochtig. Je kunt het blad eventueel met stokjes vastpinnen. Leg er een glazen plaat over.

b Bekijk je opstelling regelmatig. Wat gebeurt er na verloop van tijd?

c Neem een stukje stengel van een geranium of breek een kort takje van een wilg af. Zet dit in een klein bekerglas met water.
Wat neem je na enige dagen waar?

d Maak een kort verslag.

CLUSTER 8 NOG EENS KRUISINGEN

OPDRACHT 23 1 SLU

MONOHYBRIDE KRUISINGEN UIT HET THEORIEBOEK DOEN

Doe deze opdracht met z'n tweeën.

► a Op bladzijde 127 van het theorieboek staat de monohybride kruising tussen een erwtenplant met een lange stengel en een erwtenplant met een korte stengel. Bekijk de afbeelding eens goed.

■ b Over hoeveel generaties planten gaat het hier? Hoe worden deze generaties aangeduid?

► c Zeg met eigen woorden wat homozygoot en heterozygoot betekent.

d Doe nu je theorieboek dicht en maak een kruisingsschema van deze kruising. Geef van elke generatie het genotype en het fenotype aan en in welke verhoudingsgetallen deze voorkomen.

e Wissel jullie schema's uit en bekijk of je medeleerling het goed heeft gedaan.

■ f Als je er niet uitkomt, vraag je hulp van je docent.

► g Doe hetzelfde met de kruising op bladzijde 128 van je theorieboek (intermediaire overerving).

h Doe hetzelfde met het schema op bladzijde 129.

OPDRACHT 24
1 SLU

DOOFHEID BIJ HONDEN

Doe dit met z'n tweeën.

► a Op bladzijde 131 van het theorieboek staat een kruisingsschema behorende bij kruising 2a (doofheid bij honden). Bekijk dat schema eens goed en lees nog eens de bijbehorende tekst. Over welke twee eigenschappen gaat het hier?

b Wanneer is een hond doof?

■ c Bedenk dat doofheid bij honden op twee manieren kan optreden.

► d Doe nu het boek dicht en werk de volgende kruising uit: een homozygoot horende hond kruist met een homozygoot dove hond.

e Twee heterozygote horende honden paren en krijgen puppies. Maak een kruisingsschema.

f Hoe groot is de kans op een horende puppy? En hoe groot is de kans op een dove puppy?

■ g Probeer er met elkaar uit te komen. Lukt dat niet, vraag dan hulp van je docent.

OPDRACHT 25
3/4 SLU

EEN DIHYBRIDE KRUISING UITWERKEN

► a Je gaat nu een dihybride kruising met twee onafhankelijke eigenschappen helemaal zelf uitvoeren. Gebruik een leeg kruisingsschema. Bedenk zelf twee eigenschappen.

■ b Wanneer je hier nog moeite mee hebt, kijk je terug naar opdracht 24 (hierboven).

OPDRACHT 26
1 1/2 SLU

EXTRA OEFENSOMMEN OVER ERFELIJKHEID

Hieronder staat veertien 'sommen' over erfelijkheid, die je – eventueel met een medeleerling – kunt maken, wanneer je nog moeite hebt met dit soort vragen.

1 Bij rundvee is zwartbont dominant over roodbont.
   a Wat is het fenotype van een kalf van een roodbonte stier en een zwartbonte koe (beide homozygoot)? Wat is het genotype van dit kalf?
   b Is het kalf anders wanneer de stier zwartbont is en de koe roodbont? Verklaar je antwoord.
   c Kan men uit twee zwartbonte ouders een roodbont kalf krijgen? Geef dit met een kruisingsschema aan.

2 Bij vlas is blauwe bloemkleur dominant over wit.
   Homozygoot blauwbloemige planten worden gekruist met witte. Wat zijn de genotypen van de F1 en de F2? (Maak een kruisingsschema!)

3 Bij een kruising van erwtenplanten met ronde zaden met erwtenplanten met hoekige zaden verkrijgt men een F2 met 190 ronde en 64 hoekige zaden.
   a Wat volgt hieruit voor de dominantie? (Kun je een bekende verhouding ontdekken?)
   b Hoe was het fenotype van de F1?
   c Was de P homozygoot?
   d Maak een kruisingsschema.

4 Bij elke monohybride kruising met twee heterozygote ouders bestaan de nakomelingen voor ¾ deel uit het dominante fenotype en voor ¼ deel uit het recessieve fenotype. Men kan nagaan welke van de ¾ homozygoot zijn en welke

heterozygoot door ze allemaal 'terug' te kruisen met een individu dat recessief is.
Laat dat eens zien door uit te gaan van een P die bestaat uit een erwtenplant met gele erwten (dominant) en een erwtenplant met groene erwten.
Tip: je moet dus eerst een F1 'kweken', want die is heterozygoot!

5 Bij een cavia is zwart haar dominant over wit haar. Men paart een zwart met een wit dier. Een aantal worpen geeft een totaal van 23 zwarte en 21 witte dieren.
  a Waarom kunnen beide ouders niet homozygoot geweest zijn?
  b Waren ze allebei heterozygoot?
  c Maak een kruisingsschema, uitgaande van dit ouderpaar.

6 Bij een bepaalde muizensoort zijn individuen met het genotype qq zwart, met het genotype Qq geel, terwijl individuen met het genotype QQ in een vroeg embryonaal stadium sterven. Een gele vrouwtjesmuis krijgt nakomelingen van een zwarte mannetjesmuis.
  a Hoe zien de talloze nakomelingen eruit en in welke verhouding?
  b Als men gele muizen laat paren, bestaat het nageslacht voor $^2/_3$ uit gele en $^1/_3$ uit zwarte muizen. Hoe is dit te verklaren?
  Tip: de verhouding is hier niet 3:1, maar 2:1!

7 Men kruist een zwarte, ruigbehaarde cavia met een witte gladharige. Alle jongen zijn steeds zwart en ruigbehaard.
  a Wat kun je hieruit concluderen over de dominantie?
  b De jongen paren onderling. Maak een kruisingsschema. Hoe ziet de F2 er fenotypisch uit? Geef ook de verhoudingen aan.

8 Bij de lathyrus erven de genen voor bloemkleur en bloemvorm. Het allel voor blauwe bloemkleur en het allel voor bloemen met een rechte vlag zijn dominant over rode bloemkleur en bloemen met een gebogen vlag.
Een lathyrus met blauwe bloemen met rechte vlag (homozygoot) wordt gekruist met een lathyrus met rode bloemen met gebogen vlag (ook homozygoot).
Maak een kruisingsschema en geef de fenotypes van de F1 en de F2 aan.

9 Bij een kippenras is de zilveren veerkleur dominant over patrijskleurig. Het gen voor veerkleur ligt op de X-chromosoom.
  a Men paart een zilverkleurige haan met een patrijskleurige hen (beide homozygoot). Hoe zien hun nakomelingen eruit?
  b Nu paart men een patrijskleurige haan met een zilverkleurige hen (beide homozygoot). Hoe zien de nakomelingen eruit?

10 Kleurenblindheid bij mensen is het gevolg van een recessief X-chromosomaal allel.
  a Wanneer een man kleurenblind is, hoe is dan de erfelijke aanleg van zijn vader en zijn moeder? (Er zijn vier mogelijkheden!)
  b Wanneer een vrouw kleurenblind is, hoe is dan de erfelijke aanleg van haar ouders? (Er zijn twee mogelijkheden.)

11 Uit een huwelijk komen 3 zonen voort die allemaal kleurenblind zijn, terwijl de vader en de 2 dochters dit niet zijn. Maak een stamboom en geef de genotypen van alle personen aan.

12 Bloederziekte wordt veroorzaakt door een X-chromosomaal recessief gen. Hoe groot is de kans dat kinderen met deze ziekte geboren worden in de volgende gevallen?
  a De moeder is homozygoot normaal (geen bloederziekte), de vader heeft bloederziekte.
  b De moeder is heterozygoot (ze is 'draagster'), de vader heeft geen bloederziekte?

13 Nog meer over het X-chromosomale recessieve allel voor bloederziekte.
  a Een man van wie de vader aan bloederziekte leed, maar die zelf deze ziekte niet heeft, trouwt met een vrouw bij wie geen bloederziekte in de familie voorkomt en nooit voorgekomen is. Hoe groot is de kans op bloederziekte bij hun kinderen? Maak een stamboom.
  b Een vrouw van wie de vader aan bloederziekte leed, maar die zelf deze ziekte niet heeft, trouwt met een normale man. Hoe groot is de kans dat een van hun kinderen bloederziekte heeft?
  c Hoe groot is de kans op bloederziekte bij de zonen van een dochter uit vraag b, wanneer deze met een normale man trouwt?

14 Bij het hondenras cockerspaniël wordt een effen kleur vacht veroorzaakt door een dominant allel (E) en een gevlekte vacht door een recessief allel (e). Een zwarte vacht wordt veroorzaakt door een dominant allel (F) en een rode vacht door een recessief allel (f). Een effen rood mannetje en een zwart-wit gevlekt vrouwtje krijgen een nest jongen van de volgende samenstelling: een effen rode pup, een zwart-wit gevlekte pup en twee rood-wit gevlekte puppen.
  a Vul in:
    fenotype mannetje:__________ fenotype vrouwtje: __________
    genotype mannetje: __________ genotype vrouwtje: __________
    gameten mannetje: __________ gameten vrouwtje: __________
  b Maak een kruisingsschema.
  c Hoe groot is de kans dat in een volgend nest (van dezelfde ouders) een effen zwart jong wordt geboren?

BEOORDELING

OPDRACHT 27
TOETS
1 1/2 SLU

EINDTERMENTOETS

De eindtermen die hierbij horen, zijn: 21 t/m 33, 51 t/m 56 en 112 t/m 114.

21 Wat heeft het DNA van een organisme te maken met zijn genotype?
22 Wat wordt bedoeld met fenotype = genotype + milieufactoren?
22 Wat wil men weten wanneer men gedrag en eigenschappen van eeneiige tweelingen onderzoekt? Is een dergelijk onderzoek bij twee-eiige tweelingen ook zinvol? Verklaar je antwoord.
23 Hoe kun je onderzoeken of een bepaalde eigenschap door de genen wordt veroorzaakt of door milieufactoren? Maak dit met een voorbeeld duidelijk.
24 Waarom maakt men bij de landbouw gebruik van ongeslachtelijke voortplanting?
24 Van welke vormen van ongeslachtelijke voortplanting maakt men gebruik bij de landbouw?
25 Wat zijn klonen?
26 Op welke vier manieren kan men klonen van planten maken?
27 Door 'oude' en moderne technieken is de mens in staat erfelijk materiaal zodanig te veranderen, dat het organisme bepaalde gewenste eigenschappen krijgt. Oude technieken zijn: veredelen, fokken en selectie. Beschrijf wat er bij deze drie oude technieken gebeurt.

BEOORDELING

27 Moderne technieken zijn: gebruik van mutatie en van recombinatie. Waarom worden deze technieken ook wel genetische modificatie genoemd?
28 Wat vind je zelf van genetische modificatie? Noem voor- en nadelen.
29 Hoe komt het dat veredelen en fokken tot verlies van genetische informatie leiden?
30 Wat is een monohybride kruising?
30 Voer uit: AA x aa (dit is de P-generatie): A is rode bloem, dominant en a is witte bloem, recessief.
De F1 bestaat uit: AA = ... %, Aa = ... %, aa = ... % (neem over in je schrift en vul in). De fenotypische verhouding is: (vul in) ..... .
De F2 ontstaat door onderling kruisen van de F1. De F2 bestaat uit: AA = ... %, Aa = ... %, aa = ... % (neem over en vul in). De fenotypische verhouding is: (vul in) ..... .
30 Wat is het resultaat bij dezelfde kruisingen AA x aa tot en met de F2, wanneer Aa een intermediair fenotype heeft?
30 Wat wordt bedoeld met X-chromosomale genen?
30 Voer uit: AABB x aabb (= P-generatie), A en B erven dominant over, a en b zijn dus recessief. Bedenk zelf eigenschappen.
Wat is de genotypische verhouding van de F1 en de F2? En de fenotypische verhouding?
31 Hoe komt het dat er altijd ongeveer evenveel meisjes als jongens geboren worden (wanneer je meerdere generaties van een grotere groep mensen zou onderzoeken)? Geef dit met een kruisingsschema aan.
31 Hoe komt het dat een vader zijn X-gebonden eigenschap altijd aan zijn dochter doorgeeft?
31 Hoe komt het dat de zoon zijn X-gebonden eigenschap altijd van zijn moeder erft?
32 Wat is prenatale diagnostiek? Noem twee methoden.
33 Wat vind je van prenatale diagnostiek?
33 Wat is een karyogram?
33 Beschrijf hoe een karyogram bij erfelijkheidsadvisering een rol kan spelen.
33 Wat is trisomie?
51 Waar in de cel ligt het erfelijk materiaal opgeslagen? Waaruit bestaat het chromosoom? Wat is DNA?
52 Wat is het verband tussen genen en allelen?
52 Wat is het verband tussen genen en chromosomen?
52 Wat is het verband tussen genen en DNA?
53 Beschrijf de belangrijkste stappen bij de recombinant-DNA-techniek.
54 Hoe kunnen veranderingen in de erfelijke informatie leiden tot verandering in functioneren van het individu?
55 Wat is een mutatie?
55 Op welke drie manieren kunnen mutaties optreden?
56 Beschrijf het verband tussen weefselkweek, kanker en DNA.
112 Wat wordt bedoeld met biotechnologie?
112 Beschrijf de rol van gisten en bacteriën bij biotechnologische productie door optimalisering.
112 Beschrijf de rol die bacteriën spelen bij biotechnologische productie door genetische modificatie.

BEOORDELING

OPDRACHT 28
TOETS
1 1/2 SLU

ZELFTOETS

1 Kun je de vragen van opdracht 2 probleemloos beantwoorden?
2 Kun je de stamboom van opdracht 2 nu helemaal invullen?
3 Maak de volgende eindexamenopgaven:
- 1998-I: 25 t/m 27, 30 en 31
- 1997-I: 8 t/m 12, 15 t/m 17, 23 t/m 25, 35 en 36
- 1997-II: 22 t/m 25
- 1996-II: 24 t/ 29, 35 t/m 37
- 1995-II: 8 t/m 12, 19 en 20

INTERNETSITES

Genetica van de mens
http://www.people.virginia.edu/~rjh9u/hgenes.html
MendelWeb:
http://hermes.astro.washington.edu:80/mirrors/MendelWeb/
http://www.esp.org/

VIDEO'S

1 Serie 1 Bio-bits bovenbouw: Blok 3, *Fruitvliegen: overerven van eigenschappen* (over de techniek van het kweken van fruitvliegen, 10 min.).
2 Serie 2 Bio-bits bovenbouw: Blok 14, *Bonen* (10 min.) en *Genetische manipulatie* (10 min.).
3 Serie: Mijlpalen in de natuurwetenschap: Biologie, aflevering 2: *Gregor Mendel en de klassieke genetica* (15 min.); te bestellen bij Teleac/NOT educatieve omroep, postbus 1070, 1200 BB Hilversum.
4 Serie: Noorderlicht, aflevering: *Blufpoker met genen*.

ORIËNTATIE EN PLANNING
1 Langer leven door een hart-longtransplantatie
2 Eigen ervaringen
3 Wat weet je al van het hart?
4 Voorkeuren plannen

UITVOERING
5 De hart-longtransplantatie nabootsen
6 Theorie bestuderen
7 Voorbereiding en nazorg
8 Chirurgische ingreep op video
9 Menselijke anatomie (T-shirtmethode)
10 Een echt hart
11 Hartspierweefsel
12 Echte longen
13 Longweefsel
14 Zenuwen
15 Wie heeft de langste adem?
16 Bloedstolling
17 Maak een poster van je eigen bloedvaten
18 Onstolbaar bloed
19 Voorkomen van ontstekingen
20 Geschikte donor

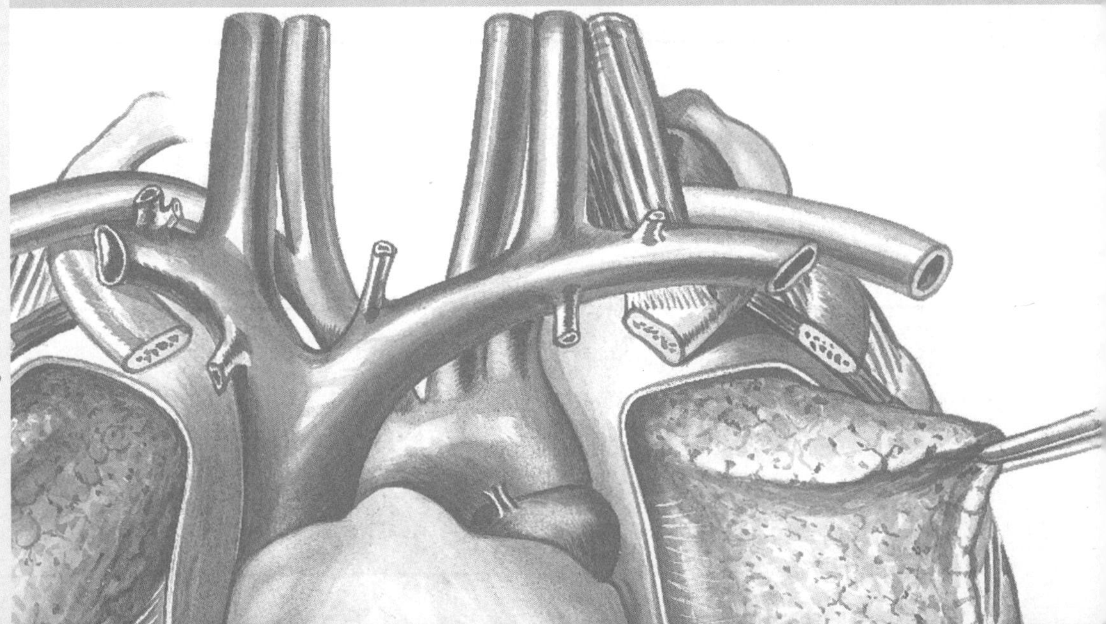

BLOK 5

JE HOUDT JE HART VAST

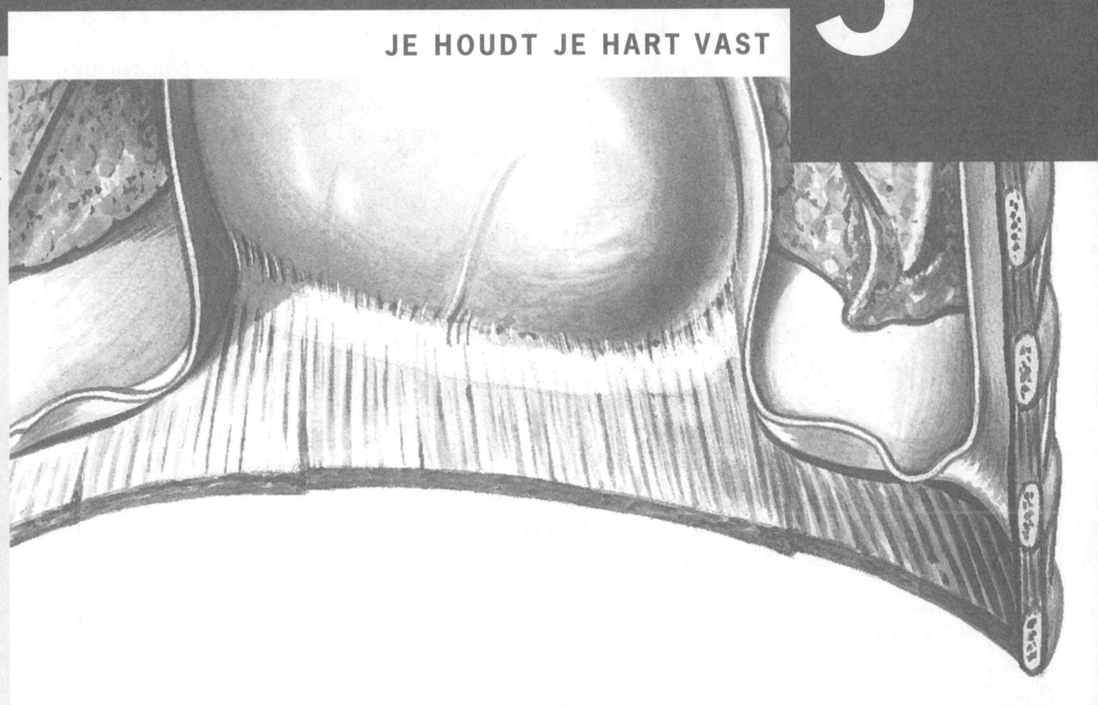

21 Constateren van een hartafwijking
22 Meten van de longfunctie
23 Zonder narcose geen operatie
24 Hart-longmachine
25 Intensive care en hartbewaking
26 Werknemers in de gezondheidszorg
27 Gezondheidszorg en beleid
28 Wat vind je in de kranten?
29 Beroepen
30 Wat kost zo'n operatie?
31 Dilemma: wie behandelen we wel en wie niet?
32 De Nederlandse Hartstichting, het Nationaal Hartfonds en het Nederlands Astma Fonds

BEOORDELING
33 Toetsen
34 Wat heb je gemaakt?
35 Hoe heb je het gedaan?
36 Slotconclusie

STUDIEWIJZER BLOK 5

TITEL	Je houdt je hart vast
BLOKCODE	HaVa
STUDIELAST	18 uur.
BRONNEN	Theorieboek. Internet. Medische encyclopedie. Atlas anatomie. Modellen. Video. Dagbladen.
AFSLUITINGSWIJZE	Producten naar keuze. Uitgewerkte opdrachten. Practicumverslagen. Demonstratie. Interview. Betoog. Artikel.
VERPLICHT	Ja.
BESCHRIJVING	In dit blok verdiep je je in een hart-longtransplantatie. Je leert over de bouw en functie van hart en longen en alle andere lichaamsfuncties die daarmee samenhangen.
LEERDOELEN	Na het doorwerken van dit blok: – Kun je artikelen kritisch lezen. – Weet je de voornaamste anatomie van hart- en bloedvaten. – Ken je bouw en functie van hart en longen. – Weet je hoe een hart-longtransplantatie verloopt. – Weet je wie zich bemoeien met een hart-longtransplantatie. – Weet je hoe een ECG-apparaat, een spirometer en een hart-longmachine werken. – Weet je wat een hart-longtransplantatie kost. – Heb je inzicht in politieke keuzes inzake dit onderwerp. – Heb je een standpunt gevormd omtrent het uitvoeren van hart-longtranplantaties.
VAARDIGHEDEN	Artikelen lezen en vergelijken. Anatomische tekening maken. Video bekijken. Microscopisch onderzoek doen. Historisch onderzoek doen. Demonstratie geven. Artikel schrijven. Folder maken. Interview houden. Gastspreker uitnodigen. Knipselkrant maken. Standpunt verwoorden.
VOORKENNIS	Kennis over het zenuwstelsel. Basisvorming biologie.
RELATIE MET ANDERE VAKKEN	Techniek, natuurkunde, economie, politiek en maatschappijleer en geschiedenis.

ORIËNTATIE

INLEIDING

Dit blok gaat over het hart en de longen, de bloedsomloop en de ademhaling. Hart- en vaatziekten en longkanker behoren tot de belangrijkste doodsoorzaken in ons land. In de gezondheidszorg wordt erg veel geld aan deze ziekten uitgegeven. Heel regelmatig staan er berichten over in de krant. Je kunt ook vaak iets lezen over transplantaties van hart en longen. Verschillende stichtingen en patiëntenverenigingen zorgen voor begeleiding van hartpatiënten en werven fondsen voor meer onderzoek.

OPDRACHT 1
3/4 SLU

LANGER LEVEN DOOR EEN HART-LONGTRANSPLANTATIE

► a Lees het onderstaande artikel en maak aantekeningen voor een samenvatting van niet meer dan 100 woorden.

Iedere 15e december vier ik dat ik leef

Ook kinderen moeten in Nederland een harttransplantatie kunnen krijgen, bepleitten twee Utrechtse artsen op 3 juli in deze krant. Cor Schot (20 jaar) kreeg op zijn twaalfde een nieuw hart en nieuwe longen. Niet in Nederland, maar in België. Ondanks alle mogelijke rampspoed heeft hij geen spijt. 'Ik snap niet waarom dit in België wel kan en in Nederland niet.'

Nieuw hart en longen

Hij kwam ter wereld met een keizersnede. De artsen keken zorgelijk: het was niet goed. Twee weken gaven ze hem. Een hartoperatie – daar begonnen ze niet eens aan. Het hart was gewoon te ziek, de ene long functioneerde niet, de andere maar gedeeltelijk. Er viel niets aan te doen.

Nu is Cor twintig jaar oud. Sinds zeven jaar leeft hij een vrijwel normaal leven en kan hij bijna alles wat een gemiddeld mens kan. Hij is wat klein en mager, hij loopt een beetje scheef, maar oogt verder gezond. Daar heeft hij het nodige voor moeten doorstaan: een ziekbed van jaren, daarna een transplantatie van hart en beide longen, gevolgd door een lange revalidatie, ettelijke afstotingsreacties van zijn beproefde lichaam, drie chemokuren en vier operaties wegens darmkanker en gewrichtsslijtage als bijwerking van de medicijnen. Want Cor slikt driemaal per dag een handjevol medicijnen en moet dat de rest van zijn leven blijven doen.

Hij is, zegt hij, een gelukkig mens.

Hij was tien jaar en hij kon niets. Hij lag boven op bed, kreeg zuurstof toegediend en kon niet alleen eten, niet zelfstandig naar de wc. 'Ik lag en ik las,' herinnert hij zich. 'En op de goede dagen lag ik beneden. Meer zat er niet in.' Zijn moeder had haar winkel in feestartikelen verkocht om voor hem te kunnen zorgen. Maar het ging alleen maar slechter met Cor. 'Ik had overal pijn,' vertelt hij. 'In mijn botten, benen, buik. Ik accepteerde het wel. Ik wist niet beter. Als je op latere leeftijd ziek wordt, is het moeilijk denk ik. Ik was gewend dat ik anders was dan anderen. Nog steeds. Alleen kan ik alles wat een ander kan, sinds ik getransplanteerd ben. Alles.'

Het was zijn enige kans, liet de kinderarts weten. Cor had een nieuw hart en nieuwe longen nodig, anders was de dood voor hem gewis. 'Ik was niet bang om dood te gaan, al vond ik het wel erg snel. Ik wilde liever nog wat doorleven. Dus toen mijn ouders mij vroegen: "Wil je dat, zo'n transplantatie?" zei ik meteen ja. Ik wist dat het kon mislukken en dat het dan afgelopen zou zijn, maar op dat moment had ik geen enkel perspectief. De keus was voor mij niet zo moeilijk.'

Kan een kind van tien jaar zo'n beslissing nemen?

Schot zwijgt even, strijkt door zijn stekelige haar en zegt dan beslist: 'Ik wel. Omdat ik op dat gebied heel volwassen was. Ik lag en lig nog steeds op veel gebieden achter, in mijn fysieke ontwikkeling, in mijn scholing. Maar ik kon wel goed over de dingen nadenken.'

Wel in België

In Nederland wordt zo'n transplantatie niet gedaan bij kinderen. Te risicovol, te belastend, te weinig donoren, was de consensus. Die nu echter wankelt. De familie Schot probeerde het in Engeland, maar na een angstig jaar op de wachtlijst, waarin het steeds slechter ging met Cor, zochten ze hun heil in Brussel. 'Ik kwam daar op mijn twaalfde in mijn rolstoel bij een professor die weinig spraakzaam was. Hij keek me alleen maar aan en vroeg: "Wil je dit?" Ik zei ja. Binnen drie maanden was ik getransplanteerd.'

Ze kwamen met een helikopter, zijn nieuwe hart en longen. Uit Duitsland. Daar was een kind overleden en dat

kind had een codicil. 'Waarschijnlijk een verkeersongeluk,' zegt hij kortaf. 'Maar dat weet ik niet en dat wil ik ook niet weten. Ik denk nooit aan de donor. Ik heb wel eens gelezen dat veel getransplanteerden dat wel doen en daardoor soms psychische problemen krijgen, maar ik sta er niet bij stil. Ik zie het gewoon als een operatie.'
Tien uur heeft de operatie geduurd. Het borstbeen werd over de hele lengte doorgezaagd. Hart en longen werden uitgenomen: hun functie werd tijdelijk overgenomen door een hart-longmachine. Nieuwe organen erin, de machine langzaam uit en dan wachten op het grote moment. Het hart moet gaan kloppen.
Dat deed het. Het was 15 december 1992 en Cor Schot had als eerste kind in België en als enig kind in Nederland een nieuw hart en nieuwe longen.
'Vijf dagen later zat ik op de fiets.' Hij grinnikt. 'Op de hometrainer in het ziekenhuis dan. Met allerlei slangen en buisjes nog in, maar het moest. Zo snel mogelijk gaan bewegen, ademhalen. Dat is in het begin allemaal heel pijnlijk.' Na een maand mocht hij naar huis. Toen bleek hoeveel méér hij kon dan al die jaren ervoor. 'Ik kon weer naar school, ik ging zelfs op dansles! Vroeger was ik altijd blauw door kortademigheid, vooral mijn voeten en handen waren paarsblauw. Die kleur verdween zodra het nieuwe hart ging werken, is mij door de chirurg verteld.'
Ja, hij kon veel, bijna alles, maar met tussenpozen. De eerste afstotingsreactie kreeg hij thuis, na een paar weken. De apotheker in het dorp stond versteld van de hoeveelheid medicijnen die Cor in één keer moest nemen om de afstoting te onderdrukken. Het gebeurde nog een tweede, nog een derde keer. Hij belandde weer in het ziekenhuis, was tien dagen doodziek. 'Het hart,' weet hij, 'is het probleem niet. Het grote gevaar zit bij de longen. Die zijn kwetsbaar, vanwege de bacteriën die je inademt. Ik moet erg oppassen met infecties. Zodra ik verkouden ben, moet ik aan de antibiotica.'
En hij slikt al zoveel. Drie keer per dag afstotingsremmers. Die hebben een nare bijwerking: gewrichtsslijtage. Dus slikt hij calcium voor zijn botten. Verder nog middelen voor de bloeddruk. Al die pillen laten lever en nieren niet onberoerd. Vroeg of laat worden die aangetast door de medicijnen. Hij weet het. 'Ik ben erg vatbaar voor van alles,' zegt hij droog. 'Op mijn veertiende werd ik besmet met het Epstein-Barr-virus. Dat ontwikkelde zich bij mij tot darmkanker. Daar ben ik erg ziek van geweest. Ze hebben een halve meter darm weggehaald, ik heb drie chemokuren gehad, ben ook kaal geweest. Nu heb ik weer last, aan de andere kant van mijn buik.'
Hij haalt diep adem, de vraag die nu komt kan hij wel raden. 'Het is het waard, zeker weten. Vergeleken bij wat ik had! Ik kon niks. Nu rijd ik auto, ik heb een baan, ik ga iedere zaterdagavond stappen. Ik heb een vrijwel normaal leven. Als ik een hele dag gewerkt heb, ben ik doodmoe, maar dat heb ik er graag voor over.'

Toekomst

Hij werkt voor een autobedrijf, vertelt hij stralend. Was altijd al 'gek van auto's'. Rijdt nu BMW's van de ene vestiging naar de andere en helpt ook in de verkoop. Het is eigenlijk een stageplaats, want hij doet nog een opleiding in Utrecht. 'Maar ieder moment dat ik kan werken, grijp ik aan. Van dat soort kansen moet ik het hebben. Ik wil het autovak in.' Dat klinkt alsof hij haast heeft. 'Dat héb ik ook. Ik wil alles heel snel doen. Mijn hart en longen gaan waarschijnlijk niet zo lang mee. De artsen hebben geen leeftijdsgrens genoemd, maar ze hebben wel gezegd dat ik niet oud word. Dus wil ik zo veel mogelijk dingen doen die ik leuk vind, in de tijd die ik heb.'
Op dit moment gaat een donorhart niet langer dan twaalf, misschien vijftien jaar mee. Dat is een van de redenen voor de terughoudendheid in Nederland ten aanzien van kinderharttransplantaties. 'Maar,' werpt Cor Schot tegen, 'als je niks kan, gaat het alleen maar slechter, je gaat bijna dood: dan teken je toch graag bij voor twaalf, misschien twintig jaar? Als je van je twaalfde tot je vijfentwintigste alles kan wat een ander ook kan, dan is dat toch een verrijking van je leven? Ik heb daar bewust voor gekozen, ik ben blij dat ik dat gedaan heb.
Ik vertel dit verhaal alleen omdat ik vind dat het in Nederland toegestaan moet worden. Ik snap niet waarom zo'n transplantatie in België wel kan en in Nederland niet. Eigenlijk vind ik het schandalig.
Natuurlijk heb ik wel eens een slechte dag. Dan kan ik niet lopen van de pijn en de vermoeidheid. En iedere drie maanden moet ik naar Brussel voor controle. Soms denk ik: moet dit nou? En: hoe ga ik verder? Het wordt nooit zoals het hoort te zijn en oud zal ik niet worden, dat besef ik heel goed. Binnen een paar jaar kan het voorbij zijn. Daarom leef ik met de dag. En ieder jaar vier ik op 15 december met mijn familie dat ik leef.
Ik zou het zo weer doen. Maar ja, dat schijnt niet te kunnen, een tweede transplantatie. Als het op is, is het echt op.'

(*Trouw*, 6 juli 1999, Eveline Brandt)

b Maak nu de samenvatting van het artikel (maximaal 100 woorden). Doe dit eventueel met z'n tweeën.

■ c Je kunt het verhaal bijvoorbeeld chronologisch indelen: situatie als jong kind, als ouder kind, operatie, tijd na de operatie, huidige leven, toekomst. Je kunt ook kiezen voor een indeling volgens de verschillende boodschappen die het artikel bevat.

● d Wanneer je het maken van een samenvatting nog steeds moeilijk vindt, moet je dat toch eens met je docent bepraten.

▶ e Wat is de belangrijkste boodschap van dit artikel?

OPDRACHT 2
KLASSENGESPREK
1/2 SLU

EIGEN ERVARINGEN

▶ a Welke ervaringen heb je zelf met operaties of andere medische ingrepen in het ziekenhuis? Dat kan gaan over jezelf, familieleden, vrienden en kennissen in binnen- of buitenland. Schrijf in het kort één zo'n ervaring op.

b Wissel nu je ervaringen klassikaal uit (informeer via je docent wie dit organiseert en wanneer). Je zult versteld staan van alle verhalen! Noteer (in één regel) vijf ervaringen van anderen, die jou om een of andere reden aanspreken.

c Respecteer het wanneer iemand niets wil vertellen. Realiseer je dat een opdracht als deze bij sommige leerlingen grote emoties kan oproepen.

OPDRACHT 3
1/2 SLU

WAT WEET JE AL VAN HET HART?

▶ a Probeer de onderstaande vragen te beantwoorden (zonder boek). Doe het met z'n tweeën. Houd een lijstje bij van de dingen die je niet begrijpt of weet en die je in dit blok moet (wilt) leren. Controleer aan het einde van dit blok of je ze kent. Het gaat er hier dus nog niet om dat je alles al leert wat gevraagd wordt. Dat komt later in dit blok. Het gaat erom dat je de kennis die je al hebt, ophaalt en dat je globaal vaststelt wat je nog niet weet.

1 Toen je in de tweede klas zat, zijn onder andere ademhaling, hart en bloedsomloop behandeld. Schrijf eens op wat je je daar nog van herinnert.
2 Schrijf op wat je zelf graag over deze onderwerpen wilt leren.
3 Geef bij jezelf of bij je medeleerling op de borst aan waar het hart zit.
4 Geef bij jezelf of bij je medeleerling op de borst en de rug aan waar de longen zitten en tot hoever die naar beneden reiken.
5 Hoe groot is je hart? Wat is het gewicht ervan?
6 Welke bloedvaten zitten aan het hart vast?
7 Met welk apparaat kun je het hart vergelijken?
8 Noem drie plaatsen van je lichaam waar je het hart voelt kloppen.
9 Wat is dat 'kloppen' eigenlijk?
10 Hoe komt het dat je dit op die plaatsen kunt voelen en elders niet?
11 Hoe komt het bloed het hart in?
12 Hoe gaat het bloed het hart uit?
13 Hoeveel liter bloed heb je?
14 Maak een schets van (een doorsnede van) het hart en de grote bloedvaten.
15 Geef in je schets aan waar de hartkleppen zitten.
16 Schrijf op hoe je denkt dat de hart-longtransplantatie in grote lijnen verloopt.
17 Hoe komt het dat een hart-longtransplantatie eigenlijk 'gemakkelijker' is dan alleen een harttransplantatie of een longtransplantatie?
18 Span je spieren aan bij inademing? Zo ja, welke spieren?
19 Span je spieren aan bij uitademing? Zo ja, welke spieren?
20 Wat is de functie van het middenrif bij de ademhaling?
21 Wat is een 'klaplong'?
22 Hoe komt het dat Cor Schot voor de transplantatie paarsblauwe handen en voeten had?

23 Hoe wordt zuurstof in het bloed vervoerd?
24 Hoe wordt koolstofdioxide in het bloed vervoerd?
25 Beschrijf hoe het bloed van de linkerhartkamer in de rechterboezem terecht kan komen. Er zijn meerdere routes mogelijk: beschrijf de kortste en de langste.

PLANNING

OPDRACHT 4
1/2 SLU

VOORKEUREN PLANNEN

Je kunt bij dit blok eens nadenken over het eventuele beroep dat je zou willen kiezen. Je hebt het profiel Natuur en Gezondheid vermoedelijk niet zomaar gekozen en je denkt misschien aan een beroep in deze sector. Houd daar dan bij je planning van dit blok rekening mee en kies de keuzeopdrachten die bij deze ambitie aansluiten.

► a Zijn er in de sector gezondheidszorg beroepen die jou aanspreken? Maak voor jezelf een voorkeurslijstje van vijf beroepen.
b Zoek opdrachten die inspelen op jouw top 5.
c Kijk in opdracht 3 bij vraag 2 welke dingen je zelf graag wilt weten over dit onderwerp.
d Kijk in opdracht 33 hoe de examenvragen over dit onderwerp eruitzien.
e Kijk in opdracht 26 t/m 32 of je aandacht wilt besteden aan de maatschappelijke aspecten van hart-longoperaties.
f Kijk in opdracht 6 en je theorieboek hoe omvangrijk de theorie is. Gebruik je kennis over je eigen studeersnelheid (zie opdracht 3 en 9 van blok 2 in werkboek 1 van vorig jaar) om voldoende tijd voor het bestuderen van de theorie te plannen.
■ g Bepaal eventueel je studeersnelheid weer eens een keer.
► h Maak een planning voor dit blok.

opdracht	titel	omschrijving	studielast in uren
1	Langer leven door een hart-longtransplantatie	Je leest een artikel en maakt een samenvatting.	3/4
2	Eigen ervaringen	Je wisselt medische ervaringen uit met medeleerlingen.	1/2
3	Wat weet je al van het hart?	Je peilt je beginkennis door 25 vragen zonder boek te beantwoorden.	1/2
4	Voorkeuren plannen	Je maakt een planning van dit blok, waarbij je je eigen interesses van tevoren onderzoekt.	1/2
Basisopdrachten			
Cluster 1 Bouw en werking van hart en longen			
5	De hart-longtransplantatie nabootsen	Aan de hand van een anatomische tekening simuleer je op papier een hart-longtransplantatie.	1
6	Theorie bestuderen	Je herhaalt enkele paragrafen leerstof die verband met dit onderwerp houden en je bestudeert paragraaf 12.3 en 12.4 van het theorieboek.	2 1/2
7	Voorbereiding en nazorg	Je verdiept je in de activiteiten in en rondom een operatiezaal.	1
8	Chirurgische ingreep op video	Je bekijkt een video.	3/4
9	Menselijke anatomie (T-shirtmethode)	Je tekent de belangrijkste hart- en bloedvaten op ware grootte.	1/2
10	Een echt hart	Je onderzoekt een dierenhart.	1
11	Hartspierweefsel	Je bekijkt hartspierweefsel onder de microscoop.	1/2
12	Echte longen	Je onderzoekt longen.	3/4
13	Longweefsel	Je bekijkt longweefsel onder de microscoop.	1/2

14	Zenuwen	Je verdiept je in de zenuwgeleiding van hart en longen.	$\frac{1}{2}$
15	Wie heeft de langste adem?	Je onderzoekt bij elkaar de hartslag en de ademhaling.	1
16	Bloedstolling	Je maakt zelf een schema van de bloedstolling.	$\frac{1}{4}$
17	Maak een poster van je eigen bloedvaten	Je tekent de menselijke bloedsomloop op ware grootte.	$\frac{3}{4}$
Keuzeopdrachten			
Cluster 2 Complicaties bij een transplantatie			
18	Onstolbaar bloed	Je verdiept je in de antistolling.	$\frac{1}{2}$
19	Voorkomen van ontstekingen	Je doet een klein historisch onderzoek naar desinfectie.	1
20	Geschikte donor	Je doet onderzoek naar een eventueel donorschap.	1
Cluster 3 Zonder medische technologie geen hart-longtransplantatie			
21	Constateren van een hartafwijking	Je demonstreert een ECG-apparaat.	1 $\frac{1}{2}$
22	Meten van de longfunctie	Je verdiept je in de werking van een spirograaf en meet je eigen longcapaciteit.	$\frac{1}{2}$
23	Zonder narcose geen operatie	Je verdiept je in de technologie rondom narcose.	1
24	Hart-longmachine	Je legt de werking van een hart-longmachine uit in een artikel.	1 $\frac{1}{2}$
Cluster 4 Opereren is mensenwerk			
25	Intensive care en hartbewaking	Je interviewt een deskundige.	1 $\frac{1}{2}$
26	Werknemers in de gezondheidszorg	Je nodigt iemand die in de gezondheidszorg werkt uit als gastspreker.	1 $\frac{1}{2}$
Cluster 5 Politiek en beleid			
27	Gezondheidszorg en beleid	Je verdiept je in de politiek door twee artikelen met elkaar te vergelijken.	1
28	Wat vind je in de kranten?	Je verzamelt publicaties en maakt een knipselkrant.	1
29	Beroepen	Je schrijft een politiek betoog.	1 $\frac{1}{2}$
30	Wat kost zo'n operatie?	Je ontdekt het prijskaartje van een hart-longtransplantatie.	1
31	Dilemma: wie behandelen we wel en wie niet?	Je vormt een standpunt over wie in aanmerking komt voor een hart-longtransplantatie.	1
32	De Nederlandse Hartstichting, het Nationaal Hartfonds en het Nederlands Astma Fonds	Je maakt een nieuwe folder.	1
Beoordelingsopdrachten			
33	Toetsen	Drie soorten toetsen.	1 $\frac{1}{2}$
34	Wat heb je gemaakt?		$\frac{1}{4}$
35	Hoe heb je het gedaan?		$\frac{1}{2}$
36	Slotconclusie		1

Tabel 5.1 Overzicht van de opdrachten van dit blok.

UITVOERING

BASISOPDRACHTEN

CLUSTER 1 BOUW EN WERKING VAN HART EN LONGEN

OPDRACHT 5
1 SLU

DE HART-LONGTRANSPLANTATIE NABOOTSEN

Besteed aan deze opdracht niet meer tijd dan de aangegeven slu. Misschien wil je liever met de theorie beginnen (opdracht 6). Het staat je natuurlijk vrij dat te doen. Je kunt er ook voor kiezen de nabootsing van deze opdracht 5 af te wisselen met het bestuderen van theorie. Deze opdracht laat je wel tegen de vragen aanlopen waar het om gaat: hoe zit dat? Hoe doen ze dat? Hoe lang duurt het? Waarom doen ze het zo?

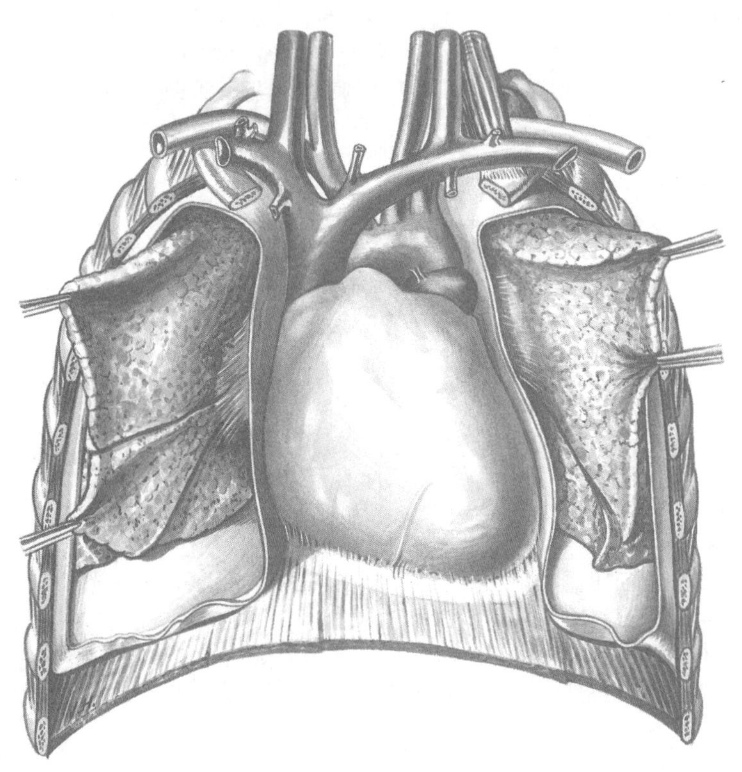

Figuur 5.1 Hart en longen in de borstholte.

► a In figuur 5.1 staat een afbeelding van de borstholte met hart en longen. Achter in dit boek vind je dezelfde figuur uitvergroot op een werkblad. Je gaat in deze opdracht de hart-longtransplantatie nabootsen, om zelf uit te zoeken wat er allemaal moet gebeuren bij zo'n operatie. In werkelijkheid duurde die tien uur.

b Schrijf een protocol van de operatie. In een protocol staat welke handelingen er moeten worden verricht en in welke volgorde. Je kunt dat ook een draaiboek noemen.

■ c Vergroot het werkblad eventueel naar A3- of zelfs A2-formaat. Zoek in het artikel over Cor Schot naar gegevens over de operatie en gebruik die in de nabootsing. Werk met een paar mensen samen en bespreek met elkaar hoe gedetailleerd je de nabootsing wilt uitvoeren.

● d Je kunt je het volgende afvragen.

UITVOERING

Waar en hoe zitten hart en longen in je lichaam vast? Hoe kom je als chirurg bij deze organen? Welke weefsels moet je doorsnijden? Welke bloedvaten? De luchtpijp? Wat doe je met de doorgesneden bloedvaten? Hoe wordt het nieuwe hart-longcomplex aangehecht? Waar moet de hart-longmachine worden aangesloten? Wanneer is de operatie voltooid?

► e Vergelijk de bovenstaande operatie nu eens met de operatie 'post mortem' (= na de dood) die bij de donor uitgevoerd moest worden. Schrijf ook daar een protocol voor op.
Je zult niet alle oplossingen voor problemen waar je tegenaan loopt, in je theorieboek vinden! Ga (eventueel) ook op zoek in een anatomische atlas of een chirurgisch handboek. Zie ook figuur 12.34 en figuur 12.56 in je theorieboek en opdracht 9 en 18.

OPDRACHT 6
THEORIE
2 1/2 SLU

THEORIE BESTUDEREN

De theorie voor dit blok vind je voornamelijk in paragraaf 12.3 'Circulatie' en 12.4 'Ademhalingsstelsel' van het theorieboek. Maar voor de samenhang in je kennis (waardoor je veel gemakkelijker onthoudt) is het ook noodzakelijk te kijken naar de volgende (sub)paragrafen:

- 9.2.3-2 'Hartregulatie- en ademcentrum' (ook 12.4.5)
- 9.2.5 'Het autonome zenuwstelsel'
- 9.2.6 'Bewegingen van het lichaam: tussenribspieren, middenrif'
- 9.2.7 'Reflexen'
- 10.5 'De bijnieren: adrenaline'
- 12.1.2 'Dissimilatie: de rol van zuurstof in je lichaam' en, in verband met de medische ingrepen:
- 14.5 'Bloedtransfusies en orgaantransplantaties'

Hieronder staan vragen over de te leren theorie. Je kunt de stof aan de hand van de vragen leren maar je kunt ook achteraf testen of je het allemaal beheerst. De vragen zijn per paragraaf van het theorieboek ingedeeld.

► a Paragraaf 12.3: 'Circulatie'.
De eindtermen die hierbij horen, zijn: 75, 82 t/m 88, 100 en 167.

1 Uit welke twee vatenstelsels bestaat ons circulatiestelsel?
2 Noem vijf functies van het circulatiestelsel.
3 Hoe heet de tussencelstof van bloed?
4 Noem minstens vijf bestanddelen van bloedplasma.
5 Welke drie gassen kunnen er in het bloed zitten?
6 Teken een rode bloedcel van boven en van de zijkant en geef de delen aan.
7 Wat is de functie van hemoglobine?
8 Hoe komt het dat bloed naar roest smaakt?
9 Wat is oxyhemoglobine?
10 Hoe komt het dat bloedplaatjes zo kort (ongeveer 8 dagen) leven?
11 Welke drie typen witte bloedcellen zijn er?
12 Het proces van de bloedstolling is eigenlijk een kettingreactie: de ene omzetting veroorzaakt een volgende, die weer een volgende tot gevolg heeft enzovoort. Enkele stoffen die hierbij een rol spelen, zijn: fibrine, tromboplastinogeen, trombine, fibrinogeen en protrombine. Zet deze stoffen in de juiste volgorde bij deze kettingreactie.
13 Wat is bloedserum?
14 Leg uit waarom iemand met bloedgroep 0 rh^- in principe aan iedereen bloed kan geven (dus een 'universele bloeddonor' is).

UITVOERING

15 Beschrijf de circulaties van de kleine en de grote bloedsomloop (respectievelijk de longcirculatie en lichaamscirculatie).
16 Wat is de functie van de hartkleppen? En van halvemaanvormige kleppen?
17 Welk bloedvatensysteem zorgt voor de doorbloeding van de hartspier zelf?
18 Wat wordt bedoeld met de hartcyclus? Hoe lang duurt de hartcyclus gemiddeld?
19 Beschrijf de hartcyclus.
20 Wat is een systole? Wat is een diastole?
21 Waarom is de wand van de linkerhartkamer dikker dan die van de rechterhartkamer?
22 In rust heeft je HMV (hartminuutvolume) een bepaalde waarde. Wordt deze waarde groter of kleiner tijdens lichamelijke inspanning (bijvoorbeeld hard fietsen)? Verklaar je antwoord.
23 Aders bevatten zuurstofarm bloed. Welke aders zijn een uitzondering op deze regel?
24 Aders voeren bloed van de organen af. Welke ader vormt hierop, ten dele, een uitzondering? Waarom staat hier 'ten dele'? Voor welk orgaan gaat deze regel helemaal niet op?
25 Noem drie verschillen tussen aders en slagaders.
26 De bloeddruk in de aders is heel laag. Hoe komt het dat het bloed toch naar het hart terugstroomt?
27 Wat is hongeroedeem? Leg uit hoe dit ontstaat.
28 Hoe komt het dat lymfeknopen op kunnen zetten (dik worden) wanneer je ziek bent?
29 Wat is trombose?
30 Wat kunnen de gevolgen zijn van een te hoge bloeddruk?
31 Welke maatregelen kun je treffen tegen een te hoge bloeddruk?
32 In de 16^e en 17^e eeuw noemden anatomen de longslagader de 'slagaderlijke ader' en de longader de 'aderlijke slagader'. Leg uit hoe ze tot die benaming kwamen en waarop ze (dus) vooral letten bij het benoemen van aders en slagaders.
33 Welke anatomen hebben in de geschiedenis belangrijke bijdragen aan de kennis over de bloedsomloop geleverd? Geef een aanduiding wanneer ze leefden of een markant jaartal uit hun leven.
34 Een molecuul hemoglobine bindt een molecuul zuurstof (paragraaf 12.3.1.-2). Hoeveel zwaarder is een hemoglobinemolecuul dan een zuurstofmolecuul?

b Paragraaf 12.4: 'Ademhalingsstelsel'.
De eindtermen die hierbij horen, zijn: 75, 87, 89, 90 en 100.
1 Wat is de functie van de longen?
2 Beschrijf de opname van zuurstof in de longen.
3 Beschrijf de afgifte van koolstofdioxide in de longen.
4 Worden wij door de ademhaling lichter of zwaarder?
5 Hoeveel wegen de longen van een 16-jarige ongeveer?
6 Wat is het totale oppervlak van het longepitheel van een mens ongeveer?
7 Beschrijf hoe verlies van water via de longen optreedt en hoe belangrijk dat verlies is.
8 Waar precies in de longen worden de gassen uitgewisseld?
9 Wat is de 'functionele eenheid' van de long?
10 Welke cellen en celmembranen moet een zuurstofmolecuul passeren om vanuit de lucht bij een hemoglobinemolecuul te komen?
11 Verloopt de gasuitwisseling door middel van diffusie of osmose?
12 Wat duidt men aan met de 'vitale capaciteit' van de longen?
13 Wat duidt men aan met de 'dode ruimte' binnen de luchtwegen?
14 Waarom is het gezonder om door je neus te ademen dan door je mond?

UITVOERING

15 Wat is de functie van keel- en neusamandelen? Heb jij de jouwe nog? Zo nee: waarom zijn ze (vroeger) weggehaald?
16 Leg uit wat er aan de hand is, wanneer iemand het door stuifmeel (hooikoorts) benauwd krijgt.
17 Wat is longkanker precies?
18 Hoe ontstaat longkanker?
19 Waarom zijn er zo veel mensen die longkanker krijgen?
20 Hoeveel kost een longkankerpatiënt de samenleving gemiddeld?

c Overige paragrafen.
1 Paragraaf 9.2.3-2: 'Hartregulatie- en ademcentrum' (ook 12.4.5). Het hart wordt door liefst drie systemen in je lichaam geregeld. Welke zijn dat en hoe werken ze op de hartwerking in?
2 Paragraaf 9.2.5: 'Het autonome zenuwstelsel'. Hoe regelt het autonome zenuwstelsel de werking van het hart? Gebruik hier de term hartminuutvolume.
3 Paragraaf 9.2.6: 'Bewegingen van het lichaam: tussenribspieren en middenrif'. Het is opmerkelijk dat de ademhaling enerzijds autonoom geregeld wordt, terwijl daar anderzijds dwarsgestreepte skeletspieren (de tussenribspieren en het middenrif) - dus willekeurige spieren - bij betrokken zijn. Je kunt je ademhaling wel een tijdje inhouden, maar je moet ten slotte toch ademen. Beschrijf dat dit een reflex is en hoe deze reflex verloopt (zie ook: 9.2.7: 'Reflexen').
4 Paragraaf 10.5: 'De bijnieren: adrenaline'. De bijnieren scheiden adrenaline af. Beschrijf welke invloed dit hormoon op het hart en de ademhaling heeft.
5 Beschrijf de wijze waarop de afscheiding van adrenaline door de bijnieren geregeld wordt.
6 Paragraaf 12.1.2: 'Dissimilatie: de rol van zuurstof in je lichaam'. De ademhaling dient om zuurstof in het bloed op te nemen. Waar is deze zuurstof voor nodig en waar vindt de chemische reactie plaats, waarbij de zuurstof verbruikt wordt?
7 Waar ontstaat koolstofdioxide in het lichaam?
8 Beschrijf hoe het koolstofdioxidegehalte van het bloed tegelijkertijd de ademfrequentie regelt
9 Wat is hyperventileren?
10 Paragraaf 14.5: 'Bloedtransfusies en orgaantransplantaties'. Beschrijf hoe afstotingsreacties tegen getransplanteerde organen totstandkomen (zie ook blok 3).
11 Bij orgaantransplantaties is veel donorbloed nodig om het bloedverlies van de patiënt aan te vullen. Beschrijf waarom bloedgroepen belangrijk zijn en hoe het ABO-systeem werkt (zie blok 3 en paragraaf 12.3.1.-4).
12 Leg uit waarom bloedtransfusies eigenlijk ook een vorm van transplantatie zijn.

OPDRACHT 7
1 SLU ▶

VOORBEREIDING EN NAZORG

a Welke voorbereidingen moesten worden getroffen: in de operatiezaal, voor de patiënt, voor het donormateriaal?
b Welke nazorg is na de transplantatie nodig?
Je zult niet alle antwoorden op deze vragen in je theorieboek vinden! Ga (eventueel) ook op zoek in een encyclopedie of medische literatuur. Zie ook keuzeopdracht 18 t/m 25.

OPDRACHT 8
VIDEO ▶
3/4 SLU

CHIRURGISCHE INGREEP OP VIDEO

a Zoek een video waarop een chirurgische ingreep te zien is en bekijk deze. Het hoeft natuurlijk geen hart-longtransplantatie te zijn om toch een indruk te krijgen. Deze film kan natuurlijk ook klassikaal vertoond worden. Overleg met je docent wie dat organiseert.
b Noteer medische begrippen en belangrijke termen die aan de orde komen en geef

aan welke je begrijpt en welke niet.

OPDRACHT 9
TEKENEN
1/2 SLU

MENSELIJKE ANATOMIE (T-SHIRTMETHODE)

Per groep van vier heb je één oud, wit of lichtgekleurd T-shirt nodig of een oud overhemd en uitwasbare viltstiften in vier kleuren.

► a Eén van jullie doet het T-shirt aan. Teken de organen waar het bij de hart-longtransplantatie over gaat, zo realistisch mogelijk op het T-shirt in verschillende kleuren. Je kunt de 'patiënt' op een bank of tafel laten liggen.

■ b Geef eerst met een stip een paar belangrijke punten aan: sleutelbeen, punt van het borstbeen, middenrif enzovoort.

● c Geef eerst de botten aan (die kun je het best voelen), daarna de orgaanomtrekken, beperk je daartoe.

d Bestudeer de ligging van de organen ook in de torso, die zeker in de school aanwezig is.

Een variant is iemand voor een groot stuk papier tegen de muur te laten staan en van hem/haar de contouren af te tekenen. Binnen de contouren teken je dan de organen.

OPDRACHT 10
PRACTICUM
1 SLU

EEN ECHT HART

Materiaal
- Snijset.
- Witte jas.
- Plastic of rubber handschoenen.
- Hart van een dier.

Was je handen na afloop goed en/of gebruik de handschoenen.
De aanwijzingen om aan organen te komen, gelden niet alleen voor harten, maar voor al het materiaal voor snijpractica. Daarom deze tip: als je met een groep medeleerlingen afspreekt wanneer wie de opdrachten over longen (opdracht 12 en 13) gaan uitvoeren, kun je meteen ook longen bij de slager vragen als je bij hem een hart voor opdracht 10 en 11 haalt!

► a Vraag aan een slager een varkens- of schapenhart. Leg uit waar je het voor nodig hebt en vraag hem om een zo intact mogelijk hart. Bij de vleeskeuring in het abattoir worden namelijk flinke sneden in het hart gemaakt om te onderzoeken of het geslachte dier bepaalde parasieten (die mensen ook ziek zouden kunnen maken) heeft.

b Je kunt ook kijken in het vleesvak bij de supermarkt, waar vaak harten liggen als dierenvoedsel. Maar meestal is de bovenkant van het hart – juist het gedeelte waar de grote bloedvaten zitten – daar afgesneden of is het hart helemaal in stukken gesneden.

c Kippenharten zijn erg klein en ook meestal ontdaan van de bovenkant, maar als je geluk hebt, is er toch nog veel aan te zien. Gemakkelijk te krijgen!

d Vraag of er op jouw school harten op 'sterk water' zijn. Een nadeel hiervan is dat geconserveerd hartweefsel ontkleurd is en er niet meer zo 'natuurlijk' uitziet. Een ander nadeel is (misschien) dat je er niet aan mag komen.

■ e Deze opdracht vereist een goede planning. Een vers hart kun je niet lang bewaren. Je moet het dus gebruiken op het moment dat je gepland hebt. Daarna kun je het invriezen of op 'sterk water' zetten (zie d) en daarna nog weer opnieuw gebruiken.

► f Bestudeer een echt hart.

UITVOERING

g Maak goede grote schetsen (géén gedetailleerde tekeningen, die zijn er al genoeg) en geef daarin aan:
lichaamsslagader – linker- en rechterlongslagader – longaders (hoeveel zijn er?) – onderste en bovenste holle ader – kransslagaders – hartkamers – hartboezems – hartkleppen – halvemaanvormige kleppen – peesvezels en hartklepbandjes.

■ h Kun je onderdelen uit het lijstje niet vinden? Zoek dan een goede afbeelding in je theorieboek.

► i Zoek naar de autonome zenuwbanen in het hart (de bundel van His, de atrioventriculaire knoop).

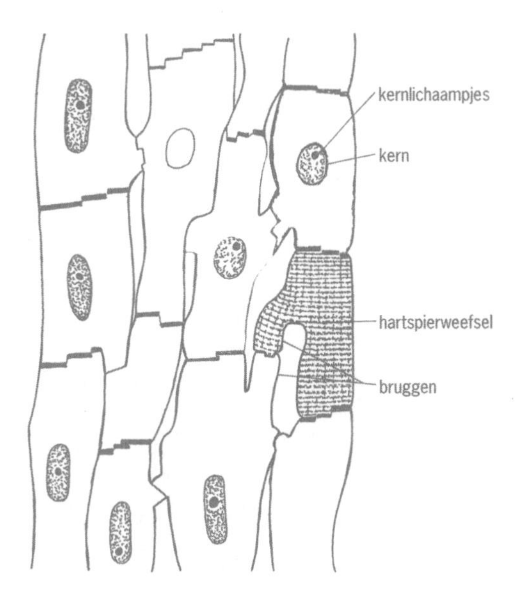

Figuur 5.2 Hartspierweefsel.

OPDRACHT 11
MICROSCOPIE
1/2 SLU

HARTSPIERWEEFSEL

Materiaal
- Microscopieset.
- Kant-en-klare preparaten van hartspierweefsel.
- Een (stukje) vers hartweefsel.

► a Onderzoek hartspierweefsel onder de microscoop: maak eerst zelf een preparaat met de squash-techniek, bekijk daarna een kant-en-klaar preparaat.

b Maak een schets en zet namen bij de verschillende onderdelen.

■ c Neem er een plaatje (bijv. uit een encyclopedie) bij.

● d Neem een zeer klein stukje hartweefsel voor het squash-preparaat, want hartweefsel is nogal stevig, dus niet gemakkelijk te squashen.

► e Bekijk ook de bloedcellen die in het preparaat voorkomen goed (schets).

OPDRACHT 12
PRACTICUM
3/4 SLU

ECHTE LONGEN

► a Ga net als bij opdracht 10 aan het werk, maar nu met longen en longweefsel. Zoek in je theorieboek de belangrijkste onderdelen op en maak weer grote duidelijke schetsen.

■ b Geef in ieder geval aan: luchtpijp – hoofdbronchiën – bronchiën – longtrechtertjes – kraakbeenringen – lymfeklieren – longkwabben – longvlies – slagaders – aders.

► c Beschrijf het longweefsel (kleur, vorm, hoe het voelt).

UITVOERING

d Je kunt de werking van longen (laten) zien door ze aan te sluiten op een luchtpomp, eventueel een fietspomp. Kijk of dat bij jou in het practicumlokaal mogelijk is.

■ e Je kunt de lucht via de 'normale' weg de longen in laten gaan (je hoeft de longen dus niet kapot te maken).

Waarschuwing: het is af te raden zelf de long op te blazen via een slang of iets dergelijks, in verband met het risico van besmetting via terugstromende lucht. Was je handen na afloop goed en/of gebruik handschoenen.

OPDRACHT 13
MICROSCOPIE
1/2 SLU

LONGWEEFSEL

Materiaal
- Microscopieset.
- Kant-en-klare preparaten van longweefsel.
- Een klein stukje vers longweefsel.

▶ a Onderzoek longweefsel onder de microscoop: maak eerst zelf een preparaat met de squash-techniek, bekijk daarna een kant-en-klaar preparaat. Door de structuur van het longweefsel is de squash-techniek minder geschikt, maar toch zijn longblaasjes wel te zien (als je weet dat ze bestaan).

b Maak een schetsje en zet namen bij de verschillende onderdelen.

■ c Neem er een plaatje (bijv. uit een encyclopedie) bij.

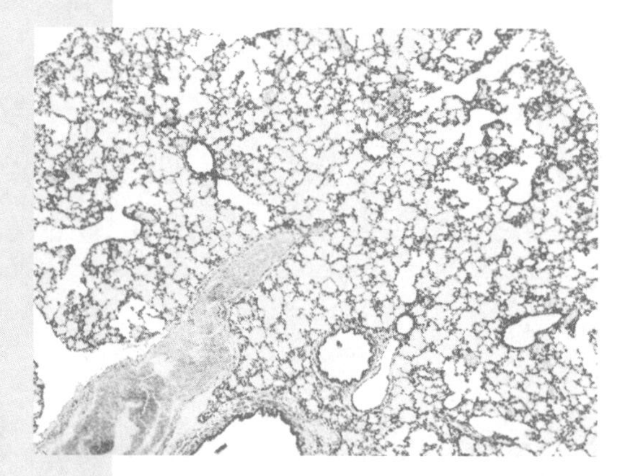

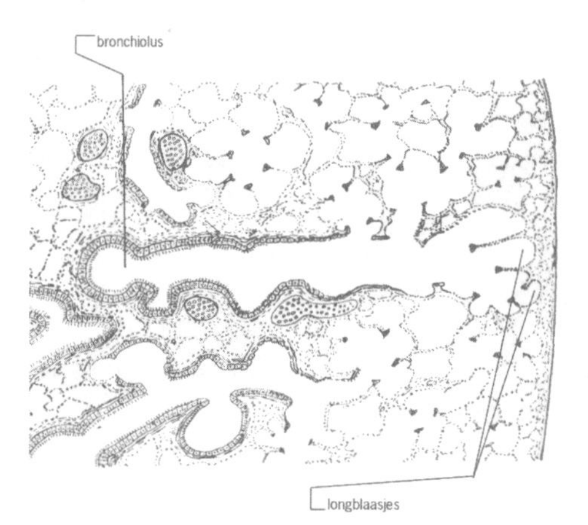

Figuur 5.3 Longweefsel.

OPDRACHT 14
THEORIE
1/2 SLU

ZENUWEN

▶ a Hoe wordt het hart bestuurd?

■ b Gebruik in je antwoord de volgende begrippen: verlengde merg, bloeddrukregulatiecentrum, sinusknoop, AV-knoop en bundel van His.

▶ c Zenuwen groeien moeizaam aan nadat ze beschadigd zijn. Hoe zit dat met de zenuwen bij zo'n transplantatie? Moeten er geen zenuwen aangehecht worden? Gebeurt dat ook? Groeien die weer aan?

d Welke emoties hebben invloed op de hartslag? Hoe komt dat?

■ e Trefwoorden zijn: bijniermerg, adrenaline.

▶ f Leg uit waarom de ademhaling nauwelijks door de transplantatieoperatie beïnvloed wordt.

■ g Ga na hoe de ademhalingbewegingen totstandkomen, welke spieren daarbij betrokken zijn en hoe de ademhaling geregeld wordt.

UITVOERING

OPDRACHT 15
ONDERZOEK
1 SLU ▶

WIE HEEFT DE LANGSTE ADEM?

Je hebt nodig: een stopwatch.

a Voer dit onderzoekje met z'n tweeën uit.
  1 Ga er eens rustig voor zitten. Noteer van elkaar de ademfrequentie (aantal ademhalingen per minuut) en de hartslag (per minuut) in rust.
  2 Maak nu tien diepe kniebuigingen en noteer meteen daarna ademfrequentie en de hartslag van elkaar.
  3 Hoe lang duurt het tot de ademfrequentie en hartslag weer normaal zijn?
  4 Is er verschil tussen jullie beiden? Hoe groot is het verschil?
  5 Houd nu je adem zo lang mogelijk in, zonder van tevoren diep in te ademen! Meet ondertussen de hartslag. Hoe lang kun je je adem inhouden? Hoe verloopt ondertussen de hartslag?
  6 Haal nu een paar keer diep adem en houd je adem weer in. Hoe lang kun je nu je adem inhouden?

b Maak een klein verslag van het onderzoek.

c Beantwoord daarin de volgende vragen.
  1 Hoe komt het dat jullie na de kniebuigingen een verschillende ademfrequentie en hartslag hebben? En hoe komt het dat de een er langer over doet om te normaliseren dan de ander?
  2 Hoe verloopt in normale situaties het ademhalingsmechanisme? Gebruik in je antwoord: middenrif, borstkas, tussenribspieren, longvlies, borstvlies en ademcentrum.
  3 Hoe komt het dat je op een gegeven moment weer moet ademen?
  4 Hoe komt het dat je na een paar diepe ademteugen je adem langer in kunt houden?
  5 Welke hormonen hebben invloed op de ademhaling?

d Combineer dit eventueel met opdracht 22.

OPDRACHT 16
THEORIE ▶
1/4 SLU

BLOEDSTOLLING

a Op bladzijde 251 van het theorieboek staat het proces van de bloedstolling beschreven. Maak er een schema van.

■ b Kijk ook naar keuzeopdracht 18.

OPDRACHT 17
POSTER ▶
3/4 SLU

MAAK EEN POSTER VAN JE EIGEN BLOEDVATEN

a Hang een groot vel papier (1 bij 2 meter, behangselpapier, twee of drie flappen, de achterkant van een reclameposter) tegen de muur. Laat er een medeleerling tegenaan gaan staan en teken zijn of haar contouren.

b Schets daarin eerst met potlood de bloedsomloop.

c Controleer je schets met behulp van figuur 12.34 uit je theorieboek.

■ d Je kunt natuurlijk ook spieken op die figuur.

● e Kijk nog eens naar de resultaten van opdracht 9 (T-shirt).

f Bestudeer de bloedsomloop in de torso of op een wandplaat, die zeker in de school aanwezig is.

UITVOERING

KEUZEOPDRACHTEN

CLUSTER 2 COMPLICATIES BIJ EEN TRANSPLANTATIE

OPDRACHT 18
ONDERZOEK ▶
1/2 SLU

ONSTOLBAAR BLOED

a Tijdens en na de operatie krijgt de patiënt middelen die voorkomen dat het bloed op de normale manier gaat stollen. Waarom is dat noodzakelijk?
b Zoek uit welke middelen toegediend kunnen worden en beschrijf de werking van deze middelen.
■ c Kijk nog eens naar opdracht 16.
● d Trefwoorden zijn: directe en indirecte antistolling, anticoagulantia, heparine, coumarine, aspirine.
▶ e Welk risico loopt een patiënt door het (te lang) slikken van deze middelen?

OPDRACHT 19
ONDERZOEK ▶
1 SLU

VOORKOMEN VAN ONTSTEKINGEN

a Lees de onderstaande tekst.

> Voor ons spreekt het vanzelf dat een operatie volkomen steriel moet verlopen. Dat is niet altijd zo geweest. In 1847 nog werd de arts Semmelweiss in Boedapest niet geloofd, toen hij zei dat de beruchte kraamvrouwenkoorts door de artsen zelf werd veroorzaakt, doordat ze hun handen niet wasten. Ze sneden lijken open en hielpen met ongewassen handen daarna hun patiënten. Op zijn eigen afdeling stelde hij handen wassen rigoureus verplicht en zo bewees hij, dat hij gelijk had: het aantal sterfgevallen onder 'zijn' kraamvrouwen daalde drastisch.
> In 1855 toonde Florence Nightingale door het bijhouden van statistieken aan dat er in de Krimoorlog meer soldaten stierven aan infectieziekten dan aan de oorlogswonden zelf. Overigens wordt zij – zelfs in de modernste encyclopedieën – alleen genoemd in haar legendarische rol als verpleegster ('the lady with the lamp') en wordt nog steeds de suggestie gewekt dat juist de bloedigheid van de oorlog de hoogste tol eiste. In 1868 begon de Engelse chirurg J. Lister als eerste steriel te werken: hij gebruikte carbol als desinfecteermiddel.

b Zoek uit welke desinfecteermethoden er in de loop van de tijd ontwikkeld zijn.
■ c Bedenk dat het bestaan van bacteriën pas rond 1870 definitief bewezen werd.
● d Trefwoorden zijn: steriliseren, jodium, carbol, antisepsis en antiseptische middelen.

OPDRACHT 20
ONDERZOEK ▶
1 SLU

GESCHIKTE DONOR

a Het geluk voor de jongen die een nieuw hart en nieuwe longen kreeg, was het gevolg van de dood van iemand anders. Had je daaraan gedacht, toen je het artikel begon te lezen?
b Probeer een antwoord te krijgen op de volgende vragen.
1 Waar komen de donororganen vandaan?
2 Waarom wordt er in de artikelen zo weinig over de donor vermeld?
3 Stel dat je als patiënt wilt weten, wie jouw leven heeft gered. Zou je dat te weten kunnen komen?
4 En als je als journalist wilt weten, wie de donor is?
5 Hoe lang voor de transplantatie kan de donor overleden zijn?
6 Hoe worden de donororganen 'in leven' gehouden?
7 Wat is Eurotransplant?
8 Welke organen of delen ervan kunnen allemaal getransplanteerd worden?

UITVOERING

9 Zou jij als donor je organen ter beschikking willen stellen (na je dood)? Leg je antwoord uit.

10 In sommige landen zoals België kan van iedereen die overlijdt, donormateriaal genomen worden tenzij hij/zij tijdens zijn leven schriftelijk heeft vastgelegd dat hij/zij dat niet wil. In Nederland is het anders geregeld: iedereen boven de 18 moet vastleggen of zijn/haar organen gebruikt mogen worden na eventueel overlijden. Het Nederlandse systeem levert minder donoren op. Hoe zouden meer mensen bereid gevonden kunnen worden om eventueel donor te zijn (de kans dat je inderdaad donor wordt, is erg klein).

■ c Bij je huisarts, de apotheek of het ziekenhuis kun je folders over het donorschap krijgen.

▶ d In 1999 zijn discussies over xenotransplantaties in een stroomversnelling geraakt. Het klonen van schapen (en sinds februari 2000 ook varkens) en de verbeterde technieken om transgene dieren te fokken, hebben daarmee te maken. Ongeveer tegelijkertijd bleek dat de Wet op de orgaandonatie (WOD) niet meer donoren heeft opgeleverd, maar minder (zie ook blok 3). Verzamel hier informatie over (krantenartikelen, ministerie (WDR), internet) en schrijf er een (kranten)artikel over. In overleg met je docent kun je dit waarschijnlijk als een beoordeelde en dus met een cijfer beloonde toets (op Vaardigheden) laten gelden of als Praktische Opdracht (PO).

UITVOERING

Ministerie van Volksgezondheid, Welzijn en Sport

donorregister

correspondentieadres:
Postbus 3039
6460 HA KERKRADE
Tel. 0900 - 82 12 166 (22ct. per minuut)

Voorletters Tussenvoegsel*

Achternaam

Straat

Huisnr. Toevoeging**

Postcode Plaats

Geboortedatum Geslachtsaanduiding

dag maand jaar M V

* *Tussenvoegsel: dit is bijv.: van, van de, van der, etc.*

** *Toevoeging: dit is bijv.: SOUS voor souterrain, HS voor huis, of A, B, C etc., of I, II, of III etc. voor de etage. Bij geen toevoeging niets invullen.*

DONORVERKLARING

Geef één keuze aan. Kruis het hokje met een zwarte of blauwe pen (**géén** andere kleur gebruiken) zo aan: ✕. Een eventuele correctie geeft u zo aan: ■.

Informatie die niet in de daarvoor bestemde hokjes staat kan om technische redenen niet worden geregistreerd.

KEUZE 1

Ik stel mijn organen en weefsels na mijn overlijden beschikbaar voor transplantatie.
Zie ook de achterkant van het formulier "Bij keuze 1". Ga verder naar de ondertekening.

KEUZE 2

Ik stel mijn organen en weefsels na mijn overlijden **niet** beschikbaar voor transplantatie.
Ga verder naar de ondertekening.

KEUZE 3

Ik laat de beslissing over aan mijn nabestaanden. Zij beslissen na mijn overlijden of mijn organen en weefsels wel of niet beschikbaar worden gesteld voor transplantatie.
Ga verder naar de ondertekening.

KEUZE 4

Ik laat de beslissing over aan een specifieke persoon. Hij of zij beslist na mijn overlijden of mijn organen en weefsels wel of niet beschikbaar worden gesteld voor transplantatie.
Zie ook de achterkant van het formulier "Bij keuze 4". Ga verder naar de ondertekening.

Toelichting bij keuze 3

Nabestaanden zijn achtereenvolgens:

- uw echtgenoot of partner die op het moment van overlijden met u samenwoont
- uw meerderjarige bloedverwanten tot en met de tweede graad (ouders, grootouders, kinderen, kleinkinderen, broers en zussen)
- uw meerderjarige aanverwanten tot en met de tweede graad (ouders of een broer of zus van uw echtgenoot).

Toelichting bij keuze 4

U kunt de beslissing overlaten aan iemand die u bij naam noemt. Dat kan een specifieke nabestaande zijn, maar ook iemand anders, bijvoorbeeld een goede vriend of vriendin. Als deze persoon onbereikbaar mocht zijn, dan zullen uw nabestaanden geraadpleegd worden.

Datum

dag maand jaar

Handtekening

Breng in ieder geval uw nabestaanden op de hoogte van uw keuze.

Figuur 5.4 Donor worden, ja of nee?

UITVOERING

CLUSTER 3

ZONDER MEDISCHE TECHNOLOGIE GEEN HART-LONGTRANSPLANTATIE

OPDRACHT 21
DEMONSTRATIE
1 1/2 SLU

CONSTATEREN VAN EEN HARTAFWIJKING

Een arts kan een hartafwijking constateren aan de hand van het ECG (elektrocardiogram).

► a Onderzoek met z'n tweeën of het mogelijk is een ECG-apparaat in de klas gedemonstreerd te krijgen. Bedenk dat ook ambulancediensten en veel huisartsen tegenwoordig over deze apparaten beschikken.

b Maak zelf een ontwerp voor een ECG-apparaat. Bespreek met je docent techniek hoe je je ontwerp uit kunt voeren.

OPDRACHT 22
ONDERZOEK
1/2 SLU

METEN VAN DE LONGFUNCTIE

Een arts kan een afwijkende longfunctie constateren aan de hand van metingen met een spirograaf (of spirometer). Hieronder staan de resultaten van dergelijke metingen, gedaan bij een persoon van 83 jaar.

Geslacht	Man	**Lengte**	167,0 cm
Leeftijd	83 jaar	**Gewicht**	59,0 kg

Longvolume	**Te verwachten indien gezond**	**In werkelijkheid bij patiënt**
VCmax	3,21 liter	3,19 liter
FEV 1 (hoeveelheid lucht in 1 seconde uitgeademd)	2,28 liter	0,76 liter

Tabel 5.2 Bepaling van de longfunctie.

► a Beschrijf wat er aan de hand kan zijn met deze patiënt.

b Beschrijf de werking van een spirograaf.

c bepaal je eigen longcapaciteit.

■ d Informeer of dat bij jullie op school mogelijk is.

OPDRACHT 23
ONDERZOEK
1 SLU

ZONDER NARCOSE GEEN OPERATIE

► a Wie regelt de anesthesie (narcose) bij een operatie?

b Wat doet zo iemand voor, tijdens en na de operatie?

■ c Informeer zo nodig in een ziekenhuis.

● d Kijk nog eens naar opdracht 7 en 8.

► e Beschrijf de precieze werking van de middelen die iemand onder narcose brengen.

■ f Je moet hier onderzoeken, welke invloed deze middelen op het zenuw- en spierstelsel hebben (in een (medische) encyclopedie).

► g Onderzoek de geschiedenis van de ontwikkeling van de anesthesie (encyclopedie). Welke invloed heeft koningin Victoria van Engeland daarop gehad?

■ h Trefwoorden zijn: anesthesie, narcose, lokale verdoving, lachgas, chloroform, ether, acupunctuur en ruggenprik.

OPDRACHT 24
ARTIKEL
1 SLU

HART-LONGMACHINE

► a Doe deze opdracht met z'n tweeën. Tijdens de hart-longtransplantatie is de patiënt aangesloten op een hart-longmachine. Waarom is dat nodig?

b Hoe werkt een hart-longmachine? Wie heeft hem uitgevonden/ontwikkeld?

■ c Neem contact op met de afdeling patiëntenvoorlichting van een (academisch?) ziekenhuis, zoek op internet, informeer bij leveranciers van medische apparatuur.

▶ d Schrijf een artikel over de hart-longmachine waarin je de werking uitlegt.
e Maak eventueel een technisch ontwerp van een hart-longmachine, in overleg met de docent techniek/natuurkunde.

CLUSTER 4 OPEREREN IS MENSENWERK

OPDRACHT 25
INTERVIEW
1 1/2 SLU

INTENSIVE CARE EN HARTBEWAKING

▶ a Na een zware operatie gaat de patiënt naar de intensive care-afdeling (IC). Ga op zoek naar iemand die op zo'n afdeling werkt of er heeft gelegen en neem een interview af. Doe dit met z'n tweeën. Combineer deze opdracht eventueel met opdracht 28.

■ b Je kunt bijvoorbeeld een oproep op het prikbord op je school hangen: wie heeft een ouder die op de IC werkt? Je kunt ook contact opnemen met een ziekenhuis dat zo'n afdeling heeft.

▶ c Je kunt zo iemand ook in de klas uitnodigen.
d Maak een verslag van het interview, eventueel ook voor de schoolkrant.

OPDRACHT 26
GASTSPREKER
1 1/2 SLU

WERKNEMERS IN DE GEZONDHEIDSZORG

Binnen een school voor voorgezet onderwijs als die van jou (gemiddeld 1000 leerlingen) kan het niet anders dan dat er ouders van leerlingen binnen de gezondheidszorg werkzaam zijn. Dat blijkt uit de volgende berekening (bron: *Statistisch jaarboek*, 1999): er waren in Nederland in 1997 ruim 5700 huisartsen, 14700 specialisten en 652000 leerlingen, verdeeld over 630 scholen (gemiddeld ruim 1000 leerlingen per school). Per school zijn dus gemiddeld 5 huisartsen en 14 specialisten 'beschikbaar'. En dan hebben we het nog niet over bijvoorbeeld assistenten, verpleegkundigen en technici (dat kun je zelf uitzoeken).

▶ a Vraag na in je klas en binnen je school welke ouders in de gezondheidszorg werken. (Dit is op zichzelf al een aardig onderzoek.)

■ b Misschien heeft je docent een lijst met namen van ouders die bereid zijn iets in de klas te komen vertellen, die een interview willen geven of je zelfs op hun werkplek willen ontvangen.

▶ c Je kunt één van hen uitnodigen om in de klas het een en ander over operaties te komen vertellen. Bereid zo'n gastoptreden goed voor door de gast een aantal doordachte vragen voor te leggen. Bespreek met elkaar (in een groep van 3 tot 4 leerlingen) wat je precies wilt weten. Spring niet van de hak op de tak.

■ d Hieronder staan daarvoor drie voorbeelden gegeven.
Voorbeeld 1: een hart-longtransplantatie heeft 10 uur geduurd. Maak met elkaar een lijstje van mensen die bij de operatie betrokken waren en noteer hun functies/taken, zoals jullie je die voorstellen. Probeer er via je gastspreker achter te komen in hoeverre jullie voorstelling klopt.
Voorbeeld 2: maak met elkaar een lijstje van alle dingen die moeten gebeuren vanaf het moment dat de patiënt uit zijn kamer wordt gehaald, tot hij daar terugkomt met een nieuw hart en nieuwe longen. Schrijf erachter wie die taken uitvoert. Vraag aan de gastsprekers of jullie voorstelling klopt met de werkelijkheid.
Voorbeeld 3: wat moet er allemaal (vaak maanden van tevoren) georganiseerd worden en wie doet dat?

UITVOERING

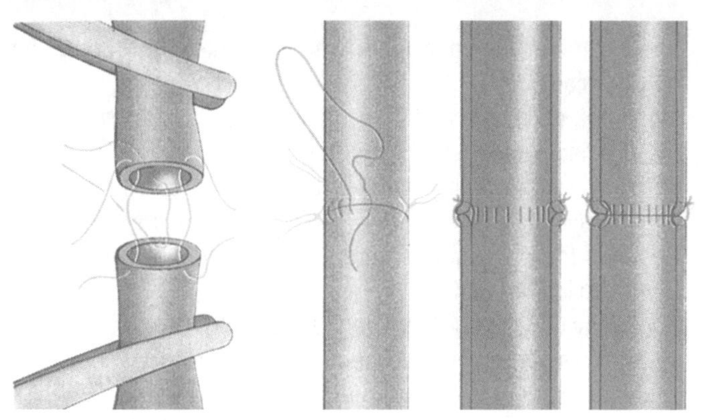

Figuur 5.5 Het hechten van een bloedvat.

CLUSTER 5 POLITIEK EN BELEID

OPDRACHT 27 GEZONDHEIDSZORG EN BELEID

1 SLU ► a Lees tekst 1 en het artikel.

Tekst 1

Cor Schot kreeg zijn nieuwe hart en nieuwe longen op 15 december 1992 in Brussel. Hij vindt het maar raar dat zo'n transplantatie niet in Nederland kan, want hij gunt het die andere hart-longpatiëntjes zo. Maar pas op 26 december 1996 werd de eerste hart-longtransplantatie in Nederland uitgevoerd, bij een 22-jarige vrouw, in het Academisch Ziekenhuis in Groningen, een van de vijftien hartcentra die een dergelijke operatie mogen uitvoeren. Lees het krantenartikel hieronder maar. Eind 1999 worden in ons land nog steeds geen hart-longtransplantaties bij jonge kinderen uitgevoerd

Het Academisch Ziekenhuis heeft medische geschiedenis geschreven door op kerstavond de allereerste hart-longtransplantatie in Nederland uit te voeren.

Nieuw hart en longen voor vrouw

Voor een 22-jarige Nederlandse vrouw, die al geruime tijd op de wachtlijst stond voor een nieuw hart en nieuwe longen, kwamen op Kerstmis geheel onverwacht de levensreddende organen beschikbaar.

De leider van het transplantatieteam prof. dr. Tjark Ebels, hoogleraar hart- en longchirurgie, noemt het voor zowel de patiënt, haar gezin en familie als voor het Groningse hart- en longcentrum 'letterlijk een geschenk uit de hemel', dat juist met Kerstmis deze eerste gecombineerde transplantatie kon worden uitgevoerd.

Volgens de professor maakt de vrouw het goed. Er zijn geen complicaties opgetreden. De operatie verliep voorspoedig en duurde volgens hem 'slechts' vijf uur. De vrouw had een aangeboren hartafwijking. Een te hoge bloeddruk als gevolg van deze afwijking had de longen onherstelbaar beschadigd. Ebels noemt een hart-longtransplantatie nauwelijks ingewikkelder dan een dubbele longtransplantatie. Het hart en de longen komen van dezelfde donor. Doordat deze als één geheel worden getransplanteerd hoeven er volgens hem minder verbindingen in het lichaam te worden gemaakt dan bij een longtransplantatie.

Voor het verrichten van hart-longtransplantaties heeft Groningen eind vorig jaar toestemming gekregen van minister E. Borst (Volksgezondheid). Zij heeft het AZG (Academisch Ziekenhuis Groningen) officieel aangewezen als hèt universiteitscentrum, waar in Nederland dergelijke ingrepen mogen plaatsvinden. Een onbekend aantal mensen heeft in Groningen inmiddels een onderzoek ondergaan met het oog op een eventueel uit te voeren hart-longtransplantatie.

In alle ons omringende landen vinden al geruime tijd gecombineerde hart-longtransplantaties plaats. Het AZG heeft het afgelopen jaar ongeveer twintig longtransplantaties en twee harttransplantaties uitgevoerd. Tot aan de aanwijzing van minister Borst werden Nederlandse patiënten incidenteel in het buitenland geholpen.

Minister Borst heeft onlangs aan de Tweede Kamer geschreven dat de vijftien hartcentra in Nederland voorlopig in de behoefte aan hartoperaties, dotterbehandelingen en andere medische ingrepen aan het hart kunnen voldoen. Op termijn zal uitbreiding van de capaciteit echter noodzakelijk zijn, aldus de bewindsvrouw.

UITVOERING

b Vergelijk dit artikel met het artikel over Cor Schot. Zet de verschillen die je opvallen op een rijtje.
c Maak ook een lijstje met de in de artikelen genoemde (in jouw ogen belangrijke) niet-medisch-biologische aspecten.
■ d Je kunt bijvoorbeeld denken aan maatschappelijke ontwikkelingen, ethische vragen, technische ontwikkelingen, competentie van ziekenhuizen en financiële aspecten.
▶ e Beschrijf (derde lijstje) de bedoelingen die de journalisten met beide artikelen gehad zullen hebben.
f Zoek antwoorden op de volgende vragen.
1 Het ministerie van VWS bepaalt in welk Nederlands ziekenhuis hart-longtransplantaties uitgevoerd mogen worden. Waarvan is VWS de afkorting?
2 Waarom mag niet elk ziekenhuis hartoperaties uitvoeren?
3 Wat is een Academisch Ziekenhuis?
4 Wat zijn de hoofdtaken van het ministerie van VWS op het gebied van de gezondheidszorg?
g Lees nu tekst 2.

Tekst 2

In het artikel over Cor Schot gaat het vooral om de persoonlijke ervaringen en belevenissen van een patiënt, die al 8 jaar met een nieuw hart en nieuwe longen leeft. De gemiddelde overlevingstijd na een harttransplantatie is momenteel 5 jaar. In de het tweede artikel komt de patiënte bijna niet voor. Ook de donor niet. De chirurg meldt dat het donorhart en de longen 'letterlijk een geschenk uit de hemel zijn'. Voor de patiënte wel, voor de donor niet, denken we. De chirurg meldt ook 'dat een hart-longtransplantatie eigenlijk gemakkelijker is dan een transplantatie van alleen de longen, omdat er minder bloedvaten doorgesneden hoeven te worden'. Dat heb je in opdracht 5 zelf kunnen constateren. In het artikel over Cor Schot komt de chirurg bijna niet in beeld. Verder valt op dat de journalist van het tweede artikel de gebeurtenis vooral aangrijpt om mededelingen te doen over de bemoeienis van de overheid daarmee en de kundigheid van ziekenhuizen om dergelijke gecompliceerde operaties uit te voeren. In het artikel over Cor Schot gaat de journaliste bijna voorbij aan de mening dat het 'schandalig is' is dat zulke transplantaties in Nederland niet gedaan worden.

OPDRACHT 28
KNIPSELKRANT ▶
1 SLU

WAT VIND JE IN DE KRANTEN?

a Verzamel (met de klas) alle artikelen die over dit onderwerp in een bepaalde periode verschijnen. Probeer alle kranten in deze verzameling te betrekken.
b Maak er een knipselkrant van.

OPDRACHT 29
BETOOG ▶
1 1/2 SLU

BEROEPEN

a Beschrijf hoe de volgende beroepsbeoefenaren met een hart-longtransplantatie te maken kunnen krijgen: ingenieurs, chemici, farmaceuten, ministers, Tweede-Kamerleden, leden van een politieke partij, verzekeraars, journalisten, economen, fondsenwervers, patiënten, bestuurders en werknemers van stichtingen.
b Schrijf (samen) een afsluitend betoog over de vraag of er meer harttransplantaties moeten plaatsvinden, alsof je lid bent van een politieke partij en je jouw mening aan de kamerfractie van je partij wilt doorgeven (misschien met een motie op een partijcongres).
Zie ook opdracht 20, vooral het laatste deel.

UITVOERING

OPDRACHT 30
ONDERZOEK
1 SLU

WAT KOST ZO'N OPERATIE?

► a Maak eens een schatting van de kosten van een hart-longtransplantatie. Beredeneer je schatting.

■ b Bedenk hoeveel mensen eraan gewerkt hebben, hoe lang ze eraan gewerkt hebben, welke apparaten en materialen gebruikt zijn (vergeet de donor niet), welke ruimtes er in het ziekenhuis gebruikt zijn (huur!), denk aan medicijnen, bloedtransfusies enzovoort.

► c Zoek nu uit wat de werkelijke kosten zijn.

■ d Je kunt navraag doen bij ziekenfondsen, particuliere verzekeraars, het Centraal Orgaan Tarieven in de Gezondheidszorg (COTG) of de afdeling financiën van een ziekenhuis.

► e Hoe ben jijzelf eigenlijk verzekerd voor ziektekosten? Vraag dat thuis na. Kijk in de polis hoe hoog de premie per maand is en waar je precies voor verzekerd bent.

f Het kan zijn dat je op dit moment een baantje hebt. Ben je tijdens je werk verzekerd? Wie betaalt de premie daarvoor? Waartegen ben jij tijdens je werk verzekerd?

g Ben je op school ook verzekerd?

h In overleg met je economiedocent zou je een vakoverstijgende opdracht uit kunnen voeren (profielwerkstuk) over 'de kosten in de gezondheidszorg'.

OPDRACHT 31
1 SLU

DILEMMA: WIE BEHANDELEN WE WEL EN WIE NIET?

► a Lees de onderstaande tekst.

De totale kosten van de gezondheidszorg zijn zo hoog, dat er stemmen opgaan om bepaalde ingrepen zoals de in dit blok beschreven hart-longtransplantatie niet meer uit te voeren. In 1997 waren de totale kosten 60,5 miljard gulden, dat is zo'n 3800 gulden per Nederlander per jaar (bron: *Statistisch Jaarboek*, 1999). Een transplantatie kost 150.000 gulden, de voorbehandeling kost 25.000 gulden en de nazorg nog eens 50.000 gulden per jaar. Deze ingreep komt één patiënt ten goede, die een gemiddelde levensverwachting heeft van 5 jaar. Met hetzelfde geld kun je ook iets anders doen. Met de huidige technologische kennis zijn er binnenkort nog duurdere ingrepen mogelijk. Verzekeringsmaatschappijen zijn soms niet meer bereid de kosten voor patiënten te vergoeden die in het buitenland worden geholpen, omdat ze te hoog zijn en omdat ze 'daar niet voor verzekerd zijn'.

b Mag je zo wel redeneren? Geef je standpunt in dit dilemma, uiteraard met toelichting. Gebruik hierbij ook de maatschappelijke positie van de patiënt.

■ c Maakt het uit of het bijvoorbeeld gaat om een moeder met twee kleine kinderen, om iemand die al gepensioneerd is, om een bankdirecteur, om een scholier?

► d Ook in het geval van Cor Schot werden in België andere keuzes gemaakt dan in Nederland. Hoe luidt jouw mening daarover? Welke argumenten heb je daarvoor?

e De overlevingskansen na een bepaalde ingreep spelen ook een rol bij de besluitvorming. Als iemand na een operatie gemiddeld nog maar twee maanden te leven heeft, zal men minder gauw tot zo'n ingreep overgaan dan wanneer de vooruitzichten beter zijn. Zoek informatie over overlevingskansen van mensen die een transplantatie hebben ondergaan.

■ f Zie bijvoorbeeld: *Nederlands Tijdschrift Voor Geneeskunde*, 1993; 137, nr. 3 11; p. 547-549. Dat gaat over de overlevingskansen van kinderen die een transplantatie hebben ondergaan.

BEOORDELING

OPDRACHT 32
FOLDER
1 SLU

DE NEDERLANDSE HARTSTICHTING, HET NATIONAAL HARTFONDS EN HET NEDERLANDS ASTMA FONDS

► a Zoek uit wat de Hartstichting doet en waarom er een aparte stichting voor dat werk nodig is.
■ b Waarom doet de overheid dat niet? (Of behoort de Hartstichting ook tot de overheid?)
► c Waarom is er ook een Hartfonds opgericht? Stel die vraag aan beide instanties.
d Ontwerp een nieuwe folder voor de Hartstichting of het Hartfonds, waarin de verschillende visies op gezondheid en zorg van beide duidelijk tot uiting komen.
■ e Vraag eerst bestaande brochures en folders op. De adressen vind je hieronder.
1 De Nederlandse Hartstichting, Postbus 40, 2501 CA Den Haag. Tel. 0900-8212480 (44 ct. p.m.). www.hartstichting.nl
2 Het Nationaal Hartfonds, Dr. Lelykade 22a, Postbus 84037, 2508 AA Den Haag. Tel. 070-4161727. info@hartfonds.nl
3 Het Nederlands Astma Fonds, Postbus 5, 3830 AA Leusden. Tel. 0900-8998990. http:/www.astmafonds.nl

BEOORDELING

OPDRACHT 33
TOETS
1 1/2 SLU

TOETSEN

Maak de onderstaande vier toetsen

Toets I

1 Lever op het afgesproken tijdstip een verzameling van 10 (of 15, 20, 25? Informeer bij je docent) omschrijvingen van begrippen en vaktermen uit je begrippenlijst in.
2 De omschrijvingen moeten in je eigen woorden staan. (Dus als je ergens ‘instigatie’ uit een encyclopedie hebt overgeschreven, dan kun je zeker weten dat je gevraagd zal worden wat dat betekent.)
3 De omschrijvingen moeten gemiddeld een omvang hebben van 100 woorden. Door deze beperking word je gedwongen na te denken over de gedetailleerdheid en diepgang van je omschrijving. Wat vermeld je wel en wat niet?

Toets II: eindtermentoets

Over circulatie.

75 Welke organen in ons lichaam spelen een rol bij de circulatie van stoffen? Beschrijf functie en werking van deze organen.
82 Maak een schema van hart en bloedsomloop van de mens. Geef daarin de stroomrichting van het bloed aan, vanuit het hart en in de belangrijkste aders en slagaders.
82 Schets een haarvatennet met slagader en ader en beschrijf de bloedsamenstelling vlak voor en na het haarvatennet.
83 Beschrijf het verband tussen het lymfevatenstelsel en het bloedvatenstelsel.
84 Maak een schets van de doorsnede van het hart bij de mens en geef daarin de kleppen aan. Beschrijf daarbij de functies van de grote en de kleine bloedsomloop met inbegrip van die van de kleppen.
84 Beschrijf het drukverloop in het bloedvatenstelsel en in het hart.
85 Beschrijf de transportfuncties van het bloed.
86 Beschrijf vorm en functie van de bloedcellen (eventueel met tekening).
86 Beschrijf de samenstelling van bloedplasma.
87 Beschrijf het verband tussen de ademhaling en gassentransport door het bloed, gebruik daarbij de termen hemoglobine en diffusie.

BEOORDELING

88 Beschrijf door welke processen in de haarvaten weefselvloeistof ontstaat en door welke processen de cellen van de organen stoffen uitwisselen met de weefselvloeistof. Gebruik daarbij de volgende termen: diffusie en osmose, actief transport, bloeddruk en stroming.
100 Welke leefstijl en milieuomstandigheden kunnen het risico van hart- en vaatziekten verhogen?
167 Beschrijf op welke manier het afweersysteem een rol speelt bij orgaantransplantaties met betrekking tot het ABO-systeem en de resusfactor.

Over ademhaling.
75 Welke organen spelen een rol bij de ademhaling? Beschrijf functie en werking van deze organen.
87 Beschrijf op welke manier in de longen gassen met het bloed uitgewisseld worden.
89 Beschrijf op welke manier(en) longventilatie totstandkomt. Gebruik daarbij de termen: middenrif, tussenribspieren, pleuravocht, longelasticiteit, elasticiteit van de buikwand, zwaartekracht, dode ruimte en vitale capaciteit.
90 Beschrijf welke rol het ademcentrum bij de longventilatie speelt.
100 Beschrijf op welke manier(en) leefstijl en milieufactoren het risico op longproblemen (cara) en longkanker kunnen verhogen.

Toets III: Beheers je de leerstof zo goed dat je de onderlinge verbanden in het lichaam begrijpt?
1 De hartspier wordt door kransslagaders van zuurstof en voedingsstoffen voorzien. Zijn de kransslagaders sterker vertakt in de richting van de kamers of in de richting van de boezems? Verklaar je antwoord.
2 Leg aan de hand van de bouw van de hartspier uit dat de bloeddruk in de aorta hoger is dan die in de longslagader.
3 Volg een rode bloedcel die vanuit een hersenslagader via de kortste route naar de lever gaat. Noem – in de juiste volgorde – de bloedvaten en organen (of delen daarvan) waar deze rode bloedcel doorheen komt.
4 Wat is de gangmaker (pacemaker) in het hart?
5 Een turnster hangt ondersteboven aan een rekstok. Bij bepaalde adembewegingen gebruikt zij in deze houding meer energie dan wanneer zij normaal rechtop zou staan. Gebruikt ze meer energie bij normale inademing, normale uitademing of allebei? Verklaar je antwoord.
6 Een persoon met resus-negatief bloed en bloedgroep AB ontvangt voor het eerst in zijn leven een bloedtransfusie. Hij krijgt per vergissing een kleine hoeveelheid resus-positief bloed van een donor met bloedgroep A. Twee weken later wordt bepaald welke antistoffen in het bloed van deze patiënt aanwezig zijn. Welke antistoffen zullen in die twee weken gevormd zijn? Kies uit.
   A Geen van beide antistoffen.
   B Alleen anti-A.
   C Alleen anti-resus.
   D Anti-A en anti-resus.
7 De bloeddruk kan gemeten worden met een bloeddrukmeter: een manchet die om de arm wordt gelegd en die wordt opgepompt. De manchet is met een drukmeter verbonden. De arts pompt de manchet eerst stevig op. De bloedvaten in de arm worden zo via de omringende spieren dichtgeknepen. Dan laat hij de manchet langzaam leeglopen, terwijl hij met een stethoscoop in de elleboogholte de armslagader beluistert. Eerst hoort hij geen 'vaatgeruis' (dat is een stootsgewijs schavend geluid in de slagader) want de manchet knijpt via de spieren het bloedvat dicht. De druk die hij meet op het moment dat het vaat-

geruis begint, wordt de bovendruk genoemd. De arts laat de manchet nog verder leeglopen tot het vaatgeruis weer ophoudt. De druk die hij op dat moment afleest, is de onderdruk.

1 Welke druk komt het meest overeen met de 'normale' bloeddruk in de slagader, de boven- of de onderdruk?
2 Verklaar waardoor het vaatgeruis ontstaat en vervolgens weer verdwijnt tijdens het leeglopen van de manchet.
3 In welke periode of perioden tijdens het oppompen en leeg laten lopen van de manchet kan in de pols van dezelfde arm GEEN polsslag worden gevoeld? Kies uit.
   A In de periode voordat het vaatgeruis in de slagader begint.
   B In de periode nadat het vaatgeruis in de slagader weer is gestopt.
   C In beide perioden waarin geen vaatgeruis in de slagader wordt gehoord.
   D Alleen in de periode dat het vaatgeruis optreedt.

8 Hoe verhoudt de normale druk in de armslagader zich tot de gemeten onderdruk en bovendruk? Kies uit.
   A De druk in de armslagader is altijd hoger dan de in de manchet gemeten bovendruk.
   B De druk in de armslagader varieert bij elke hartslag tussen de in de manchet gemeten bovendruk en onderdruk.
   C De druk in de armslagader is tijdens het samentrekken van het hart hoger dan de in de manchet gemeten bovendruk en tijdens de ontspanningsfase van het hart lager dan de in de manchet gemeten onderdruk.
   D De druk in de armslagader is ongeveer gelijk aan de onderdruk.

9 Welke functie vervult de slagaderwand bij het regelen van de bloeddruk in de armslagader?

10 Schets een ontwerp voor een apparaat waarmee je het hartminuutvolume kunt meten.

Toets IV: Examenvragen
Maak de volgende eindexamenopgaven:

- 1994-I: 35, 37
- 1994-II: 31, 34, 42
- 1995-I: 37
- 1995-II: 31, 32
- 1996-I: 24, 48, 49
- 1996-II: 44
- 1997-I: 38, 42, 43
- 1998-I: 46 t/m 48
- 1999-I: zelf zoeken

OPDRACHT 34
1/4 SLU

WAT HEB JE GEMAAKT?

► a Zet op een rijtje welke producten je in dit blok hebt gemaakt.

■ b Doe dit in je opdrachtenschrift, zet er het nummer van de opdracht boven. Schrijf daar ook de antwoorden op de volgende vragen bij. Bedenk dat we ook een gemaakte toets tot de 'producten' rekenen.

► c Geef zelf een waardering voor die producten. Is je docent het met je eens?

d Ben je tevreden over de producten van dit blok?

e Lever je producten in en werk je examendossier bij.

BEOORDELING

OPDRACHT 35
1/2 SLU

HOE HEB JE HET GEDAAN?

▶ a Kijk nog eens naar opdracht 4. Schrijf de antwoorden op de volgende vragen op in je opdrachtenschrift.
b Ben je aan je eigen leerdoelen toegekomen?
c Ben je tevreden over je inzet in dit blok?
d Kun je tevreden zijn over de opbrengst van dit blok, gemeten naar je inspanning?

OPDRACHT 36
KEUZE-OPDRACHT
1 SLU

SLOTCONCLUSIE

▶ a Schrijf een brief of petitie om te pleiten voor meer (als je daarvoor bent) of minder harttransplantaties. Aan wie moet je die petitie of brief richting?
■ b Informeer bij het Instituut voor Publiek en Politiek of ze zich ook met zulke kwesties bezighouden en of ze je kunnen helpen. Het adres is: Prinsengracht 911-915, 1017 KD Amsterdam, tel. 020-521 76 00. E-mail: info@publiek-politiek.nl en: www.publiek-politiek.nl
▶ c Schrijf suggesties die naar aanleiding van dit blok bij je opgekomen zijn op en geef ze aan je docent.

INTERNETSITES

www-medlib.med.utah.edu/WebPath/CVHTML/CVIDX.html#1
sln.fi.edu/biosci/glossary.html
www.artsen.net/
home.pi.net/~jaivoo/protocolindex.html
www2.interpath.net/devcomp/guide/apc/apc188.htm
osler.wustl.edu/~murphy/cardiology/compass.html
www.slackinc.com/matrix/
www.icin.knaw.nl/
www.amhrt.org/
sln.fi.edu/biosci/TOC.biosci.html
www.artsen.net/
www.medscape.com/govmt/NHLBI/patient/Heart-LungTransplant.html#2
www.ncsa.uiuc.edu/SCMS/DigLib/text/biology/Cardiovascular-System-Clark.html
www.hsforum.com/HeartSurgery/VeryCool.hsf#1

VIDEO'S

1 Serie 3 Bio-bits bovenbouw: Blok 33, *De longen* (10 min.) en *De werking van onze longen* (10 min.).
2 Serie 3 Bio-bits bovenbouw: Blok 34, *Het hart* en *De bouw van een dierenhart.*
3 Serie: Mijlpalen in de natuurwetenschap: Biologie, aflevering 3: *Karl Landsteiner en de bloedgroepen* (15 min.), te bestellen bij Teleac/NOT educatieve omroep, postbus 1070, 1200 BB Hilversum.

LESBRIEF

IP-COACH: *Maak je eigen ECG* (interpretatie van het ECG en het onderzoek naar het effect van inspanning op het ECG en de hartslagfrequentie), te bestellen bij Stichting CMA, Nieuwe Achtergracht 170, 1018 WV Amsterdam, tel. 020-5 25 58 69 (tussen 13.00 en 17.00).

BLOK 6

THE RUNNING FOOTMAN

ORIËNTATIE EN PLANNING

1 The running footman
2 Wat weet je al van hersenen en zintuigen?
3 Planning maken

UITVOERING

4 Theorie bestuderen
5 Nog eens kijken naar het oog
6 Je nabijheidspunt bepalen
7 Herhaling: het zenuwstelsel
8 Reflexen
9 Bewegingsapparaat
10 Spieren en zenuwen bekijken
11 Skelet van de mens
12 Je eigen arm als anatomische les
13 Traplopen
14 Blessures
15 Door sport minder verzuim?

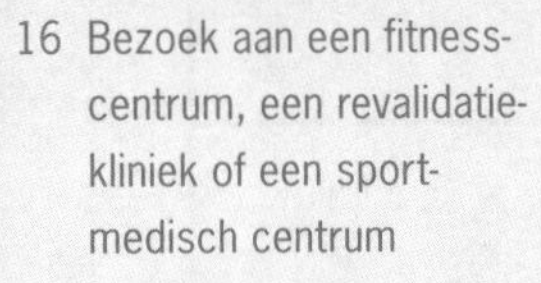

16 Bezoek aan een fitnesscentrum, een revalidatiekliniek of een sportmedisch centrum
17 Model van spiervezel bouwen
18 Gewrichten
19 Skelet van een kip
20 Wildgroei
21 Ergonomie: de mens als maat
22 Inspanning meten

BEOORDELING

23 Eindtermentoets
24 Reflectie
25 Toets over bewegen en gezondheid

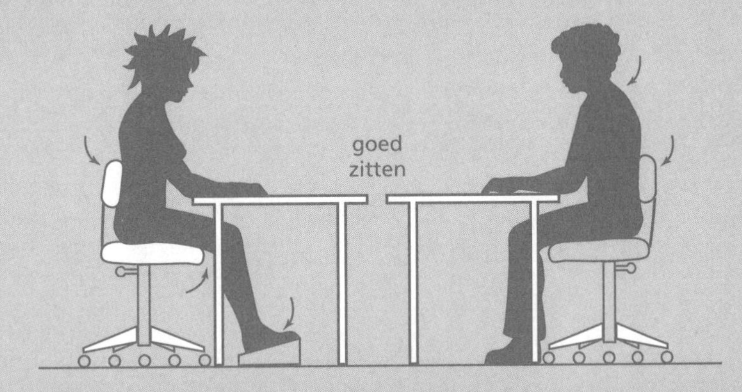

STUDIEWIJZER BLOK 6

TITEL	The running footman
BLOKCODE	RuFo
STUDIELAST	18 uur.
BRONNEN	Theorieboek. Video. Deskundigen. Encyclopedie.
AFSLUITINGSWIJZE	Uitgewerkte opdrachten. Toets.
VERPLICHT	Ja.
BESCHRIJVING	In dit blok herhaal je de theorie over hersenen, zintuigen en spieren. Je krijgt inzicht in de werking van het bewegingsapparaat en de rol van lichaamsbeweging voor onze gezondheid. Je leert wat over de oorzaken van blessures en de noodzaak van goede sportbeoefening en je leert meer over de bouw en werking van spieren, gewrichten en beenderen.
LEERDOELEN	Na het bestuderen van dit blok kun je: – Aangeven wat zintuigen zijn en welke zintuigen mensen hebben. – De bouw en werking van het oog beschrijven. – Beschrijven wat er bij het ouder worden met het nabijheidspunt gebeurt. – De onderdelen van het zenuwstelsel beschrijven met hun functie. – De bouw en werking van dwarsgestreepte spieren beschrijven. – Aangeven wat er met de hartslag en bloeddruk gebeurt bij inspanning. – Aangeven welke effecten training heeft op het lichaam. – Aangeven waardoor bij sport vaak blessures optreden.
VAARDIGHEDEN	Informatie verwerken. Onderzoek doen. Informatie uit een microscopisch beeld halen. Model ontwerpen.
VOORKENNIS	Algemene kennis van zenuwstelsel en spieren.
RELATIE MET ANDERE VAKKEN	Lichamelijke opvoeding, natuurkunde en beeldende vakken.

ORIËNTATIE

INLEIDING

Sport is nodig om fit te blijven, dat weet iedereen. Lichamelijke oefening op school, een avond per week naar je sportclub en in het weekend een wedstrijd, dat is normaal. Hoewel, af en toe komt er weer een klacht over de 'jeugd van tegenwoordig' die te weinig beweegt en de gevolgen daarvan. Niet iedereen doet blijkbaar genoeg aan sport. Waarom is sport eigenlijk nodig? We zijn nu toch al veel gezonder dan de mensen vroeger? We leven gemiddeld langer, dat wel. Ons lichaam, onze bouw heeft zich ontwikkeld in tijden zonder computers en auto's, zelfs was het – nog maar heel kort geleden – heel normaal om regelmatig grote afstanden te lopen of liever te rennen, daar hadden ze geen wedstrijden voor nodig. In de twee artikelen van opdracht 1 kun je lezen over het dagelijks leven van gewone mensen en hun werk twee/drie eeuwen geleden en over de problemen van werkers van vandaag. Wie leefde er eigenlijk gezond?

OPDRACHT 1 **THE RUNNING FOOTMAN**

1 SLU ▶ a Lees het onderstaande artikel.

The running footman

Charlesstreet 5 Londen W.I: Hier staat de pub *The running Footman*, oorspronkelijk de ontmoetingsplaats van het personeel van de adel in die wijk. Deze pub is nieuw, maar vlakbij draagt een huis een gevelsteen met de tekst 'I am the only running footman'. Een herinnering aan de tijd dat lange afstanden lopen nog de normale manier van reizen was.

Figuur 6.1 De gevelsteen van de 'running footman'.

Lakei, knecht, ja zelfs hardloper kan de vertaling zijn van 'footman'. Voetknecht is de mooiste vertaling, maar dekt het begrip 'running' onvoldoende. Een knecht ging immers altijd te voet. Heren reisden te paard of per koets. 'Footman' krijgt dan de betekenis van runner, hardloper. Immers, wie naast het paard of de koets te voet gaat, zal moeten rennen of zijn leven ervan afhangt. Dat was trouwens ook niet ver bezijden de waarheid in die tijd.

In het Nederlands is de enige goede term voor 'running' eigenlijk rennen. Hardlopen wordt meestal geassocieerd met wedstrijden. De Engelse term dekt een dubbele lading: draven, rennen èn hardlopen. Maar toch hoeft een 'runner' geen 'racer' te zijn. De voetknecht uit de 16e en 17e eeuw was soms een 'running footman' en werd zodoende door toedoen van zijn meester een 'racer' en – als hij goed was – een statussymbool voor zijn baas.

Paard en wagen waren langzamer. 'Footmen can go, where horses cannot' zei William Petty, de grondlegger van het Engelse postwezen in de tweede helft van de 17e eeuw. In de 18e en 19e eeuw, toen de wegen beter werden, werd hun functie minder belangrijk. Hun enige emplooi, op een enkele speciale opdracht na, werden de weddenschappen. Hoever zij konden in een dag, een halve dag. Een uur gaans of van zonsopgang tot zonsondergang. De mensen wisten waarover ze spraken, voetgangers als ze waren.

Terug naar de oorsprong. Een beetje edelman hield er een dravende voetknecht op na als communicatiemiddel en statussymbool. Het gaf aanzien en was nuttig, nuttig vooral. De wegen waren erg slecht, ongeplaveid, niets meer eigenlijk dan modderige karrensporen.

De edelen hadden geen hoge dunk van het postwezen in die tijd. Grote afstanden werden door de post niet afgelegd en vaak ging het dan nog mis. Daarom hielden ze het liever in eigen hand. Een knecht deed dat speciale werk. Hij was een getraind hardloper, want snelheid was een eerste vereiste.

Tegelijk was deze loper, ook al vanwege de slechte wegen, van groot nut als de heer of zijn vrouw een reis per koets of paard ondernam. Wie hem zag draven naast de koets, wist, dat er een voornaam gezelschap in aantocht was en maakte ruim baan.

Onderweg waarschuwde hij vooral de waard van de naburige herberg, dat er een gezelschap gasten aan kwam en dat overnachting gewenst werd. Als een as van de koets brak (wat vaak genoeg gebeurde), rende hij zo snel mogelijk naar het dichtstbijzijnde dorp om

hulp.
Als beloning kregen ze meestal een paar nieuwe schoenen of wat geld om brandstof voor de kachel te kopen of vuil geraakte kleding te reinigen.
In september 1645 maakte mevrouw Anne Murray een reis van Edinburgh naar Londen. Ze verwachtte eigenlijk niet dat haar voetknecht de postkoets vanaf York zou kunnen bijhouden en zei hem dat hij de rest van de reis zijn eigen tempo mocht aanhouden. Toen de helft van de eerste dag erop zat, hoorde ze de koetsier tegen de postiljon zeggen: 'We gaan erg hard, maar die vent daar voor ons moet een duivel zijn, want hij laat ons in zijn gezichtsveld komen en gaat er dan weer vandoor, sneller dan 6 paarden.' De koetsier hield halt en vroeg de inzittenden of iemand soms een voetknecht in dienst had. Toen Anne Murray zei dat hij van haar was, zei hij: 'Dat moet de beste zijn van heel Engeland, wees maar zuinig op hem.' De loper liep verder op verzoek van de koetsier naast de koets om te assisteren. Maar het was niet allemaal 'all glory and easy'. Toen de wegen langzaam beter werden, werd het werk zwaarder en hielden de lopers het meestal niet langer dan 3 of 4 jaar vol. De meesten stierven aan tering, letterlijk uitgeteerd.
Vroeger droegen de 'footmen' meestal een kilt zoals de Schotten of een lang hemd van lichte stof. In tegenstelling daarmee liepen de arme Ierse boeren, die vaak dit werk deden, meestal blootsvoets en met onbedekte benen. Volgens de overlevering raakten de dorpsmeisjes helemaal in verrukking als de lopers 'bare-ars' door 'the dusty road' renden. Later moesten de arme lopers in livrei. Hoe opzichtiger, hoe mooier. Fluwelen jacks met koperbeslag, zilveren plaatjes. Meestal waren ze gelukkig praktischer gekleed: een lichtgrijs tuniek, een linnen broek tot aan de knieën en een zwarte muts, daarbij een lange stok met aan het eind een holle ruimte waarin wat voedsel paste, een hardgekookt ei en wat wijn meestal.
Sterke staaltjes genoeg!
Langhan, een Ier in dienst van Lord Berkeley, werd er in 1583 op uitgestuurd om een drankje voor Lady Berkeley te halen bij 'old doctor Fryer' in Londen. Heen en weer was dat een afstand van bijna 240 km, die hij in minder dan 48 uur aflegde, terwijl hij ook nog een nacht in het huis van de dokter verbleef. 'Een paard had hem niet kunnen verbeteren,' staat er in het verslag en daarom kreeg hij een nieuw stel kleren.
Rond 1740 kreeg een andere Ierse voetknecht, Owen MacMahon, van zijn chef opdracht om een belangrijk bericht over te brengen naar Lord Carteret. Hij werd drie dagen later terug verwacht. Maar reeds na twee dagen zag zijn baas, Mervyn, hem voor het huis heen en weer lopen. Mervyn dacht dat hij de brieven verloren had en riep de man woedend bij zich. Deze overhandigde hem echter het antwoord, de vorige ochtend om 9.00 uur geschreven. Hij had in 48 uur 360 km afgelegd.
Toen de wegen beter werden en daarmee het vervoer makkelijker, gingen de 'Lords' hun footmen inzetten voor wedstrijden. Een goede loper verhoogde het prestige van zijn baas. Hiermee werden ze professionele sporters, die hun kost verdienden met hardlopen.

Uit:
Jan Knippenberg, *De mens als duurloper*, waarin de auteur laat zien dat (hard)-lopen over grote afstanden voor de mens altijd normaal gedrag is geweest. Niet iedereen liep zo hard en zo lang als de voetknechten in dit verhaal, maar lopen was voor de meeste mensen de normale manier van verplaatsen, ook over grotere afstanden. Denk maar aan de veldtochten van Alexander de Grote, de kruistochten en bedevaarten in vroeger eeuwen. Daarbij werden afstanden van soms duizenden kilometers te voet afgelegd. Dat was heel normaal Ons lichaam is daarop gebouwd.
Als mensen nu in hun werk vaak problemen krijgen met hun spieren, zenuwen en botten, zou dat wel eens vooral kunnen komen doordat we die bijna niet meer gebruiken, vergeleken met onze voorouders.

b Lees

ook het volgende tekstfragment.

Tussen 20 en 30 procent beroepsbevolking heeft RSI-klachten

RSI is één van de belangrijkste aandoeningen van deze tijd, vooral doordat steeds meer mensen met een computer werken. Over het ontstaan en verdrijven van RSI bestaan veel visies, maar weinig onderzoek.

Slagers, timmermannen, naaisters en metselaars krijgen RSI (Repetetive Strain Injury) door herhaalde hoge spierbelasting. Maar de kracht, die toetsenbordbedieners en muizers op hun instrumenten uitoefenen, valt in het niet bij die van de mensen die in slachterijen dag in dag uit karkassen klieven. 'Continuous Strain Injury' (CSI) zou als naam voor de aandoening bij beeldschermwerkers al beter passen, zegt arbeidshoudingonderzoeker dr. Nico Delleman. Bij computeraars zijn het niet de steeds typende of klikkende vingers die problemen veroorzaken. Een langdurig volgehouden geconcentreerde werkhouding met licht aangespannen spieren in nek, schouders en armen is aanleiding voor pijn en krachtverlies. Bij steeds meer mensen leidt dit tot ziekteverzuim. Het gaat echter niet om één aandoening en niet om een 'injury' in de zin van een verwonding. Het is ook niet alleen de 'muisarm', er zijn allerlei klachten die met RSI worden aangeduid.

Patiënten klagen vaak over steeds erger wordende pijn in armen en schouders. Meestal ontstaat de pijn geleidelijk. Eerst verdwijnen de pijnen 's avonds, daarna alleen nog in het weekend, maar dan kan de pijn ook 's nachts behoorlijk opspelen. In de derde fase zijn pijn en krachtverlies voortdurend aanwezig. Daar doen zich paradoxale situaties bij voor: een pen of een muis kan niet meer gecoördineerd worden bewogen, maar kracht zetten om te zwemmen of tennissen gaat wel. Wel sporten, maar niet werken, het wordt slecht begrepen. Genezing duurt lang, ondersteund door fysiotherapie of bewegingstherapie. Van geen enkele behandeling is de effectiviteit goed aangetoond.

Het Assepoestersyndroom, dat steeds meer aandacht krijgt maar nog onbewezen is, levert een verklaring voor het krachtverlies van spieren die nauwelijks maar langdurig worden gebruikt. Assepoester moest het eerst uit de veren, werkte het hardst en mocht pas naar bed als haar luie stiefzusters al lang weer sliepen. Zo liggen de verhoudingen ook tussen de 'motor units' of motorische eenheden binnen de spieren. Motorische eenheden zijn groepen spiercellen die door één zenuw worden geprikkeld. Een computeraar die met iets geheven schouders werkt, die zijn onderarmen iets heft, die zijn ogen wat te dicht naar het beeldscherm brengt, laat zijn nek-, schouder- en armspieren voortdurend op een paar procent van hun maximale kracht werken. Spieren verdelen intern het werk niet. Voor het licht en voortdurend aanspannen worden steeds dezelfde motorische eenheden geprikkeld. Daar zijn onze spieren niet op gebouwd. Inspanning, te weinig zuurstof (de rest van de spier heeft immers weinig nodig) en voedingsstoffen en te veel afvalstoffen rond de Assepoestereenheid zorgen waarschijnlijk voor beschadiging, pijn en uitval.

Ergonoom Tom Visser is één van de mensen die probeert door middel van trainingen, cursussen en behandelingen mensen met RSI te helpen. Hij zegt: 'De mensen moeten onbewust bekwaam worden, terwijl de meeste beeldschermwerkers nu onbewust onbekwaam zijn.' Bewustwording, oefeningen, adviezen voor micropauzes en ieder kwartier opstaan, staand telefoneren en een goede inrichting van de werkplek horen bij de aanpak.

Verbazingwekkend volgens Delleman is wel, dat stoel en bureau inmiddels veelal goed aangepast worden, maar dat de computer nog steeds niet aan de muis is aangepast. Schaamteloos leveren fabrikanten nog steeds het standaard toetsenbord met rechts een blok numerieke toetsen die praktisch niemand gebruikt, maar waardoor de muis wel verder naar rechts komt te liggen dan voor een gezonde beweging goed is.

(Uit: *NRC-Handelsblad*, 6-11-99)

c Maak een korte samenvatting van beide artikelen.

d Beantwoord hierbij de volgende vragen.

1 Aan het eind van het verhaal over de rennende knechten staat dat de wegen later (rond 1800) beter werden, waardoor het werk zwaarder werd. Dit lijkt een foute conclusie, maar is het niet. Waarom maakten betere wegen het werk voor de 'footmen' juist zwaarder?

2 Lange afstanden lopen was vrij normaal, het bijzondere aan de 'running footmen' was hun snelheid. Het waren steeds jongens uit arme families. Waardoor konden die al jong een goede conditie opbouwen, ondanks hun armoede?

3 Wat is 'tering'? Hoe noemen we die ziekte tegenwoordig meestal? Wat is de belangrijkste oorzaak van het feit dat deze ziekte bij ons weinig meer voorkomt, terwijl het tot halverwege de twintigste eeuw een van de meest voorkomende doodsoorzaken was?
4 Een spier die actief is, krijgt meer bloed en dus ook meer zuurstof en voedsel dan een spier in rust. Bij het Assepoestersyndroom zou de actieve motorische eenheid een tekort aan zuurstof en voedsel krijgen tijdens de inspanning. Leg uit hoe dat komt.
5 Hoe komt het dat mensen met RSI wel kunnen sporten maar echt niet kunnen werken, ook al vinden anderen dat soms ongeloofwaardig?
6 Beeldschermwerkers moeten 'onbewust bekwaam' worden. Waarom onbewust?
7 Wat moet je doen om 'onbewust bekwaam' te worden?

OPDRACHT 2
1/2 SLU

WAT WEET JE AL VAN HERSENEN EN ZINTUIGEN?

In blok 1 van werkboek 1 (vorig jaar) heb je al heel veel gewerkt met het onderwerp hersenen en zintuigen: gebruik onderstaande vragenlijst om te controleren of je de hoofdzaken nog weet. In dit (tweede) blok over hersenen, zintuigen en spieren gaat het vooral om de rol van de hersenen bij activiteiten als sport en spel en om de spieren.

► a Noteer de vragen waarvan je het antwoord niet of niet zeker weet. Dan heb je meteen een lijstje van de zaken die je vooral moet leren in dit blok.

1 Wat is een zintuig?
2 Welke typen zintuigen hebben we? (Geef ook aan waar ze zitten en hoe ze eruitzien.)
3 Een zintuigcel zet een prikkel om in een impuls. Wat is een prikkel en wat is een impuls?
4 Impulsen zijn altijd even sterk. Hoe 'weten' de hersenen of de prikkel sterk of zwak was?
5 Wat is een adequate prikkel? Maak een lijstje van de zintuigen met hun adequate prikkels.
6 Door welke delen van het oog moet een lichtstraal voor hij de zintuigcellen van het oog bereikt?
7 Welke twee typen zintuigcellen hebben we in onze ogen en wat zijn de verschillen tussen die twee?
8 Wat gebeurt er als je oog accommodeert?
9 Welke onderdelen van het oog dienen vooral voor bescherming?
10 Noem drie functies van het centrale zenuwstelsel.
11 Wat bedoelen we met het perifere zenuwstelsel?
12 Welke onderdelen heeft een zenuwcel?
13 Hoe wordt een impuls langs een zenuwvezel voortgeleid?
14 Wat is een synaps?
15 Beschrijf kort de belangrijkste functies van ruggenmerg, hersenstam, kleine hersenen en grote hersenen.
16 Waarvoor dient het autonome zenuwstelsel?
17 Uit welke delen bestaat het autonome zenuwstelsel?
18 Op welke manier zijn beenderen met elkaar verbonden?
19 Hoe is een spier globaal opgebouwd?
20 Wat is een reflex?

PLANNING

OPDRACHT 3
1/2 SLU ▶

PLANNING MAKEN

Maak een planning voor dit blok.
In dit blok werk je nog eens aan hoofdstuk 9, waar het eerste blok in werkboek 1 ook al over ging. Er wordt dus in dit blok veel theorie herhaald, maar er komen nu ook heel andere aspecten aan de orde.
Maak goede afspraken over de momenten waarop aan de opdrachten wordt gewerkt, waarin je met bederfelijke waar aan de slag moet of buiten de school gaat kijken.

opdracht	titel	omschrijving	studielast in uren
1	The running footman	Je leest twee artikelen over inspanning.	1
2	Wat weet je al van hersenen en zintuigen?	Je peilt je beginkennis door 20 vragen te beantwoorden.	1/2
3	Planning maken	Je maakt een planning van dit blok	1/2
Basisopdrachten			
Cluster 1 Zintuigen			
4	Theorie bestuderen	Je herhaalt de theorie over zintuigen.	1
5	Nog eens kijken naar het oog	Je bestudeert het oogmodel.	1/2
6	Je nabijheidspunt bepalen	Je bepaalt het nabijheidspunt.	3/4
Cluster 2 Zenuwstelsel			
7	Herhaling: het zenuwstelsel	Je herhaalt de theorie.	1
8	Reflexen	Je doet onderzoek naar reflexen.	1/2
Cluster 3 Bewegen			
9	Bewegingsapparaat	Je herhaalt de theorie.	1
10	Spieren en zenuwen bekijken	Je bekijkt de microscopie van spier en zenuw.	1/2
11	Skelet van de mens	Je bestudeert een model van het skelet van de mens.	1/2
12	Je eigen arm als anatomische les	Je krijgt een anatomische les.	1
13	Traplopen	Je meet de inspanningsenergie.	2
14	Blessures	Je leest een artikel en beantwoordt er vragen over.	1
Keuzeopdrachten			
15	Door sport minder verzuim?	Je doet onderzoek.	1
16	Bezoek aan een fitnesscentrum, een revalidatiekliniek of een sportmedisch centrum	Je gaat op excursie.	2
17	Model van spiervezel bouwen	Je ontwerpt en maakt een model van een spiervezel.	1
18	Gewrichten	Je doet onderzoek.	1
19	Skelet van een kip	Je onderzoekt een dierlijk skelet.	1/2
20	Wildgroei	Je bekijkt een video en beantwoordt er vragen over.	1
21	Ergonomie: de mens als maat	Je meet en ontwerpt.	1
22	Inspanning meten	Je bedenkt een IP-COACH-onderzoek.	1 (alleen voor het ontwerp)
Beoordelingsopdrachten			
23	Eindtermentoets	Je controleert of je alles hebt gehad.	3/4
24	Reflectie	Je denkt na over de zin van de opdrachten van dit blok.	1/4
25	Toets over bewegen en gezondheid		1/2

Tabel 6.1 Overzicht van de opdrachten van dit blok.

UITVOERING

BASISOPDRACHTEN

CLUSTER 1 ZINTUIGEN

OPDRACHT 4
THEORIE ▶
1 SLU

THEORIE BESTUDEREN

a Bestudeer (of eigenlijk: herhaal, want dit heb je eerder bij blok 1 al bestudeerd!) van het theorieboek paragraaf 9.1 en 9.1.2 over zintuigen in het algemeen en 9.1.3 over het oog.

b Gebruik de onderstaande vragen daarna om te kijken of je de hoofdzaken weet of om elkaar te overhoren.
Zijn de onderstaande zinnen waar of onwaar? Geef van de foute zinnen een verbeterde versie.

1 Chemosensoren zijn gevoelig voor temperatuur.
2 We hebben twee typen thermosensoren.
3 Pijnsensoren zitten bijna overal in ons lichaam.
4 Bij een sterkere prikkel ontstaat ook een sterkere impuls.
5 Een zintuigcel kan niet op een niet-adequate prikkel reageren.
6 Door gewenning wordt de prikkeldrempel hoger.
7 Ruiken en proeven is eigenlijk hetzelfde.
8 Van buiten naar binnen zitten om het oog de harde oogrok, het netvlies en het vaatvlies.
9 De lens zit direct achter het hoornvlies.
10 De pupil is bij fel licht klein om het netvlies te beschermen.
11 De pupil is bij zwak licht groot om zo scherp mogelijk te zien.
12 De blinde vlek zit op de plaats waar de oogzenuw het netvlies binnentreedt.
13 De gele vlek bestaat alleen uit staafjes.
14 De staafjes en kegeltjes zitten achter de laag zenuwvezels.
15 Met de kegeltjes zie je kleur, met de staafjes zwart/wit.
16 Als je leest, is de lens plat, als je in de verte kijkt bol.
17 Op het netvlies wordt een verkleind omgekeerd beeld geprojecteerd.
18 Bij bijziendheid heb je een negatieve bril nodig.

OPDRACHT 5
PRACTICUM ▶
1/2 SLU

NOG EENS KIJKEN NAAR HET OOG

a Pak het oogmodel nog een keer en overhoor elkaar over de onderdelen.

■ b Kun je de volgende onderdelen nog vinden? Oogzenuw, netvlies, lens, iris, glasachtig lichaam, pupil, harde oogrok, gele vlek.

▶ c Noem van al deze delen ook de functie.

OPDRACHT 6
ONDERZOEK ▶
3/4 SLU

JE NABIJHEIDSPUNT BEPALEN

a Bepaal je eigen nabijheidspunt (= de kleinste afstand waarop je iets nog scherp kunt zien): neem een tekst met heel kleine letters of gebruik je vinger met de lijnen van je 'vingerafdruk'.
Kijk er met één oog (zonder bril) naar en breng de tekst of vinger steeds dichter bij je oog, tot je alles nog net scherp kunt zien. Dit is je nabijheidspunt. Meet de afstand tussen de voorkant van het oog en het voorwerp. Doe dit ook met je andere oog, want bij veel mensen zijn beide ogen niet gelijk.

b Vergelijk het nabijheidspunt van verschillende mensen. Bepaal het nabijheidspunt van de jongste mens die je kunt vinden (liefst een kleuter) en van de oudste in je omgeving (je grootouders?) en van mensen van zoveel mogelijk leeftijden daartussen. Verdelen over de klas!

UITVOERING

c Noteer de metingen en maak een grafiek, waarin alle metingen van de hele klas worden verwerkt.

■ d Zet de afstand op de verticale as en de leeftijd op de horizontale as uit.

► e Beantwoord de volgende vragen

1 Wat zegt het nabijheidspunt over je oog?
2 Hoe komt het dat het bij verschillende mensen niet hetzelfde is?
3 Vind je verband met het dragen van een bril (plus of min)?
4 Welk verband vind je met de leeftijd?
5 Welke conclusie kun je trekken uit de loop van de grafiek?
6 Kun je nu verklaren waarom de meeste mensen boven de vijftig een leesbril nodig hebben?

CLUSTER 2 ZENUWSTELSEL

OPDRACHT 7
THEORIE
1 SLU

HERHALING: HET ZENUWSTELSEL

► a Bestudeer en herhaal paragraaf 9.2.1 t/m 9.2.5 en 9.2.7 over het zenuwstelsel en over reflexen.

b Gebruik hierbij de volgende zinnen, geef aan of ze goed of fout zijn. Verbeter de foute zinnen.

1 Hersenen en ruggenmerg vormen het centrale zenuwstelsel.
2 De hersenen bestaan uit grote hersenen, kleine hersenen en tussenhersenen.
3 Het animale zenuwstelsel regelt de lichaamsfuncties, het autonome je bewustzijn.
4 Een zenuwcel heeft een neuriet of axon en vele dendrieten.
5 Motorische zenuwcellen zorgen alleen voor bewegingen.
6 Een impuls loopt langs een zenuw in de vorm van een elektrisch stroompje.
7 Een synaps kan naar beide kanten impulsen doorgeven.
8 Neurotransmitters zorgen voor de impulsoverdracht in de synaps.
9 De sensorische ruggenmergzenuwen zitten aan de rugzijde van de wervelkolom.
10 De grijze stof in hersenen en ruggenmerg bevat zenuwcellichamen, de witte stof alleen uitlopers.
11 Elk zintuig heeft zijn eigen centrum in de kleine hersenen.
12 Als je slaapt, is vooral het parasympathisch zenuwstelsel actief.
13 Het (ortho)sympathische zenuwstelsel zit vooral in de grensstreng.
14 Zonder reflexen zou je niet kunnen staan.
15 Reflexen gebeuren altijd onbewust.

OPDRACHT 8
ONDERZOEK
1/2 SLU

REFLEXEN

► a 'Verzamel' zoveel mogelijk reflexen.

■ b Schrijf alle voorbeelden van reflexen op die in paragraaf 9.2.7 worden genoemd en schrijf erachter wat de functie ervan is. Probeer zelf meer voorbeelden te vinden.

► c Welke reflexen dienen om je te beschermen tegen gevaar en welke om je lichaamshouding in stand te houden?

d In het spijsverteringskanaal bijvoorbeeld komen ook allerlei reflexen voor, waar we zelf niets van merken. Noteer er drie.

■ e Zoek ze op in het theorieboek als je ze niet uit je hoofd kunt noemen.

► f Doe de volgende oefeningen met z'n tweeën (om de beurt waarnemen en uitvoeren). Let goed op kleine bewegingen!
Laat iemand op een laag, maar klein bankje gaan staan. Een paar grote boeken kan ook. Laat die persoon nu recht overeind staan en zijn of haar ogen dichtdoen. Beschrijf nauwkeurig de reflexen die optreden om het evenwicht te bewaren.

g Laat de proefpersoon nu langs een rechte lijn lopen, bijvoorbeeld een streep op de vloer:
- met de ogen open;
- met de ogen dicht;
- met de ogen dicht en het hoofd zo ver mogelijk naar één kant op de schouder liggend.

h Trek op grond van het resultaat van de laatste proef een conclusie over de samenwerking van het evenwichtsorgaan en het oog.

■ i Formuleer een bewering over de rol van reflexen en zintuigen bij het normale lopen, uitgaande van de laatste oefening. Bedenk een proef om je bewering te staven.

CLUSTER 3 BEWEGEN

OPDRACHT 9
THEORIE ►
1 SLU

BEWEGINGSAPPARAAT

a Bestudeer paragraaf 9.2.6 en gebruik daarbij de volgende waar/onwaar-vragen. Vergeet niet van de foute zinnen de verbeterde versie op te schrijven.
1 Skelet en spieren vormen het bewegingsapparaat.
2 Verbindingen tussen beenderen zijn altijd beweeglijk door gewrichten.
3 Skeletspieren zijn altijd dwarsgestreept.
4 Dwarsgestreepte spieren zitten altijd aan het skelet vast.
5 Een spier kan zich verkorten en verlengen.
6 Voor het verlengen van een spier is altijd een antagonist nodig.
7 Dwarsgestreepte spieren werken onder invloed van het animale zenuwstelsel.
8 Zenuwuitlopers die de impulsen naar de spier doorgeven, zijn dendrieten.
9 Door training worden niet alleen de spieren sterker, maar ook je hart en longen.
10 Spierpijn en spiervermoeidheid worden veroorzaakt door melkzuur.

OPDRACHT 10
MICROSCOPIE ►
1/2 SLU

SPIEREN EN ZENUWEN BEKIJKEN

a Bekijk spierweefsel onder de microscoop en zoek enkele goede foto's op (zie ook het theorieboek). In gekookt kippenvlees, maar ook in rookvlees of gerookte vis is de dwarse streping van de spiervezels goed te zien bij een vergroting van 400-600 maal. Deze weefsels zijn gemakkelijk te squashen, zodat je afzonderlijke spiervezels (cellen) kunt bekijken. Maak een schets of kopieer een foto voor je eigen werkschrift en zet daar in ieder geval zoveel mogelijk namen van details bij.

b Bekijk een gekleurd preparaat van spierweefsel, waarin zenuwvezels en eindplaatjes gekleurd zijn (waarschijnlijk met zilvernitraat).

c Een motorische zenuw vertakt zich in de spier, elk takje is verbonden met een spiervezel. De spiervezels die aan één zenuw vastzitten, reageren dus altijd gelijk. We noemen dat een 'motorische eenheid'. Kun je in het preparaat zo'n eenheid onderscheiden? Maak een schets of kopieer een foto voor je eigen werkschrift.

Extra opdrachten.

d Zoek uit (bijvoorbeeld in het vwo-boek van *Synaps*) waardoor de dwarse streping in deze spieren wordt veroorzaakt. Maak voor jezelf een overzicht van de ligging van actine en myosine in rust en in samengetrokken toestand. (Zie verder opdracht 15.)

e Er zijn ook spieren zonder dwarse streping in ons lichaam. Zoek uit waar die zitten en waar ze voor dienen.

OPDRACHT 11
1/2 SLU ►

SKELET VAN DE MENS

a Bestudeer het skelet van de mens dat in school aanwezig is (echt of van kunststof). Misschien moet je het doen met een wandplaat, dat kan ook.

b Voer minstens vier van de onderstaande opdrachten uit.
1 Neem het boek erbij en zoek alle skeletonderdelen op die daar genoemd worden.
2 Maak een lijst van de botten en de gewrichten die je bekeken hebt.
3 Bepaal zelf wat je interessant vindt om te bestuderen en schrijf daar een kort verslag van.
4 Kijk of er een eindexamenvraag is die over het skelet handelt.
5 Wat heb je altijd al willen weten over het skelet? Formuleer een vraag en ga op zoek naar het antwoord.
6 Bekijk de handwortelbeenderen of de voetwortelbeenderen in detail en maak daar een schets van.
7 Bekijk ook de wervelkolom en tel alle wervels. Vergelijk de hals-, borst- en lendewervels met elkaar. (Waarschijnlijk zijn er op school ook wel losse wervels die je beter kunt bekijken.)
8 Bekijk atlas en draaier en de manier waarop de schedel daarop rust in detail. Wat is er gebroken bij een 'gebroken nek'?
9 Zoek enkele plaatsen waar spieren en pezen vastgezeten hebben.
10 Maak een eigen studie van de schedel en schrijf daar een verslag over.
11 Onderzoek waar de gewrichten liggen waar je onderarm van de dorsale (rug)zijde naar de palmaire (handpalm)zijde draait. Maak daar een schets van.

c Het skelet wordt vaak geassocieerd met de dood. De schedel wordt dan ook wel 'doodskop' genoemd, maar zolang je leeft, leeft je schedel net zo goed als de rest van je lichaam.
In de kunst is een schedel of een skelet een doodssymbool. In de Middeleeuwen dansten de skeletten de dodendans, de 'danse macabre' op muziek. Zoek dergelijke afbeeldingen en/of muziekstukken, maak hierover een poster of klein werkstuk waarin je biologie combineert met andere vakken: Muziek en Beeldende Vakken.

■ d Je kunt bijvoorbeeld denken aan:
- *Danse macabre* (1871) of *Carnaval des animeaux* (1886) waarin fossielen optreden, van Camille Saint Saens;
- *Dies Irae* (1256) van Thomas van Celano;
- werk van Albrecht Dürer.

OPDRACHT 12
PRACTICUM ►
1 SLU

JE EIGEN ARM ALS ANATOMISCHE LES

a Trek je eigen ontblote onderarm vier keer om op een vel A3-papier.

b Je moet bij deze opdracht zowel de rugzijde ('dorsale' zijde) van je arm bekijken als de kant van je handpalm ('palmaire' zijde). Werk dus met z'n tweeën: dan kan de één de ene en de ander de andere kant onderzoeken. Wissel je waarnemingen uit.

c Teken (eerst met potlood) in de eerste omtrek de huid, de nagels, de plooien bij gewrichten van de vingers en de inplant van haartjes. Vergelijk jouw tekeningen met die van de anderen. Zijn er verschillen tussen de armen van jongens en meisjes?

d Teken in de tweede omtrek het skelet en de gewrichten zo goed mogelijk. Haal er pas daarna een anatomische atlas bij.

e Teken in de derde omtrek de spieren en pezen die je kunt ontwaren (zien + voelen!). Pezen zijn goede aanwijzingen voor het begin of eind van een spier. Gebruik daar meteen een anatomische atlas bij.

f Teken in de vierde omtrek de voornaamste aders die je onder je huid ziet lopen en haal er pas daarna een anatomische atlas bij. Teken met behulp daarvan vervolgens de voornaamste slagaders in je arm en de voornaamste zenuwen.

UITVOERING

OPDRACHT 13
ONDERZOEK
1 SLU

TRAPLOPEN

Als je gezond bent, is traplopen geen probleem. Als je echter de keuze hebt tussen traplopen naar de vierde verdieping of de lift nemen, kiezen de meeste mensen voor de lift. Is traplopen dan toch een probleem? Traplopen is goed voor je fitheid en gezondheid. Vinden de mensen die de lift pakken hun gezondheid dan niet belangrijk? Wat vind je er eigenlijk zelf van? En wat doe jij (eerlijk zijn!) in die situatie?

► a Beantwoord de volgende vragen.
1 Waarom is de trap oplopen inspannend?
2 Een verdieping valt nog wel mee, maar waarom zijn drie verdiepingen toch zo zwaar?
3 Trouwens, waarom is de trap aflopen helemaal niet zwaar?
4 Wel zie je veel mensen die de trap aflopen naar de leuning grijpen. Waarom doen ze dat?

b Natuurkundigen zullen zeggen dat je bij gewoon lopen geen arbeid verricht. De trap oplopen, kost 6 maal zoveel arbeid als gewoon lopen. De trap aflopen is 2 maal zo zwaar (dus 100 %) als gewoon lopen: met name om de reden die jij onder punt 4 genoemd hebt. Zoek uit hoe dat zit met die arbeid: waarom kost lopen natuurkundig gezien geen energie, maar word je er op den duur toch moe van?

■ c Welke krachten moet je overwinnen bij het klimmen en welke bij het afdalen?

► d Deze opdracht bestaat uit twee delen:
- A: fysiologisch onderzoek (voor groepen van 3 leerlingen).
- B: enquête (voor groepen van 2 leerlingen).

Je mag kiezen. Beter is de verschillende aspecten over de klas te verdelen en er een gezamenlijk onderzoek van te maken. Overleg met je docent en de klas over de planning.

A Fysiologisch onderzoek

e Bedenk een inspanningsproef waarbij je het effect van traplopen op de hartslag en de bloeddruk meet.

■ f Er zijn drie methoden om de hartslag te meten. Kies er een uit.
1 De halsmeting, waarbij je met je vingers de hartslag voelt bij de halsslagader en telt. Dit kun je altijd uitvoeren.
2 Meting met een hartslag- en bloeddrukmeter, die je om je pols doet en waarop je de hartslag en bloeddruk van dat moment kunt aflezen. Hiervoor zijn handige apparaatjes in de handel.
3 Meting met een hartfrequentiemeter, die op je borst geplakt wordt, waarbij je ook de hartslag kunt meten. Dit meetinstrument kan ook meten tijdens een inspanning. Het slaat de waarden dan op. Je kunt hiermee dus aflezen hoe je hartslag verandert gedurende een inspanning. Dit apparaat is misschien ergens te leen.

► g Onderzoek het volgende met behulp van de gekozen meetmethode.
1 Hoe neemt de hartfrequentie toe tijdens de inspanning?
2 Wat is het verschil in hartfrequentie en bloeddruk voor en na de inspanning?
3 Ga na op welk moment het hart weer in rusttoestand is.
4 Test uit welke factoren of omstandigheden de effecten van de inspanning versterken.

■ h Verschillende groepen leerlingen kunnen twee vormen van inspanning met elkaar vergelijken. Denk aan:
- trappen op- en trappen aflopen;
- met en zonder gewicht (rugzak met inhoud);
- licht en zwaar persoon;
- goede en slechte conditie (sporter of niet);
- 's morgens of 's avonds.

UITVOERING

▶ i Je kunt zelf andere varianten/vraagstellingen bedenken, de genoemde meetmethoden vergelijken of heel andere vormen van activiteiten onderzoeken.

j Zet het onderzoek goed op en trek conclusies uit de gevonden resultaten.

B Enquête

k Enquêteer bijvoorbeeld bewoners van een hoog flatgebouw, na genoteerd te hebben wie er van de lift gebruikmaakt en wie loopt. Of enquêteer de docenten op school, nadat je eerst vastgesteld hebt wie van hen de lift pakt en wie niet! Stel een reeks goede vragen op (raadpleeg het vaardighedenkatern: vaardigheid nummer 8) en leg die aan de docent voor ter goedkeuring. Denk vooral ook aan gezondheids- en milieu-aspecten van liftgebruik!

■ l Als jouw school meerdere verdiepingen telt en een lift heeft, kun je eens kijken welke docenten regelmatig van die lift gebruikmaken, terwijl ze geen problemen met lopen hebben.

Extra opdracht.

Deze opdracht leent zich goed voor uitbreiding tot Praktische Opdracht. Denk bijvoorbeeld aan:

- Een onderzoek over fietsen: wie komt op de fiets naar school, wie neemt de bus, de auto of de brommer, terwijl men bijvoorbeeld niet meer dan 7 km van school woont en waarom? Je kunt hierbij zowel kijken naar docenten als naar leerlingen. Dit onderzoek kan volgens dezelfde opzet worden gedaan. Dan doe je eigenlijk sociaal-wetenschappelijk onderzoek.
- Je kunt ook in een fitnesscentrum onderzoeken hoeveel inspanning fietsen of lopen kost. Hoeveel tijd besteden mensen die met de bus of tram naar school of hun werk gaan, aan sporten terwijl ze diezelfde tijd ook anders zouden kunnen invullen? Hierin zijn aspecten van inspanning, gezondheid en milieuzorg te verwerken.

OPDRACHT 14
ARTIKEL /FOLDER
1 SLU

BLESSURES

▶ a Lees de onderstaande twee teksten.

b 'Sport is gezond, topsport is gevaarlijk.' Geef in een kort betoog aan waarom dit zo is.

■ c Zoek op wat er precies beschadigd is bij de vijf typen blessures die de 'top vijf' vormen.

● d Zoek behalve in het theorieboek de nodige informatie op in een medische encyclopedie of hoor je L.O.-docent eens uit.

▶ e Vergelijk de lijst van blessures van Steffi Graf met de 'top vijf'. Is de verdeling van haar blessures typisch voor tennissers?

f Welke risico's horen bij andere sporten? Zoek dat uit voor twee sporten, in elk geval voor de sport(en) die je zelf beoefent.

g Leg uit waardoor het komt dat de kans op een blessure bij verschillende sporten anders is.

h Wat moet je doen om blessures zoveel mogelijk te voorkomen?

■ i Vraag dit eventueel aan je sportleraar of trainer!

▶ j Topsporters besteden erg veel tijd aan trainen. Welke organen worden daardoor met name versterkt?

k Topsporters die ophouden, al dan niet gedwongen door blessures zoals Steffi Graf, moeten nog een tijdlang 'aftrainen'. Wat betekent dat? En wat kan het gevolg zijn, wanneer er niet wordt afgetraind?

De jeugd krijgt Graf niet klein, het lichaam wel

Vorige week gaf Steffi Graf door een spierblessure op in het toernooi van San Diego. Het was de laatste keer dat ze op hoog niveau het tennisracket beroerde. Het afscheid kwam niet uit de lucht vallen, het kwam alleen een paar weken eerder dan verwacht. De 'eeuwig geblesseerde' Graf had gehoopt op de US Open haar 54ste en laatste Grand Slam-toernooi te kunnen spelen. Eerder deze zomer had ze het publiek in Londen en Parijs al een vaarwel toegezwaaid. Op Roland Garos schreef ze dit jaar de 22ste Grand Slam-titel op haar naam.

Fräulein forehand won in haar zeventienjarige carrière 107 kampioenschappen en mocht zich 377 weken lang de nummer één van de wereld noemen.

1988 was een absoluut topjaar voor haar met de Grand Slam en de olympische titel. De aanstormende jeugd kreeg daarna nauwelijks vat op haar, maar het lichaam wel: talloze blessures, meer dan zestig in totaal, speelden haar parten: van neus tot kleine teen, van knie tot rug en hand. Het was dan ook niet meer dan symbolisch dat een hamstringblessure het definitieve einde betekende.

(Naar: *Trouw* en *NRC-Handelsblad*, 14-08-'99.)

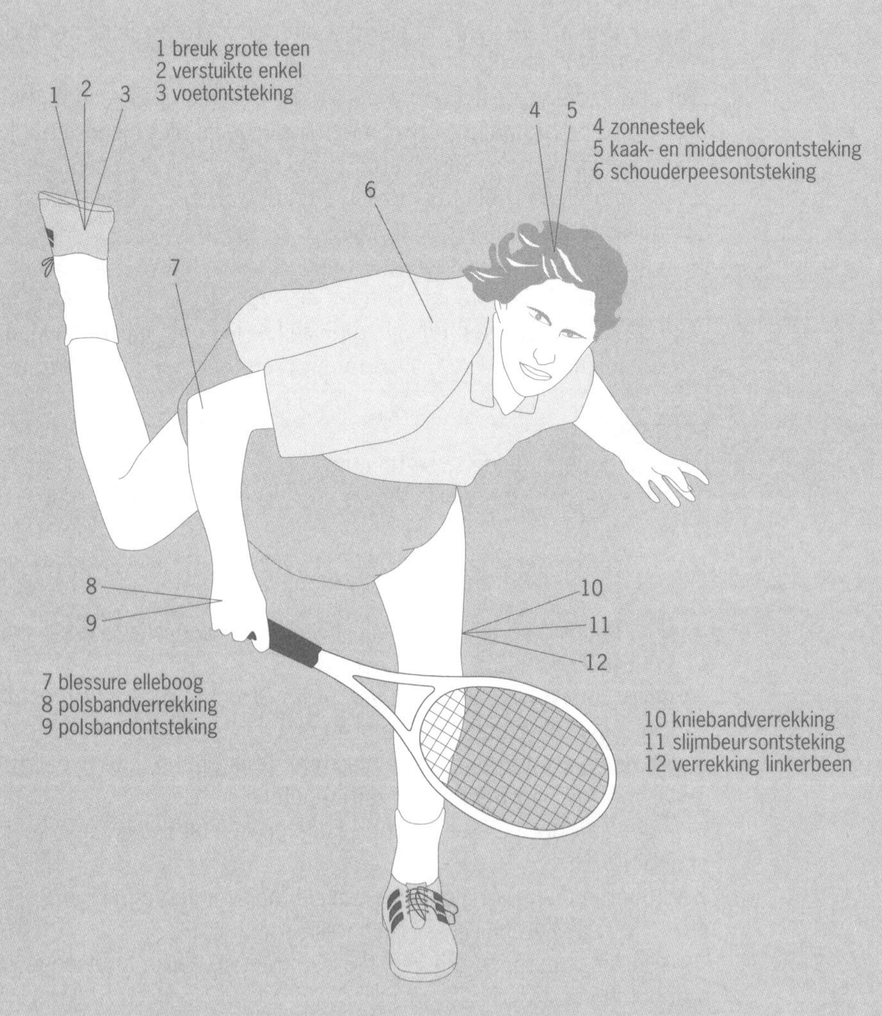

Figuur 6.2 De blessures van Steffi Graf.

UITVOERING

Vergeleken met veel andere sporten is tennis een veilige sport, al was het alleen maar omdat een net de spelers scheidt. Het aantal blessures per 1000 sporturen ligt bij buitentennis op 1,5 en bij binnentennis op 3,5. Dit zijn cijfers die gunstig afsteken bij voetbal en hockey (beide 5,5) en zaalhandbal (6,5). Van de 700.000 leden van de KNLTB raakt jaarlijks naar schatting 10 % geblesseerd.

De top vijf van de tennisblessures:

1 zweepslag
2 verstuikte enkel
3 verdraaide knie
4 bovenbeenblessure
5 tenniselleboog

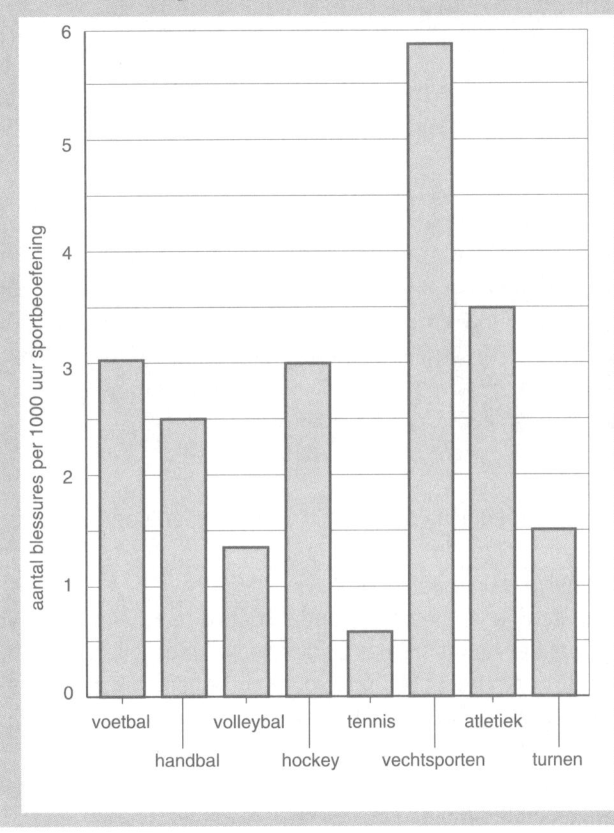

Figuur 6.3 De kansen op blessures bij enkele veelbeoefende sporten. De verschillen worden verklaard door de risico's bij contactsituaties en eenzijdige overbelasting bij vaak voorkomende bewegingen

l De 'running footmen' uit het beginverhaal hadden geen sportkeuring en geen begeleiding en vaak niet bepaald de juiste kleding en schoenen, maar leverden enorme prestaties. Veel winnaars op lange afstanden zoals marathons, komen uit landen waar lopen nog steeds de normale manier van reizen is. In Kenia en Ethiopië is het geen uitzondering dat kinderen dagelijks 10 km naar school en terug moeten lopen of rennen. Winnaars van marathons komen vaak uit die landen. Zoek informatie over één van die kampioenen en zoek met name uit welke blessures deze hardlopers oplopen.

m Als Jos Knippenberg gelijk heeft en de mens van nature een duurloper is, zouden bij langeafstandlopers weinig blessures moeten voorkomen. Zoek uit of dat klopt

n Maak zelf een artikel of folder waarin je bovenstaande kennis verwerkt.

UITVOERING

KEUZEOPDRACHTEN

OPDRACHT 15
ONDERZOEK ▶
1 SLU

DOOR SPORT MINDER VERZUIM?

a Lees de onderstaande tekst.

Scholieren, ouders, scholen, werkgevers, Arbo-diensten en werknemers zijn het over één ding eens: sport moet. Zijn sporters gezonder en minder vaak ziek, zodat ze minder verzuimen?
De Amsterdamse Stichting Economisch Onderzoek (SEO) heeft dat in 1996 eens uitgerekend. Sportende medewerkers kosten de werkgever aan verzuim en medische handelingen ruim 700 miljoen gulden per jaar. Maar sporters verzuimen veel minder en besparen de werkgever en de samenleving daardoor ruim 2,3 miljard gulden. Een batig saldo van 1,6 miljard rekent de SEO voor.
Hoeveel moet een mens bewegen om fit te blijven? Stelregels zijn moeilijk te geven. Fenomeen Johan Cruijff houdt het op tenminste drie keer per week twintig minuten intensief bewegen.
Vincent Hildebrandt van TNO Arbeid vindt dat te weinig. Hij houdt liever de Nederlandse Norm Gezond Bewegen aan. Die geeft aan dat iedereen minimaal een half uur per dag matig actief zou moeten zijn op minimaal vijf en bij voorkeur zeven dagen in de week. Onder matig actief bewegen verstaat Hildebrandt normaal fietsen of het maken van een stevige wandeling. Wie zijn uithoudingsvermogen substantieel wil verhogen, zal beduidend meer moeten doen. Bijvoorbeeld wandelen, fietsen, hardlopen, zwemmen of skaten, met een frequentie van drie tot vijf maal per week en met een intensiteit van 65-90 procent van de maximale hartslag en een duur van twintig tot zestig minuten per keer.

b Maak een stappenplan voor het uitvoeren van een onderzoek om antwoord te verkrijgen op de volgende vraag: verzuimen sportieve leerlingen minder dan leerlingen die lichamelijk weinig actief zijn?

c Maak een serie enquêtevragen om antwoord te krijgen op de volgende onderzoeksvraag: klopt het dat sportieve leerlingen waarschijnlijk een betere conditie hebben?

d Wat gebeurt er in het lichaam als mensen lichamelijk actief zijn, waardoor ze een betere conditie krijgen? Denk hierbij aan de veranderingen in spieren, hart, circulatie en ademhaling.

e Wat wordt bedoeld met de maximale hartslag? Wanneer zou je iemands maximale hartslag kunnen meten?

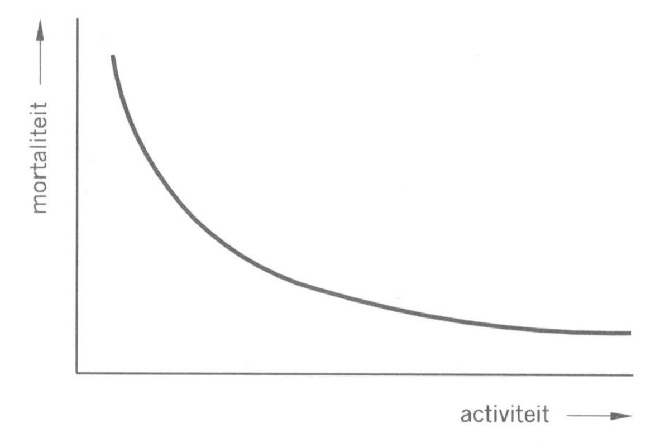

Figuur 6.4 Het verband tussen de hoeveelheid activiteit en mortaliteit (= sterftecijfer).
Bron: Harvard Alumni study (1985)

UITVOERING

f Wat wordt bedoeld met mortaliteit?
g Trek twee conclusies uit deze grafiek.
h Ondersteunt de grafiek de volgende uitspraak: topsporters worden niet ouder dan de gemiddelde bevolking. Leg je antwoord uit.
i Geef twee mogelijke oorzaken waardoor topsporters niet ouder worden. Zie ook de volgende site. http:/www-rohan.sdsu.edu/course/ens304

OPDRACHT 16
EXCURSIE
2 SLU ▶

BEZOEK AAN EEN FITNESSCENTRUM, EEN REVALIDATIEKLINIEK OF EEN SPORTMEDISCH CENTRUM

a Kies een van de drie mogelijkheden die hieronder staan gegeven.
A Bezoek aan een fitnesscentrum
Organiseer een bezoek aan een fitnesscentrum. Laat je daar uitleg geven over de verschillende apparaten en het effect ervan op de conditie van de gebruikers. Stel vragen over de klanten, bijvoorbeeld wat voor 'soort' (leeftijd, geslacht, beroepsgroepen) mensen komen vooral, hoe vaak komt men meestal, hoe lang blijven mensen komen. Komen er ook ouderen of mensen met een handicap of alleen mensen die eigenlijk al fit zijn? Bereid je vragen voor! Schrijf een kort verslag of maak een poster.
B Bezoek aan een revalidatiekliniek
Bezoek een revalidatiekliniek en interview de medewerkers over het werk. Denk bijvoorbeeld aan de volgende vragen: wat doet een fysiotherapeut eigenlijk precies? Welke andere beroepen worden hier uitgeoefend? Misschien mag je ook rondkijken in de behandel- en oefenruimten. Bedenk ook hier goed wat je wilt weten. Breng verslag uit.
C Bezoek aan een sportmedisch centrum of een sportarts.
Vraag om een sportkeuring als demonstratie. Welke zaken worden gekeurd bij welke sporten?

OPDRACHT 17
ONTWERPEN ▶
1 SLU

MODEL VAN SPIERVEZEL BOUWEN

a Lees de onderstaande tekst.

Natuur maakt motortjes naar menselijk model (of is het andersom?)

De cel beschikt over meer biomotorenmoleculen, die een merkwaardige gelijkenis vertonen met elektromotoren, zo hebben wetenschappers de laatste jaren ontdekt. We weten al langer dat in de spiercellen miljoenen eiwitten, myosines, aan het werk zijn. Ze zien er net uit als hamertjes: staafjes met kopjes.
Maar de beweging is anders. Het kopje haakt vast aan een actinebundel, een eiwitbundel die vlak naast de myosines ligt en trekt eraan. Vervolgens laat de kop van het myosinemolecuul de actinebundel los en klapt terug. Met behulp van een ATP wordt hij weer opgeladen en richt zich weer op, om zich vast te maken aan een volgend punt van de actinebundel. Op deze manier trekken de duizenden myosinekopjes per spiervezel, de actinebundels beetje bij beetje vooruit. De myosine-eiwitten en actine-eiwitten glijden langs elkaar. Dit leidt tot de samentrekking van die spiervezel.
De kennis van deze biomotoren geeft

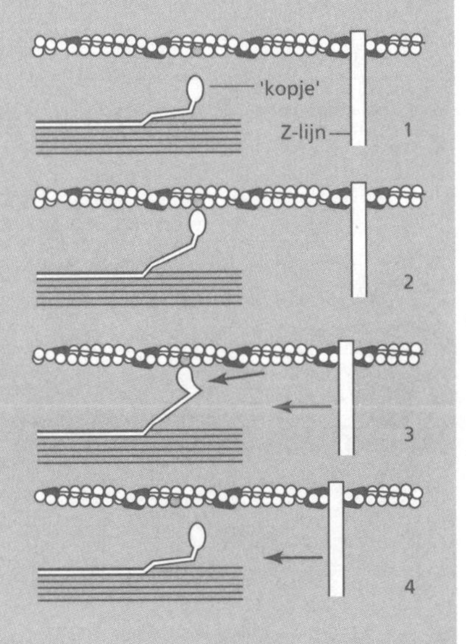

Figuur 6.5 De beweging van de myosinekopjes.

niet alleen nieuw inzicht in het functioneren van de cel, ze biedt ook mogelijkheden tot manipulatie, meent prof. dr. A. Hof van het centrum voor Fysica en Chemie van Levensprocessen van de Universiteit van Leiden. Op termijn zijn de motoreiwitten waarschijnlijk ook in te zetten in de nanotechnologie, als apparaatjes op moleculaire schaal. 'Het klinkt nu nog als sciencefiction, maar de mogelijkheden zijn dichterbij dan we denken,' aldus professor Hof.

(Naar een artikel in *de Volkskrant*, 13-2-99.)

b Ontwerp met behulp van de informatie uit de tekst en figuur een model van de contractie van spiervezels op moleculaire schaal.

■ c Bestudeer de vaardigheid 'Het ontwerpen van een model'.

d Het model zou kunnen bestaan uit een aantal op karton geplakte en uitgeknipte tekeningen met bewegende onderdelen (bouwmodel) die de werking laten zien, maar een ruimtelijk model is beter.

► e Zoek meer informatie over de activiteit van myosine en actine en schrijf een verhelderende tekst bij het model.
Zie ook de volgende sites.
http://www.embl-heidelberg.de/CellBiophys/LocalProbes/motorproteins/myosin.html
http://www.sci.sdsu.edu/movies/actin_myosin_gif.html

OPDRACHT 18
PRACTICUM
1 SLU

GEWRICHTEN

► a Lees de onderstaande tekst.

Gewrichten als onderdelen van hefboomsystemen

In de techniek is een hefboom een werktuig dat bestaat uit een onbuigzame staaf die om een vast punt (D) kan draaien en waarmee een last (L) met een kracht (K) kan worden overwonnen.
Zoals uit de figuur blijkt, fungeert in ons lichaam de onderarm met de daaraan bevestigde spieren als een hefboom. In ons lichaam, maar ook in dat van dieren komen heel veel hefbomen voor.
Men onderscheidt drie typen hefbomen, weergegeven in figuur 6.7: afhankelijk van de ligging van het draaipunt, de last en het aangrijpingspunt van de kracht spreken we van een KDL-, KLD- of LKD-type hefboom. Indien kracht en last met elkaar in evenwicht zijn, geldt:

KD x K = LD x L

K = kracht; L = last; D = draaipunt

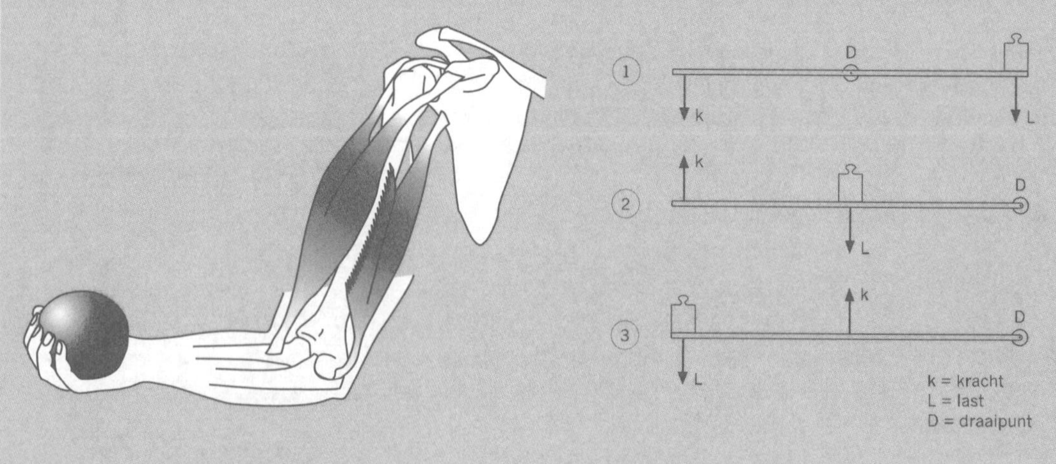

Figuur 6.6 De arm als hefboom.

Figuur 6.7 Drie typen hefbomen

UITVOERING

b Als bij de drie typen hefbomen wordt uitgegaan van evenwicht tussen kracht en last, waarna dat evenwicht wordt verstoord doordat de last verzwaard wordt, wat moet er dan, om kracht en last weer met elkaar in evenwicht te brengen, gebeuren met of de kracht of de krachtarm of de lastarm?

■ c Teken de situatie met een grotere last en beredeneer elk geval apart.

Bij de volgende vragen beschouwen we de situatie sterk vereenvoudigd: we houden er geen rekening mee dat spieren in het algemeen scheef aan de botten zitten en we houden evenmin rekening met het gewicht van de beenderen en spieren zelf.

► d Welk type hefboom is:
1 De elleboog met de biceps als kracht?
2 De elleboog met de triceps als kracht?
3 Het schoudergewricht?
4 Het teengewricht als je op je tenen gaat staan?
5 Het enkelgewricht als de voet vrij kan bewegen?
6 Het gewricht tussen schedel en atlas?

■ e Gebruik het skelet om te kijken hoe deze gewrichten zitten en je eigen lichaam om de bewegingen te controleren.

► f Wanneer de biceps de onbelaste onderarm wil buigen, moet er een bepaalde kracht worden uitgeoefend. Deze kracht kun je berekenen. Stel het gewicht van de hele arm op 4 kg, reken voor de onderarm 2 kg en voor de bovenarm ook 2 kg. De lastarm is de helft van de lengte van de onderarm. Ga uit van de situatie waarbij de arm langs het lichaam hangt.
1 Waar ligt het draaipunt?
2 Hoe groot is de krachtarm? (Dit kun je schatten. De aanhechting kun je vinden door aan je eigen arm te voelen, zie ook je tekening bij opdracht 12.)
3 Met welk hefboomtype hebben we hier te maken?
4 Hoe groot moet de kracht zijn om de onbelaste arm op te kunnen heffen?
5 Hoe kun je het juiste gewicht van je eigen onderarm bepalen? (De soortelijke massa van een mens is iets groter dan 1, maar gebruik de waarde 1.)
6 Moet de triceps kracht uitoefenen om de arm weer te strekken? Zo ja, hoe groot is die kracht?

g Stel nu dat je de gestrekte hangende arm vanuit de schouder zijdelings heft. Dan gebruik je de deltaspier die op de schouder ligt. Neem weer 4 kg als de massa van de hele arm.
1 Met welk hefboomtype heb je nu te maken?
2 Hoe groot zijn krachtarm en lastarm?
3 Hoe groot is ongeveer de kracht die de deltaspier moet uitoefenen om de onbelaste arm zijdelings te heffen?
4 Neem een gewicht of bijvoorbeeld een stoel en probeer deze eerst met een gebogen arm en daarna met een gestrekte arm tot schouderhoogte op te tillen.

h Bepaal het grootste gewicht dat je met een gebogen arm tot schouderhoogte kunt tillen en het grootste gewicht dat je met een gestrekte arm tot schouderhoogte kunt tillen.
1 Waarom is er een duidelijk verschil?
2 Waarom moet je zware gewichten zoveel mogelijk dicht tegen het lichaam dragen?
3 Een rugzak is beter voor je rug dan een koffer die je met de hand draagt. Leg uit waarom dit zo is.
4 In landen waar water en andere zaken vaak over flinke afstanden gedragen moeten worden, dragen de vrouwen hun last het liefst op het hoofd. Leg uit dat het zo de minste energie kost. Probeer maar!

i Als je op je tenen gaat staan, wordt de hiel van de grond geheven, de kuitspieren moeten kracht uitoefenen.

UITVOERING

1 Waar bevindt zich het draaipunt?
2 Hoe groot zijn lastarm en krachtarm?
3 Hoe groot is dus de kracht die de kuitspieren moeten uitoefenen?
4 Welk hefboomtype is dit?

j Verklaar aan de hand van je antwoorden op bovenstaande vragen waarom je gemakkelijk lang achter elkaar kunt lopen en staan, maar niet lang achter elkaar een gewicht kunt dragen (in de hand).

k De schedel wordt met behulp van de nekspieren de hele dag rechtop gehouden. Bij niet-rechtopgaande zoogdieren rust de kop niet op de romp, maar zit die ervoor, zodat aan de nekspieren hogere eisen worden gesteld. De achterhoofdknobbels liggen bij deze dieren veel verder naar achteren, het achterhoofdbeen is dan ook kleiner. (Zo kan men bij fossiele schedels van voorouders van de mens zien of de eigenaar rechtop liep.) Stel de massa van de schedel van de mens op 6 kg. Het draaipunt ligt ter hoogte van de achterkant van de oren. Schat de massa van de schedel vóór het oor op 2/3 deel en achter het oor op 1/3 deel.
1 Hoe groot is het lastmoment?
2 Hoe groot is de krachtarm van de nekspieren?
3 Hoe groot is de kracht die de nekspieren moeten uitoefenen?
4 Is die kracht veel groter dan de last?
5 Welk hefboomtype is dit?
6 Is het inspannend het hoofd de hele dag rechtop te houden?
7 Welke consequentie brengt een andere plaatsing van de schedel bij dieren met zich mee voor de nekspieren?
8 Een mannelijk hert draagt een zwaar gewei op zijn kop, maar alleen in het paarseizoen. Welk probleem zou het dier hebben als hij het gewei ook in de wintermaanden moest dragen?

OPDRACHT 19
PRACTICUM
1 SLU

SKELET VAN EEN KIP

Het skelet van een kip kan bestudeerd worden aan de hand van een verse kip, maar ook met een gekookte kip en zelfs met onderdelen daarvan: kipkluifjes en kippenvleugeltjes. Het onderzoeken van een hele of halve kip heeft het voordeel dat de spieren nog aan het skelet vastzitten, zodat je de samenhang beter gaat begrijpen. Dat kan op school maar ook tijdens een maaltijd, al zullen je disgenoten je onderzoekende gedrag waarschijnlijk wat eigenaardig vinden. Dus kun je misschien beter tot na de maaltijd wachten.
Wat hier voor kip gezegd wordt, geldt ook voor eend, kalkoen, konijn en haas. Van grotere dieren krijg je zelden het hele exemplaar of zelfs maar een flink groot deel daarvan. Van schapen en geiten kun je bij een Turkse slager wel een 'bout' kopen, meestal een schouder, die een interessante studie van een voorpoot van die dieren mogelijk maakt: van schouderblad tot handwortelbeentjes.
Varkenspootjes (voor de erwtensoep bedoeld, maar ook geschikt voor onze 'anatomische lessen') geven de aansluitende informatie over de (voor- of achter)voet van de hoefdieren.

▶ a Zoek een goede afbeelding van het menselijk skelet, waarmee je je proefdier kunt vergelijken: je kunt dezelfde onderdelen vinden, maar de verhoudingen zijn anders. Maak een schets van bijvoorbeeld een voorpoot of kippenvleugel en schets er schematisch een mensenarm naast. Leg uit waarom bepaalde delen groter of juist kleiner zijn.

OPDRACHT 20
VIDEO
1 SLU

WILDGROEI

Fibrodysplasie Ossificans Progressiva (FOP) is een ziekte waarbij op allerlei plaatsen in het lichaam botgroei optreedt. Noorderlicht heeft een video (titel: *Wildgroei*) uitgezonden over het onderzoek naar de ziekte. In deze video komen verschillende onderwerpen over het menselijk lichaam aan de orde. Het spannende verhaal over het onderzoek en de ontdekkingen gaat over weefsels, embryonale ontwikkeling, moleculaire genetica en afweer.

▶ a Bekijk de video en beantwoord daarna de volgende vragen.

■ b Waarschijnlijk moet je af en toe de video stilzetten om de vragen goed te kunnen beantwoorden. Misschien moet je een stukje terugspoelen om een fragment nog een keer te zien.

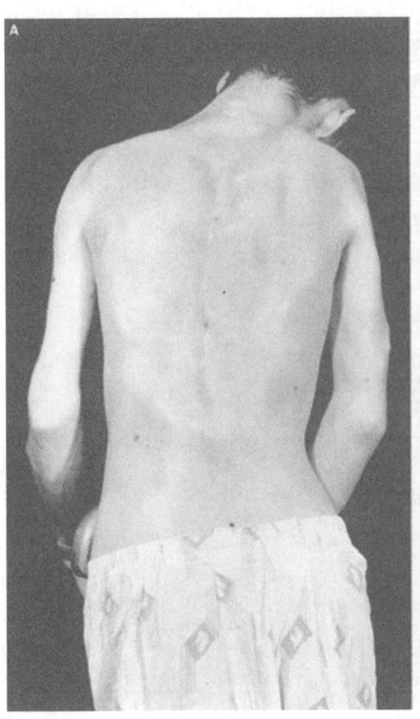

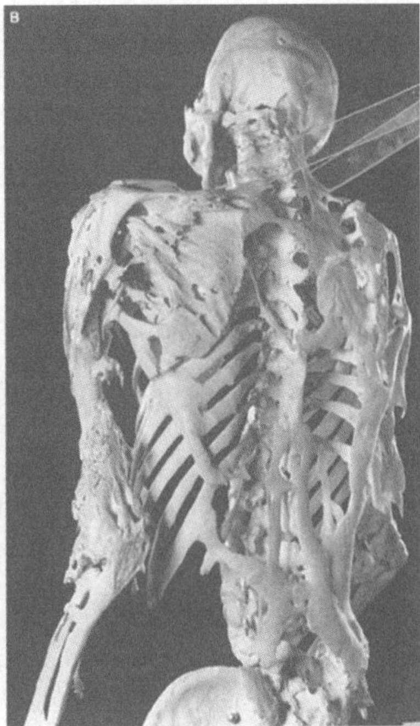

Figuur 6.8 Skelet van een FOP-patiënt (B); let op de overtollige beengroei.

▶ c De commentaarstem heeft het over het omzetten van spieren in bot, terwijl de onderzoeker Zasloff zegt dat bindweefsel in spier wordt omgezet. Dit lijkt heel verschillend. Waarom verschillen deze twee beweringen niet erg veel?

d Waardoor ontstond de botvorming opeens midden in de spier bij de eerste patiënt van Zasloff?

e Opereren lijkt een logische gedachte om de gewrichten weer beweeglijk te maken. Waardoor heeft het weghalen van de botwoekeringen geen zin?

f Wat valt op als je kijkt naar het patroon van het ontstaan van extra botweefsel?

g Welke conclusie trok Zasloff toen hij dat patroon onderzocht?

h Op welke plaats in het lichaam is de aandoening levensgevaarlijk?

i Waaruit kan men opmaken dat FOP een aangeboren afwijking is?

j Om de vraag te kunnen beantwoorden of FOP een erfelijke afwijking is, ging men op zoek naar gezinnen waarin één of twee ouders en één of meer kinderen de ziekte had of hadden. Waardoor zou FOP toch een erfelijke afwijking kunnen zijn, terwijl de ouders geen FOP hadden? Geef een verklaring.

■ k Zoek informatie om te kunnen verklaren waarom dat erfelijke onderzoek om het gen (het stuk DNA) te achterhalen dat FOP veroorzaakt, alleen succesvol kan zijn in families waarbij de afwijking frequent voorkomt.

▶ l In botten van mensen was het eiwit BMP (*bone morphogenetic protein*) ontdekt. Dit eiwit zet aan tot botvorming. In de video wordt vervolgens verteld over het opzoeken van gegevens in een databank. Wat zou bijvoorbeeld in de databank kunnen zijn gevonden?

UITVOERING

m Een ander eiwit dat bekend was bij onderzoekers die de botvorming bij muizen onderzoeken, heet *noggin*. Dit eiwit remt de botvorming. In dit onderzoek wordt gebruikgemaakt van zogenaamde knock-out-muizen. Wat wordt met deze term bedoeld?
n Zoek informatie en omschrijf op welke wijze knock-out-muizen kunnen worden verkregen.
o Wat was het effect op de BMP-concentratie bij een 'knock-out' van noggin?
p Waarom kun je geen weefselmonsters nemen bij FOP-patiënten?
q Noem een andere naam voor weefselmonsters.
r Wat bleek bij het weefselonderzoek van een FOP-patiënt?
s Waarom is nu de oorzaak van het ontstaan van botvorming bij verwonding een stuk duidelijker?
t In het laatste deel van de video wordt aandacht besteed aan de haai. Wat is de reden daarvoor?

■ u Zoek zo nodig informatie over het skelet van haaien. Je kunt die bijvoorbeeld vinden op de volgende sites.
http://www.newscientist.com/ns/981017/nbone.html
http://oregonlive.advance.net/news/99/08/st081814.html
http://www.med.upenn.edu/ortho/fop/research.htm

OPDRACHT 21
ONTWERPEN ►
1 SLU

ERGONOMIE: DE MENS ALS MAAT

a Lees het onderstaande artikel.

De twintigste eeuw was het tijdperk van de massa (en dat gaat in de eenentwintigste gewoon door). Massaproductie, massaconsumptie, massacommunicatie, massamedia, massacultuur. De massa als maat. Echter, de massa is bij nader inzien niet zo uniform als men wel dacht. Geen mens blijkt hetzelfde te zijn. Ieder voor zich is een uniek wezen. Met ons eigen lichaam, onze eigen kennis en ervaring, onze vaardigheden en beperkingen en – niet te vergeten – onze eigenaardigheden. Dit is ook het tijdperk van de techniek. Techniek is niet weg te denken uit ons dagelijks leven. Steeds ingenieuzere apparaten en machines omgeven ons, zowel thuis als op het werk. De afstand tussen woning en werk overbruggen we dankzij de fiets, de auto of het openbaar vervoer.
De techniek die ingezet is om met en voor de massa te produceren, kan ook aangewend worden om te voldoen aan de individuele mogelijkheden en behoeften. Techniek op menselijke maat. Techniek die mensen, verschillend als zij zijn, in staat stelt hun dagelijks leven vorm te geven. Op het werk, door aanpassing van de werkplek en de werkzaamheden. Verstelbare bureaustoelen staan bijna overal, verstelbare tafels en instelbare apparaten zie je steeds meer. Ook de hoogte van het beeldscherm en de zithouding kan men aanpassen aan de aard van het werk en de persoonlijke voorkeur. Geestdodend werk wordt geautomatiseerd of afgewisseld met andere werkzaamheden.

Figuur 6.9 Onderzoek naar de beste houding bij het werk. Door plakkertjes op het lichaam kan de houding duidelijk geregistreerd worden.

De wetenschap die onderzoekt hoe producten, machines, werk- en woonomgeving aan de menselijke maat kunnen worden aangepast en daartoe oplossingen aandraagt, is de ergonomie.
Heel veel technisch vernuft wordt gebruikt om auto's veiliger en comfortabeler te maken. Arbeidsomstandig-

heden worden door de overheid wettelijk geregeld. Werknemers moeten veilig, efficiënt en plezierig kunnen werken. Thuis verandert er ook heel wat. Huishoudelijke apparaten die het werk moeten verlichten, zijn er te kust en te keur. Zo zorgvuldig als men fabrieken en kantoren inricht, zo weinig houdt men nog rekening met de woning als werkplek.

(Uit: *Ergonomie, de mens als maat*, cahier uit de serie *Biowetenschappen en Maatschappij*.)

► b De belangrijkste wet op het gebied van de ergonomie is de Arbeidsomstandighedenwet (de 'Arbo-wet'). De ondertitel van de wet luidt: 'Bepalingen in het belang van de veiligheid, de gezondheid en het welzijn in verband met de arbeid'. Ieder bedrijf of andere inrichting waar mensen werken, moet ervoor zorgen dat het werk aan bepaalde eisen voldoet. Daarvoor is een Arbo-commissie en/of een Arbo-coördinator aanwezig, ook op school. Zoek uit wie dat op jouw school is (zijn) en informeer naar de resultaten van zijn/haar/hun werk.

c Een vo-school is voor een ergonoom erg lastig, want de stoelen en tafels voor de leerlingen moeten passend zijn voor leerlingen van 12 tot 18 jaar. Meestal hebben de klassen, anders dan in basisscholen, geen vast lokaal. Voor welke lengte van de leerlingen zijn de stoelen in het biologielokaal het meest geschikt? Zijn ze verstelbaar? Welke lichaamsmaten moet je weten om de maat van de stoel te kunnen vaststellen?

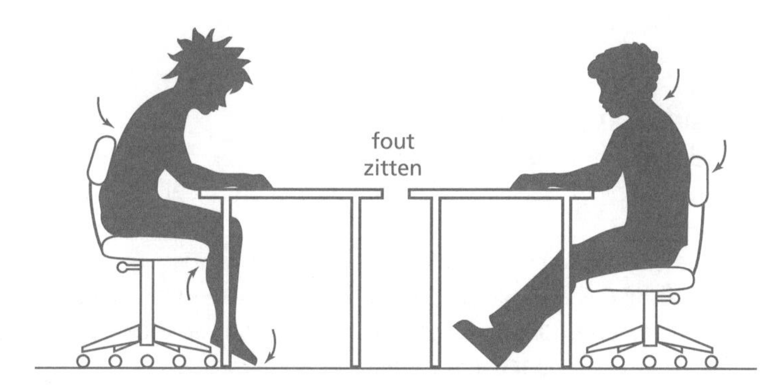

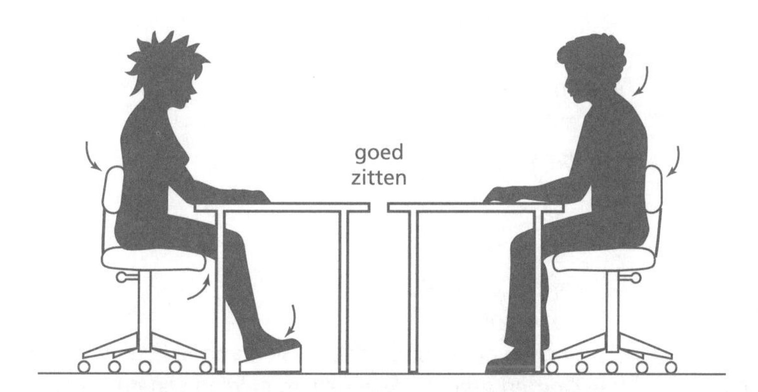

Figuur 6.10 Goed zitten en fout zitten.

d Meet je eigen maten die van belang zijn voor het zitten. Uit de figuur kun je afleiden welke dat zijn.

e Kun je op school goed zitten? Heb je thuis een stoel waarop je goed kunt zitten?

f Neem de maten die van belang zijn voor het zitten, ook op bij vijf grote en vijf kleine leerlingen (liefst brugklassers!). Noteer de 'zit'-maten van de grootste en de kleinste leerling.

g Welke lichaamsdelen groeien juist tussen 12 en 18 jaar erg hard?

h De stoelen op school zijn vermoedelijk wel ergonomisch verantwoord. Maar is dat bij jou thuis ook zo? Volgens de tekst hierboven wordt daar nog nauwelijks naar gekeken. Waarschijnlijk zijn de gezinsleden bij jou thuis niet allemaal even lang. Voor wie is in de keuken de werkhoogte goed?

i Teken een keukenblok (met een kruk om ook zittend dingen te kunnen doen) waar alles op de juiste hoogte is voor jezelf.

■ j Meet eerst bij jezelf (werk met z'n tweeën en meet elkaar op) hoe hoog je moet zitten, hoe hoog een tafel moet zijn om prettig staand te kunnen werken, hoe hoog de hoogste plant moet zijn waar je bij kunt zonder ergens op te moeten klimmen.

▶ k In hoeverre komt jouw 'ideale' keuken overeen met de werkelijkheid? Of misschien niet voor jou, maar wel voor je ouders?

OPDRACHT 22
ONTWERPEN
1 SLU
(ALLEEN VOOR HET ONTWERP)

INSPANNING METEN

▶ a Ontwerp een meetproef met de IP-COACH-apparatuur op school om de effecten van vormen van inspanning te meten (bijvoorbeeld als Praktische Opdracht).

BEOORDELING

OPDRACHT 23
TOETS
3/4 SLU

EINDTERMENTOETS

a Beheers je de eindtermen?
Ga daarvoor de lijst eindtermen na en controleer of je alles wat daarin staat, nu weet.
De eindtermen van dit blok zijn de volgende.

140 Bij de mens de relatie kunnen aangeven tussen zintuigen, zenuwstelsel en spieren/klieren (is ook al in blok 1 van werkboek 1 aan de orde geweest).

141 Kunnen aangeven wat een prikkel is, wat een impuls is en wat de relatie tussen beide is.

142 Kunnen aangeven wanneer een impuls zal ontstaan door gebruik te maken van de begrippen: adequate prikkel, prikkeldrempel en gewenning.

143 Bij jezelf, op afbeeldingen of modellen kunnen aanwijzen waar de zintuigen liggen voor de waarneming van:
- licht
- geluid
- geur
- smaak
- druk
- warmte of koude
- evenwicht

144 De functie van de onderdelen van de ogen kunnen aangeven, waarbij gebruik kan worden gemaakt van een afbeelding van de bouw van de ogen.

145 Kunnen aangeven hoe de ogen werken onder wisselende omstandigheden, voor wat betreft:
- accommodatie
- zien van kleuren en contrasten
- pupilreflex

BEOORDELING

146 Enige afwijkingen van de ogen kunnen beschrijven en uitleggen wat ertegen kan worden gedaan, in het bijzonder in het geval van verziendheid, bijziendheid en staar.

147 Kunnen aangeven dat gezichtsbedrog geen oogafwijking is, maar ontstaat in de hersenen.

148 Kunnen toepassen van verstrekte gegevens over de indeling van het zenuwstelsel op grond van ligging en wijze van werken in beschreven situaties, in het bijzonder in:
- centraal en perifeer zenuwstelsel;
- animaal en autonoom zenuwstelsel;
- ortho- en parasympatisch deel van het autonome zenuwstelsel;
- dubbele innervatie van doelwitorganen.

149 De ligging van de volgende delen van het centrale zenuwstelsel kunnen aangeven en de functie ervan kunnen beschrijven:
- ruggenmerg
- hersenstam
- grote hersenen
- kleine hersenen (zie de opmerking bij 140)

150 Verstrekte informatie over de bouw van centraal en perifeer zenuwstelsel kunnen toepassen in beschreven situaties:
- centraal: onder meer hersencentra, zenuwcellichamen, zenuwceluitlopers, motorische en sensorische zenuwcellen en schakelcellen;
- perifeer: onder meer zenuwceluitlopers van motorische en sensorische zenuwcellen.

151 De functie van een zenuwcel kunnen aangeven, waarbij gebruik kan worden gemaakt van een afbeelding van de bouw, met behulp van de volgende begrippen:
- cellichaam
- uitlopers, met of zonder myelineschede
- impulsgeleiding
- synaps

152 Kunnen uitleggen waardoor de meeste impulsen niet leiden tot bewustwording.

153 De betekenis van reflexen kunnen aangeven en hun functie bij houding, beweging en bescherming kunnen uitleggen.

154 De functie van spieren en de wijze waarop spieren zich samentrekken, kunnen aangeven en de betekenis van spierantagonisten kunnen uitleggen, waarbij gebruik kan worden gemaakt van een afbeelding van de bouw van een spier.

155 Het effect van training op prestaties kunnen beschrijven.

b Ken je de begrippen?

De volgende begrippen horen twee aan twee bij elkaar. Geef aan wat het verband tussen de twee is (bijvoorbeeld: 'ze hebben een tegengestelde werking' of: 'het eerste veroorzaakt het tweede'), waarbij je vervolgens dat verband en beide begrippen nader omschrijft.

1 prikkel – impuls
2 zenuw – spier
3 reuk – smaak
4 gehoor – evenwichtszintuig
5 iris – pupil
6 gele vlek – blinde vlek
7 kegeltjes – staafjes
8 ooglens – verziendheid
9 centrale zenuwstelsel – perifere zenuwstelsel
10 autonome zenuwstelsel – animale zenuwstelsel
11 sensorische zenuwcel – motorische zenuwcel

BEOORDELING

12 hersenzenuw –ruggenmergzenuw
13 hersenstam – grote hersenen
14 sympathisch – parasympathisch zenuwstelsel
15 beenderen – spieren
16 pezen – gewrichten
17 gewrichten – spieren
18 spierbundels – spiervezels
19 synaps – motorisch eindplaatje
20 reactie – reflex

OPDRACHT 24
1/4 SLU

REFLECTIE

a Geef aan welke opdrachten erg verhelderend voor jou waren.
b Geef aan welke opdrachten weinig zinvol waren.
c Schrijf in een paar zinnen op waarom je dit vindt en geef je opmerkingen aan je docent. Aan de hand van dergelijke opmerkingen kan een volgende editie van dit werkboek verbeterd worden.

OPDRACHT 25
TOETS
1/2 SLU

TOETS OVER BEWEGEN EN GEZONDHEID

a Geef van onderstaande zinnen aan of ze juist of onjuist zijn.
1 Hardlopen op vlak terrein kost meer energie dan hardlopen op een helling naar beneden.
2 Melkzuur is het normale afbraakproduct van glucose.
3 Melkzuur ontstaat in de spier bij zuurstoftekort.
4 Tijdens lichamelijke inspanning moet het hart zorgen voor een hogere bloeddruk.
5 Een gezond hart kan alle vormen van lichamelijke inspanning aan.
6 Lichamelijke inspanning is gezond voor een gezond hart.
7 Tijdens lichamelijke inspanning wordt de lichaamstemperatuur hoger dan 37 °C.
8 Goede kleding tijdens het sporten moet warmteafgifte mogelijk maken.
9 Fitheid betekent hetzelfde als gezondheid.
10 Fitheid kun je bevorderen door oefeningen.
11 Door fitnessoefeningen kunnen sporters hun prestaties aanzienlijk verbeteren.
12 Voor elke sport moet een andere vorm van training beoefend worden, fitness heeft hier weinig mee te maken.
13 Tijdens zware lichamelijke inspanning is vet de belangrijkste brandstof, je kunt zo dus goed vermageren.
14 Energierijke dranken kunnen je prestaties sterk verbeteren.
15 De voorraad suiker en glycogeen in het lichaam is van belang voor het volhouden van een inspanning.
16 Om te vermageren, moet je meer bewegen en minder energierijke voeding gebruiken.
17 Bij een kneuzing is weefsel beschadigd.
18 Een ontwrichting is hetzelfde als een verstuiking.
19 De kans op een blessure is groter naarmate men meer sport.
20 Het lopen van een marathon op 80-jarige leeftijd is per definitie onverantwoord.

b Maak de volgende eindexamenopgaven:
- 1995-I: 45
- 1995-II: 44
- 1996-I: 42, 43
- 1996-II: 42, 44 en 45
- 1998-I: 44, 45

ORIËNTATIE EN PLANNING

1 De mens
2 Wat weet je al van ordening en evolutie?
3 Planning maken

UITVOERING

4 Hoofdstuk 16 bestuderen
5 Aanpassingen
6 Deel van het dierenrijk
7 Theorie bestuderen
8 Hoe langzaam gaat de evolutie?
9 Virussen maken je ziek, maar misschien ook beter
10 Maak je eigen fossiel
11 Missing links?
12 Biodiversiteit
13 Stambomen
14 Evolutie gebeurt nog steeds
15 Fossiele 'fingerprints'
16 Paleontologisch onderzoek
17 Kroon van de schepping?
18 Erop uit

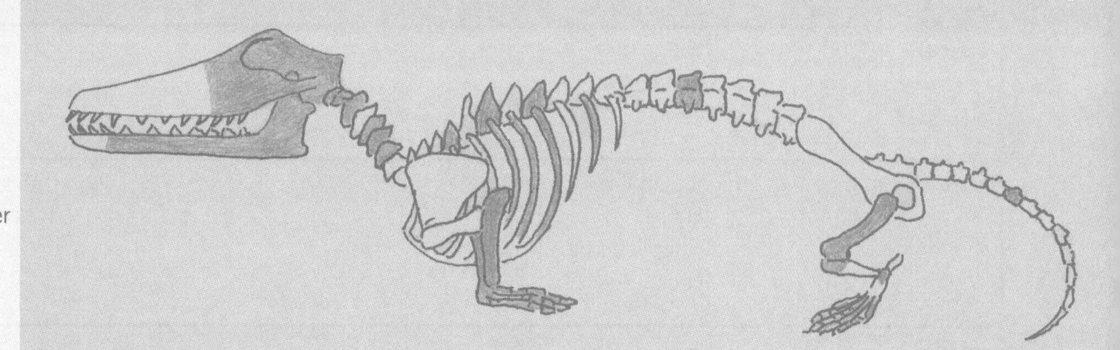

BLOK 7

HET VEELVORMIGE LEVEN

BEOORDELING

19 Zelftoets over ordening
20 Zelftoets over evolutie
21 Eindtermentoets
22 Beoordeling proces en product

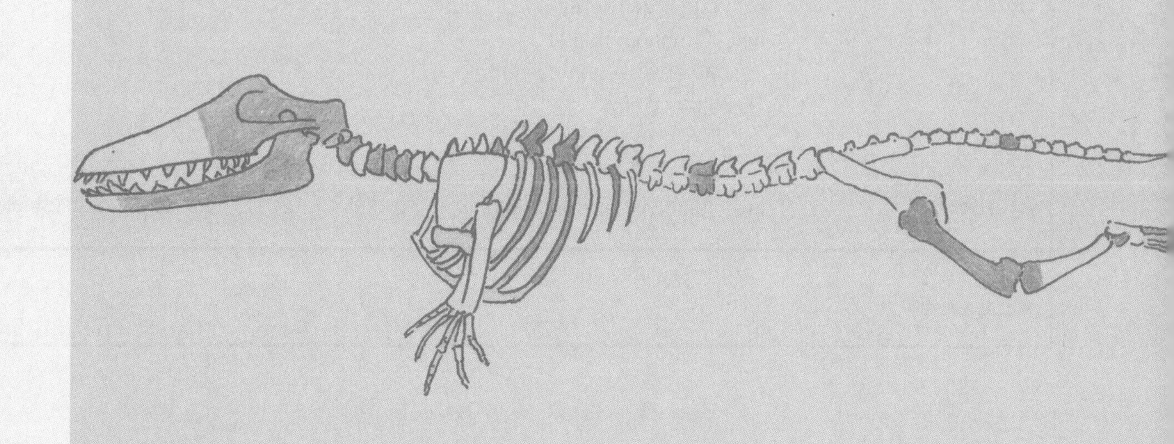

STUDIEWIJZER BLOK 7

TITEL	Het veelvormige leven
BLOKCODE	VeLe
STUDIELAST	18 uur.
BRONNEN	Theorieboek. Handboeken. Internet.
AFSLUITINGSWIJZE	Presentatie. Tijdbalk. Tentoonstelling. Toets.
VERPLICHT	Ja.
BESCHRIJVING	In dit blok maak je kennis met de manier waarop biologen de levende wezens ordenen en met de moderne evolutietheorie.
LEERDOELEN	Na het bestuderen van dit blok: – Kun je het biologische begrip soort definiëren, je weet hoe de soortgrenzen bepaald worden en je kunt aangeven dat ze in de natuur niet altijd scherp zijn. – Weet je hoe een wetenschappelijke soortnaam samengesteld is. – Ken je de belangrijkste kenmerken van de vier rijken: planten, dieren, schimmels en bacteriën. – Weet je wat virussen zijn en waarom ze niet tot deze rijken gerekend worden. – Kun je aan de hand van de begrippen mutatie, natuurlijke selectie en isolatie uitleggen hoe het evolutieproces verloopt. – Kun je uitleggen wat fossielen zijn en wat ze ons kunnen vertellen over de geschiedenis van het leven op aarde.
VAARDIGHEDEN	Artikelen lezen, begrijpen en interpreteren. Informatie verzamelen met onder andere ICT. Tentoonstelling inrichten. Poster maken. Discussiëren. Excursie organiseren en/of leiden. Een stamboom maken. Inzicht verwerven in paleontologisch onderzoek. Tijdbalk maken. Zelf fossielen maken.
VOORKENNIS	Er is geen speciale voorkennis noodzakelijk, afgezien van de algemene biologie.
RELATIE MET ANDERE VAKKEN	Aardrijkskunde, geologie en ANW.

ORIËNTATIE

INLEIDING

Je hebt vast wel eens rondgekeken in een natuurgebied of een dierentuin en zeker in een bloemenwinkel of tuincentrum. Dan heb je je daar misschien verwonderd over de vele verschillende vormen en soorten en je afgevraagd hoe de mensen die daar werken, dat allemaal uit elkaar kunnen houden. Allerlei vogels, schelpen of bloemen met vaak heel verschillende namen, maar soms lijken ze ondanks dat erg veel op elkaar. Waarom dan die verschillen? In dit blok ga je kennismaken met de manier waarop biologen proberen om het 'Systeem van de Natuur' (term van Linnaeus) te begrijpen en ga je onderzoeken hoe die grote verscheidenheid zich in de loop van de geschiedenis van de aarde heeft ontwikkeld.

OPDRACHT 1
3/4 SLU

DE MENS

► a Lees onderstaand artikel aandachtig.

De mens

Met de gedachte dat de mens een aap is, zijn we langzamerhand verzoend. Leuk is het niet, maar het vergoelijkt veel van ons gedrag. Bovendien kunnen we ons troosten met de gedachte, dat we in ieder geval de hoogst ontwikkelde aap zijn. Maar onze leidende positie in het dierenrijk kalft steeds verder af.

Nog geen eeuw geleden stond de mens in elke dierenencyclopedie op bladzijde 1. Daarop volgde pas de dierenstoet van apen via vogels naar kikkers tot aan de wormen en de pantoffeldiertjes. Later werd de volgorde om boekhoudkundige redenen omgedraaid en werkte men van het nederigste schepsel geleidelijk omhoog tot aan de kroon der schepping, u en ik dus. In een moderne dierenencyclopedie zult u de mens ook achterin niet meer aantreffen. Tegenwoordig staat hij ergens halverwege het hoofdstuk van de zoogdieren. Na het vogelbekdier, de kangoeroe, de egel en de gibbon, maar nog vóór primitieve rariteiten zoals schubdieren en miereneters en ver voor de varkens, de koe en zelfs het Guinese biggetje. Ook de hond is zijn baas ver vooruit gestreefd.

Dat is geen wonder. Er is vrijwel geen eigenschap of de mens moet elders in het dierenrijk zijn meerdere erkennen. In kracht leggen we het tegen de eerste de beste herkauwer af, ons uithoudingsvermogen haalt het niet bij dat van het paard en vergeleken bij die van de aap lijken onze tenen geamputeerd. Zelfs onze voortreffelijke ogen worden overtroffen door de eerste de beste arendsblik. Op de olympische spelen van de natuur slaan we een modderfiguur.

Het enige waarmee we onze gezicht kunnen redden, is uiteraard ons brein. Dat is pas een knap stukje werk. Daar zijn we trots op. En terecht, want onze hersenen stempelen ons tot mens. Ga maar na. Een mens zonder benen of armen is en blijft een mens. Ook over de identiteit van een mens met nieren van een aap zal niemand twisten. En als ooit een geleerde erin slaagt zijn hersenen in te bouwen in een olifant met een papegaaienstaart en vijf koeienogen zal niemand eraan twijfelen met een mens, zij het een stapelgek exemplaar, van doen te hebben. Hersenen maken de mens.

In theorie zou je de ideale mens kunnen samenstellen uit mensenhersenen, een kattenlijf, arendsvleugels, een hondenneus en enkele zintuigsnufjes zoals boktor-voelsprieten, uilen-ogen en het warmtezintuig van een ratelslang. In de praktijk zou het echter bijzonder hinderlijk zijn om met dat lijf steeds weer op krolse poezen te vallen, terwijl het hoofd van Pamela Anderson droomt. Beter is het daarom wellicht, geheel van een lijf af te zien. Dat voorkomt ook tijdrovende zaken zoals wassen, eten, plassen en tandenpoetsen. Bovendien vallen in één klap alle zorgen over ziekten en kwaaltjes weg. Trimmen hoeft ook niet meer. Helaas echter kunnen losse hersenen niet in leven blijven. Er moet worden gezorgd voor bloedtoevoer en een soort helm zal mechanische bescherming moeten garanderen. Speciale camera's zullen boeken moeten lezen om het brein bezig te houden. Grijpers slaan de bladzijden om. Maar wie haalt die boeken uit de bibliotheek? En wat gebeurt er als de stroom uitvalt? Een batterij computers moet al deze probleempjes in de toekomst op kunnen lossen. Zo zal dan eindelijk de ideale mens met het ideale lichaam worden ontworpen. Wees echter niet verbaasd als het ontwerp verrassend veel op u en mij zal lijken. Want heus, onze hersenen zijn in goede handen bij de apen.

(Uit: Midas Dekkers, *De Beste Beesten 2.*)

b Schrijf in niet meer dan vijftig woorden op wat de 'boodschap' van deze tekst is. Doe dit in overleg met een medeleerling. Doe de rest van deze opdracht ook met z'n tweeën.

c Er worden wat dieren genoemd, die in bepaalde opzichten superieur zijn aan de mens. Maak een lijst van de genoemde soorten en schrijf erachter waarom deze dieren een aantal dingen ook beter moéten kunnen, willen ze in de natuur overleven.

d Welke dingen zou de 'ideale mens' uit de voorlaatste alinea beter kunnen dan wij, gewone mensen?

■ e Zoek op (bijvoorbeeld in een encyclopedie of dierenboek) wat je je bij boktor-voelsprieten en het warmtezintuig van de ratelslang moet voorstellen.

► f In nog oudere boeken dan de oude dierenencyclopedie die Dekkers noemt, stond de mens helemaal niet genoemd bij de dieren. Mensen werden gezien als een aparte categorie. Noem vier argumenten waarom je de mens tot de zoogdieren moet rekenen.

g Zijn wij inderdaad 'apen met hersenen'? Zoek dat eens uit door de mens met de aap te vergelijken.

■ h Maak een lijst met verschillen en een lijst met overeenkomsten tussen mens en chimpansee. Welke lijst is het langste? Welke conclusie kun je trekken?

► i Waarom zegt Dekkers dat we 'langzamerhand verzoend zijn' (regel 1)? Hoe dachten de mensen hier vroeger dan over?

j Wanneer ongeveer en door wie is voor het eerst gesuggereerd dat we inderdaad van apen afstammen?

OPDRACHT 2
3/4 SLU

WAT WEET JE AL VAN ORDENING EN EVOLUTIE?

► a Beantwoord onderstaande vragen en noteer welke je nu niet kunt beantwoorden. Als je klaar bent met dit blok moet je deze vragen in elk geval wel kunnen beantwoorden!

1 Wat bedoelen we binnen de biologie met een 'soort'?
2 Wat is juist? (Dit is géén meerkeuzevraag, er kunnen dus meerdere regels goed zijn!)
  - Een soort is opgebouwd uit populaties.
  - Een populatie bestaat uit één soort.
  - Soms is een populatie opgebouwd uit een soort en soms niet.
  - Soms is een soort opgebouwd uit één populatie en soms uit meerdere.
3 Wat is het nut van de wetenschappelijke (Latijnse) namen van planten en dieren?
4 Waarom bestaat elke Latijnse naam uit minimaal twee delen?
5 Welke van die twee namen is de eigenlijke soortnaam?
6 Noem de belangrijkste vier kenmerken van de bacteriën.
7 Noem de belangrijkste vier kenmerken van de schimmels.
8 Noem de belangrijkste vier kenmerken van de dieren.
9 Noem de belangrijkste vier kenmerken van de planten.
10 Noem de belangrijkste kenmerken van de virussen.
11 Wat verstaan we onder een mutatie?
12 Waarom is het goed dat de individuen van één soort niet allemaal precies hetzelfde zijn?
13 Wat is het biologische voordeel van geslachtelijke voortplanting vergeleken bij ongeslachtelijke voortplanting (klonen)?
14 Hoe komt het dat er in een bos heel andere organismen voorkomen dan in een woestijn?
15 Hoe zou het komen dat dolfijnen, die zoogdieren zijn, een lichaamsvorm hebben die veel lijkt op die van haaien (die vissen zijn)?

16 Hoe komt het dat woestijnplanten, die helemaal geen familie van elkaar zijn, toch vaak op elkaar lijken (er bijvoorbeeld cactusachtig uitzien)?
17 Wat is een fossiel?
18 Hoe groot schat je de kans dat een dood dier fossiel wordt?
19 Onder welke omstandigheden kunnen dode planten en dieren fossiliseren?
20 Welke oorzaken voor het uitsterven van soorten dieren en planten ken je?

b Neem je ANW-boek (van vorig jaar) erbij en noteer welke aspecten van de evolutie je daar al geleerd hebt.

■ c Zet hoofdstuktitels, paragraaftitels en tussenkopjes in een schema, om je kennis weer te actualiseren. Maak er eventueel een woordenweb van (zie vaardigheid 3 achter in werkboek 1).

► d In de ANW-methode *Synthese* wordt uitgebreid aandacht besteed aan evolutie en aan de manier waarop kennis daarover verkregen is. Als je over dat boek beschikt, kijk dan eens naar hoofdstuk 2 'Het verhaal van de fossielen' en hoofdstuk 3 'De reis van Darwin', terwijl in hoofdstuk 1 'Speurtocht in de ruimte' de evolutie van het (levenloze) heelal aan de orde komt. Of het heelal inderdaad 'levenloos' is, weten we niet meer zo zeker, lees daarover bijvoorbeeld *Synaps* VWO deel 2, hoofdstuk 15.

PLANNING

OPDRACHT 3
1/2 SLU

PLANNING MAKEN

Het gewone plannen van een blok heb je inmiddels al vaak gedaan, dat gaat nu zonder problemen. Maar dit is het laatste blok en dat is een goede reden om – naast de gewone opdrachten – nog iets speciaals te ondernemen. Het onderwerp leent zich goed voor een afsluitende activiteit, waarin je ook andere aspecten van de biologie kunt betrekken. Denk aan een excursie naar een natuurhistorisch museum. In veel steden is er wel één te vinden, waar onder andere fossielen die in de streek zijn gevonden, bekeken kunnen worden. Naturalis in Leiden is op dat gebied natuurlijk de beste keuze, als je een beetje in de buurt woont. Daar hebben ze een wereldberoemde verzameling. Maar ook in kleinere musea is vaak veel moois te vinden. Zorg er wel voor dat het bezoek aan het museum interessant genoeg is. Vraag de educatieve dienst van het museum of ze een rondleiding of lesbrief hebben met het thema evolutie of ontwerp zelf een speurtocht, maak een reeks opdrachten of vraag je docent of zij/hij iets heeft. Zie ook opdracht 18.
Je kunt ook denken aan een bezoek aan een botanische tuin, een heemtuin of een tuincentrum, waar je eens goed kijkt naar de aanpassingen die je bij planten kunt vinden: aan klimaat, aan droogte of juist aan een natte omgeving, aan gebrek aan stikstof in de bodem enzovoort (zie ook opdracht 5). Ook hiervan kun je een leuke afsluitende activiteit maken.
Of verdeel de grote geologische perioden (zoals Cambrium, Carboon en Krijt) uit de geschiedenis van het leven over de klas. Maak met elke groep (3 of 4 leerlingen) een poster met afbeeldingen van dieren en planten die leefden in elke periode.

► a Maak nu een planning voor dit blok.

PLANNING

opdracht	titel	omschrijving	studielast in uren
1	De mens	Je leest een artikel over de mens als soort.	3/4
2	Wat weet je al van ordening en evolutie?	Je beantwoordt twintig vragen over deze onderwerpen en slaat vorige ANW-boeken erop na..	3/4
3	Planning maken	Je maakt een planning voor dit laatste blok en bedenkt een geschikte afsluitende activiteit.	1/2
Basisopdrachten			
Cluster 1 Ordening			
4	Hoofdstuk 16 bestuderen	Je bestudeert de leerstof over ordening.	1 1/2
5	Aanpassingen	Je richt een tentoonstelling in over aanpassingen bij planten en dieren.	2
6	Deel van het dierenrijk	Je maakt een poster over een groep verwante dieren.	1 1/2
Cluster 2 Evolutie			
7	Theorie bestuderen	Je bestudeert de leerstof over evolutie.	1 1/2
8	Hoe langzaam gaat de evolutie?	Je maakt een tijdbalk van de geschiedenis van de aarde met de belangrijkste evolutionaire gebeurtenissen.	1 1/2
9	Virussen maken je ziek, maar misschien ook beter	Je verdiept je in het belang van virussen voor de mens.	3/4
Keuzeopdrachten			
Cluster 3 Fossielen			
10	Maak je eigen fossiel	Je bootst de fossilisatie van een blad na.	1
11	Missing links?	Je maakt een ontwikkelingsreeks van waterzoogdieren.	1
Cluster 4 Diversiteit			
12	Biodiversiteit	Je maakt kennis met een onderzoeksmethode naar de biodiversiteit.	1/2
13	Stambomen	Je doet een modelonderzoek: een stamboomonderzoek aan de hand van een groep fantasiediertjes: de Camincula.	1
14	Evolutie gebeurt nog steeds	Je leest over de snavels van Galapagos-vinken.	1/2
Cluster 5 Evolutie van de mens			
15	Fossiele 'fingerprints'	Je krijgt inzicht in de menselijke geschiedenis.	1/2
16	Paleontologisch onderzoek	Je krijgt inzicht in hoe paleontologen naar de oorsprong van de mens op zoek zijn.	1
17	Kroon van de schepping?	Discussie over: leidt het onderzoek naar de verschillen tussen mensen tot racisme?	2
Cluster 6 Afsluitende activiteit			
18	Erop uit	Je organiseert een excursie.	4
Beoordelingsopdrachten			
19	Zelftoets over ordening		3/4
20	Zelftoets over evolutie		3/4
21	Eindtermentoets		3/4
22	Beoordeling proces en product	Een terugblik.	1/4

Tabel 7.1 Overzicht van de opdrachten van dit blok.

UITVOERING

BASISOPDRACHTEN

CLUSTER 1 ORDENING

OPDRACHT 4
THEORIE ►
1 1/2 SLU

HOOFDSTUK 16 BESTUDEREN

a Hoofdstuk 16 van het theorieboek heeft geen samenvatting. Maak die dus zelf. Voeg meteen de belangrijke begrippen toe aan je begrippenlijst.

b Maak een lijst van de soorten dieren die in het artikel van Midas Dekkers worden genoemd en schrijf achter elke soort tot welke klasse, orde en familie deze behoort. Zoek ook de wetenschappelijke naam op.

c Bestudeer hoofdstuk 16. Hieronder staan vragen die slaan op de leerstof. Je kunt dit hoofdstuk aan de hand van deze vragen leren of ze gebruiken om achteraf te testen of je het kent (kijk ook eens naar de eindtermentoets achter in dit blok).

1 Wat is de definitie van 'soort' in de biologie? En wat is een populatie?
2 Hoe kun je vaststellen of twee populaties tot dezelfde soort behoren?
3 Wat betekent het als twee soorten vogels dezelfde eerste Latijnse naam hebben?
4 En wat als de tweede naam hetzelfde is?
5 Hier volgen drie tweetallen. Geef van elk aan of het een voorbeeld is van homologe of van analoge organen.
   A De vleugels van een vogel en van een vleermuis.
   B De vleugels van een vogel en van een vlinder.
   C De vinnen van een dolfijn en van een vis.
6 Noem twee verschillen tussen planten en schimmels.
7 Noem twee verschillen tussen planten en dieren.
8 Noem twee kenmerken van bacteriën, waarin ze verschillen van alle andere levensvormen.
9 Noem twee verschillen tussen bacteriën en virussen.
10 Leg uit waarom virussen niet worden ingedeeld in de vier rijken van levende wezens.

OPDRACHT 5
TENTOON-
STELLING ►
2 SLU

AANPASSINGEN

a Schrijf (nog eens) op wat de termen homoloog, divergentie, analoog en convergentie betekenen en bekijk daarbij de figuren 16.4, 16.5 en 16.6 uit het theorieboek.

b In het theorieboek staan alleen voorbeelden van convergentie en divergentie bij dieren, maar ook in het plantenrijk komen deze verschijnselen voor: planten zijn ook aangepast aan een omgeving en een levenswijze. Zoek drie voorbeelden van divergentie en drie van convergentie in het plantenrijk.

c Zoek planten of afbeeldingen van planten, waaraan de beide begrippen (con- en divergentie) duidelijk te herkennen zijn. Het leukst is het, wanneer de hele klas (groep) dit in groepen verdeeld gaat doen. Daar moet je dus afspraken met elkaar over maken.

d Maak foto's of tekeningen en beschrijf daarbij de aanpassing van de plant of het orgaan/onderdeel daarvan.

■ e Ga naar een botanische tuin of een tuincentrum (als je school niet beschikt over een schooltuin, waar je uiteenlopende soorten kunt vinden) en kijk bij moerasplanten, schaduwplanten, woestijnplanten enzovoort.

UITVOERING

● f Dit kun je goed uitwerken als thema voor een bezoek aan een tuin of tuincentrum, zoals genoemd bij de planningsopdracht (= opdracht 3). Elke groep kan zich concentreren op (convergente) aanpassingen, bijvoorbeeld aan droogte. Denk aan cactussen en vetplanten. Jullie kunnen je ook concentreren op (divergente) varianten zoals de vele verschillende orchideeën en begonia's.

► g Maak een tentoonstelling, die des te interessanter wordt als je in groepen gewerkt hebt en de verschillende aanpassingen over de klas hebt verdeeld.

OPDRACHT 6
POSTER
1 1/2 SLU

DEEL VAN HET DIERENRIJK

'Oude' scholen hebben vaak nog een verzameling opgezette dieren en wandplaten. Als er heel weinig materiaal in de school is, moet je naar een alternatief uitkijken: foto's, (oude) dia's, video, internet (er zijn prachtige beeld-cd's), natuurmusea, dierentuinen enzovoort.

► a Kies met een groep (2 tot 4 leerlingen) een onderdeel (klasse, orde of familie) van het dierenrijk en verzamel daarover informatie. Maak hier ook weer afspraken over zodat elke groep van de klas een ander onderdeel kiest.

b Elke groep leerlingen ontfermt zich over zijn deel van het dierenrijk, bijvoorbeeld een familie, en maakt daarover een poster of richt een tafel in met de opgezette dieren, waarbij je een toelichting schrijft.

■ c Kies bijvoorbeeld de vogels en onderzoek roofvogels, zangvogels, eendachtigen enzovoort.

► d Betrek hierbij ook de evolutie en ga op zoek naar de afstamming van deze groep. Zoek ook (afbeeldingen van) fossielen.

CLUSTER 2 EVOLUTIE

OPDRACHT 7
THEORIE
1 1/2 SLU

THEORIE BESTUDEREN

► a Bestudeer paragraaf 15.7 en beantwoord/maak hierbij de volgende vragen/opdrachten.

1 De begrippen waar het hier om draait, zijn: mutatie, natuurlijke selectie en isolatie. Geef van elk van deze begrippen een definitie. Vergeet niet ze in je begrippenlijst te zetten! Welke andere begrippen in deze paragraaf zijn nieuw voor je? Ook in die lijst zetten!

2 Beschrijf met gebruikmaking van deze drie begrippen nu de gang van zaken tijdens het ontstaan van een nieuwe soort.

3 Bij de berkenspanners in Engeland was nog geen nieuwe soort ontstaan, bij de vinken op de Galapagoseilanden wel. Verklaar dit verschil. (Zie hierover ook opdracht 14.)

4 Onderzoekers zijn steeds doorgegaan met het vaststellen van de verhouding donkere/lichte exemplaren van de berkenspanner. Nu, honderd jaar later, is het percentage donkere berkenspanners weer veel lager dan in 1900. Geef hier een verklaring voor.

5 Het visdiefje en de noordse stens (zie figuur 15.32 en 16.1) zijn twee soorten die veel op elkaar lijken. Waarom worden ze toch beschouwd als twee soorten? (Zoek beide soorten op in een vogelboek – of liever een paar verschillende vogelboeken – en bestudeer de beschrijvingen.)

6 Darwin wist nog niets van genen en van mutaties, in zijn tijd was de wetenschap nog niet zover. Met onze huidige kennis van DNA, genen en mutaties kunnen we veel bevestigen van wat Darwin zich voorstelde. Vandaar dat we de moderne evolutietheorie wel aanduiden als neodarwinisme. Darwin had ontdekt hoe mensen door eeuwenlang bij hun huisdieren bepaalde typen uit te zoeken (selectie) en daarmee te fokken, de verschillende rassen van honden, duiven, koeien

enzovoort hadden verkregen. Hij concludeerde dat hetzelfde ook gebeurt in en door de natuur. Toch vormen de uiteenlopende hondenrassen nog geen verschillende soorten. Hoe kun je dat constateren? En hoe kun je dat verklaren?

OPDRACHT 8
1 1/2 SLU

HOE LANGZAAM GAAT DE EVOLUTIE?

Wij kunnen ons de evolutie nauwelijks voorstellen, omdat het erg moeilijk is je een voorstelling te maken van een periode langer dan een mensenleven.

► a Bereken eens hoeveel generaties van je eigen voorouders er hebben geleefd sinds het jaar 1000.

■ b Je kunt om te beginnen tellen hoeveel generaties er in de vorige eeuw (= 1901 tot 2000) waren (en nog zijn).

► c Een middel om je beter te kunnen indenken hoe langzaam evolutieprocessen gaan, is het omzetten van de werkelijke tijden in een veel kleinere schaal. We nemen bijvoorbeeld de hond. De hond is al meer dan 12.000 jaar huisdier bij de mensen. Al die tijd hebben mensen bepaalde typen honden uitgekozen en ermee gefokt. Zo zijn de grote verschillen tussen de hondenrassen ontstaan.
Als je de tijd die nodig was om al die verschillen tussen de hondenrassen te krijgen, vergelijkt met één week, dan is een periode van een miljoen jaar grofweg te vergelijken met 2 jaar. (Bij deze berekening kijken we niet op een jaartje of 10.000!) In die vergelijking leefden de eerste primitieve mensen 4 jaar geleden en viel de bloei van de dinosauriërs tussen 200 en 400 jaar geleden. Voer de vergelijking zelf eens uit.

■ d Neem dus 12.000 jaar = 1 week.

► e Zelfs dan kom je uit op tijdsafstanden die je je niet echt kunt voorstellen, dus we moeten het op een nog kleinere schaal doen. Werk dit uit op de volgende manier. Vergelijk de ouderdom van de aarde met 45 jaar, door 100 miljoen jaar voor te stellen als één jaar.
(Je grootouders – en misschien ook je ouders – kunnen je vertellen hoe het dagelijks leven in de laatste 45 jaar veranderd is, dat is een periode die voor mensen goed te overzien is.)

f Maak een tijdbalk op een schaal die groot genoeg is om alles duidelijk in te vullen, dus teken hem bijvoorbeeld over de lengte van een gang in school of langs de wanden van het biologielokaal. Je moet natuurlijk met elkaar de werkzaamheden afspreken en het werk verdelen.

■ g De tijdschaal is: één jaar = 100.000.000 jaar. Afhankelijk van de mogelijke lengte van je tijdbalk maak je de lengteschaal: 10 jaar = 1 meter. Dan heb je aan 4,5 m genoeg, maar het wordt wel een gekriebel aan het eind. Neem dus liever 10 jaar = 10 meter, als je ergens in de school een lengte van 45 meter kunt gebruiken.

h De aarde ontstond ongeveer 4500.000.000 (dus 4,5 miljard) jaar geleden, in dit schema 45 jaar geleden. De tijdbalk is dus 45 jaar 'lang'.

► i Tussen 4,0 en 3,8 miljard jaar geleden ontstond het eerste leven: eerst bacteriën en lange tijd alleen eencelligen. Vul deze en de volgende twee punten in op je tijdbalk.
- Rond 600 miljoen jaar geleden kropen de eerste meercellige dieren over de zeeboden of ze zwommen daarboven. Meercellige algen waren er al eerder (het is niet precies bekend wanneer die ontstonden), maar echte planten zoals wij die kennen, kwamen pas later.
- 350 miljoen jaar geleden (in het Carboon) was een groot deel van het land bedekt met de enorme wouden van varens en paardenstaarten, waar we nu nog de steenkool van gebruiken.

j Vul je tijdbalk verder in, aan de hand van de volgende gegevens.
- 250 miljoen jaar geleden vond er een reusachtige vulkaanuitbarsting plaats (in het huidige Siberië) waardoor wereldwijd 95 % van alle toenmalige levensvormen uitstierf. Daarna kwamen de dinosauriërs tot bloei.

- 65 miljoen jaar geleden (in onze tijdschaal dus 8 maanden!) kwam er een grote meteoriet (doorsnee 10 km) neer aan de noordoostzijde van Mexico (het huidige Yucatan) waardoor meer dan 50 % van de levensvormen en alle grotere dieren (waaronder alle dinosauriërs) uitstierven. Daarna kwamen vooral de zoogdieren en de vogels tot bloei
- Tussen 8 en 6 miljoen jaar geleden ontstond een splitsing tussen de voorouders van de chimpansees en onze voorouders.
- 2 miljoen jaar geleden leefden de eerste mensensoorten.
- Tussen 2 miljoen jaar geleden en 10.000 jaar geleden waren er ijstijden (zoek op hoeveel en wanneer).
- Tussen 200.000 en 100.000 jaar geleden ontstond de mensensoort (Homo sapiens) waartoe wij behoren.
- Rond 10.000 jaar geleden was de hond allang en overal ter wereld huisdier en begon de eerste landbouw.
- Rond 7000 jaar geleden ontwikkelden de mensen voor het eerst steden en werd het eerste schrift (spijkerschrift) uitgevonden.

k Zoek nog veel meer gegevens om op je tijdschaal in te vullen.

■ l Gebruik de overzichten in *Binas* en *Biodata*.

► m Vermoedelijk hangt op jouw school in het biologielokaal de grote wandplaat met een overzicht van de geschiedenis van het leven op aarde. Als die er niet hangt, is hij misschien toch wel aanwezig. Vraag ernaar. Vergelijk je tijdbalk met de verdeling op die plaat.

n Welke schaal is er voor de wandplaat aangehouden? Is die schaal voor alle geologische perioden gelijk?

o Je kunt deze plaat ook gebruiken om te zien wanneer welke grote groepen planten en dieren voorkwamen of ontstonden.

■ p Zoek op wanneer de verschillende groepen planten (mossen, varens en zaadplanten) ontstonden en wanneer er voor het eerst vissen in de zeeën zwommen.

OPDRACHT 9
THEORIE
3/4 SLU

VIRUSSEN MAKEN JE ZIEK, MAAR MISSCHIEN OOK BETER

► a Lees paragraaf 16.5 in het theorieboek nog eens door.

b Schrijf daarna een definitie op van een virus en zet die ook in je begrippenlijst, als je dat niet eerder hebt gedaan.

c Nadat de virussen (tussen 1880 en 1910) ontdekt waren, kwamen onderzoekers op de gedachte dat die virussen misschien wel de eenvoudigste en dus de oudste vormen van leven waren. Maar toen bleek dat virussen uitsluitend in levende cellen vermeerderd kunnen worden, was dat idee snel achterhaald. Schrijf drie kenmerken op van virussen die eenvoudiger, 'primitiever' zijn dan bij bacteriën.

d Waarom kunnen virussen niet de alleroudste levensvormen zijn geweest?

e Nu denken biologen dat virussen ontstaan zijn uit stukken DNA die soms spontaan overspringen, zoals de plasmiden bij bacteriën. Kijk nog eens na wat plasmiden zijn in paragraaf 17.2.3 van je theorieboek.

f Virussen zijn altijd parasitair. Ze kunnen, vaak ernstige, ziekten veroorzaken doordat ze de gastheercel vernietigen, waarin ze zich laten vermeerderen. Schrijf vijf ziekten op die door virussen worden veroorzaakt.

■ g Zoek in een medische encyclopedie als je het zo niet weet.

► h In de biotechnologie kunnen virussen gebruikt worden om stukken DNA in cellen binnen te 'smokkelen', bijvoorbeeld om een beschadigd gen te repareren of kanker te behandelen (zie paragraaf 17.7.5). Zoek meer informatie over de toepassing van virussen in de biotechnologie en maak een overzicht over de toepassingen die al bestaan of waarmee geëxperimenteerd wordt. Dit onderzoek is in volle ontwikkeling, gebruik daarom alleen recent materiaal en geen boeken van 10 jaar geleden. Voor zulke onderwerpen is het internet geknipt!

UITVOERING

■ i Wellicht kun je hierbij eerdere werkzaamheden uit blok 4 gebruiken!

▶ j Ook bacteriën kunnen ziek worden of doodgaan door bepaalde soorten virussen, die we daarom bacteriofagen (= bacterie-eters) noemen. Bedenk eens waarvoor deze virussen in de toekomst ook nog gebruikt zouden kunnen worden.

■ k Denk aan het gegeven dat bacteriën niet alleen mensen ziek kunnen maken, maar ook planten en dieren, terwijl bacteriën ook rotting en bederf kunnen veroorzaken.

KEUZEOPDRACHTEN

CLUSTER 3

FOSSIELEN

OPDRACHT 10
PRACTICUM
1 SLU

MAAK JE EIGEN FOSSIEL

Gedurende verreweg het grootste deel van de aardhistorie waren er alleen eencelligen, dat heb je bij opdracht 8 gezien. In gesteenten ouder dan 600 miljoen jaar zitten dus alleen maar microscopisch kleine fossielen. Naarmate de techniek beter wordt, worden er ook oudere fossielen ontdekt. Met behulp van huidige, zeer verfijnde microscopietechnieken heeft men kunnen aantonen, dat er in rotsen die 3,8 miljard jaar geleden zijn ontstaan, fossielen van bacteriën zitten. Zo oud is het leven op aarde dus al.
Hoe kan een eencellige of een zacht dier als een kwal of een boomblad eigenlijk fossiliseren (= een fossiel worden)?
Je gaat dit onderzoeken door zelf 'fossielen' te maken.
In versteende klei zitten vaak prachtige fossielen van bladeren (bijvoorbeeld uit het Carboon in de gesteenten tussen de steenkool. Op de stortbergen bij steenkoolmijnen, zoals in Zuid-Limburg, kun je mooie exemplaren vinden). Die bladeren zijn in het fijne kleislib terechtgekomen en door directe afsluiting van de lucht niet vergaan. Diep in de grond zijn die lagen door hoge druk en hoge temperatuur versteend, inclusief de afdrukken.
Dit proces kun je nabootsen.

Materiaal
- Een pottenbakkersoven of keramiekoven. Waarschijnlijk is er op school één aanwezig bij handvaardigheid, zoek anders iemand die beroepshalve of als hobby keramiek maakt. Gebruik desnoods een gewone oven.
- Fijne ('vette') boetseerklei (handvaardigheid).
- Een gaaf blad van een plant of boom naar keuze. (Hoe meer duidelijke nerven, hoe mooier het resultaat!)

Werkwijze
- Neem wat boetseerklei en maak daar twee platte, dunne (5 tot 8 mm) tabletten van, die een stuk groter zijn dan het blad dat je gaat fossiliseren.
- Neem je blad en leg dit tussen de twee tabletten.
- Druk die zeer stevig aan, zodat de klei aan de randen een geheel gaat vormen.
- Laat de tabletten (en het blad daarin) nu helemaal drogen en bak ze daarna in een keramiekoven (800-1100 °C). Voorkom dat de tablet kapotspringt door er met een dikke naald gaatjes in te prikken (maar pas op het blad!), zodat ingesloten lucht kan ontsnappen, anders kan het geheel in de oven uit elkaar spatten. Soms springen de kleitabletten al van elkaar. (Bespreek de technische kanten met de docent die de oven beheert.)

- Wanneer je geen keramiekoven tot je beschikking hebt, kun je de kleitabletten in een gewone oven drogen: enkele uren op de hoogste stand. De klei wordt dan echter erg breekbaar en je krijgt geen echte stenen afdruk, zoals bij de zeer hete keramiekoven.
- Haal het 'fossiel' tevoorschijn door met een hamer voorzichtig op de zijkant van je 'steen' te kloppen, zodat beide tegels van elkaar gaan.

Door de hoge temperatuur verkoolt het blad in de klei en krijg je een koolstoflaagje op de klei in de vorm van het blad, zoals dat ook bij echte fossielen uit het Carboon het geval is. Bij gebrek aan zuurstof verbrandt het blad waarschijnlijk niet. In elk geval heb je een fraaie afdruk: fossielen van zachte organismen zijn meestal ook niet meer dan afdrukken.
De wijze waarop jouw namaakfossiel ontstaat, verschilt niet zoveel van de processen die zich in de aardkorst hebben afgespeeld bij echte fossielen: hoge temperatuur, geen zuurstof erbij en hoge druk (dit laatste boots jij niet na).

OPDRACHT 11 **MISSING LINKS?**

1 SLU ▶ a Lees de onderstaande tekst.

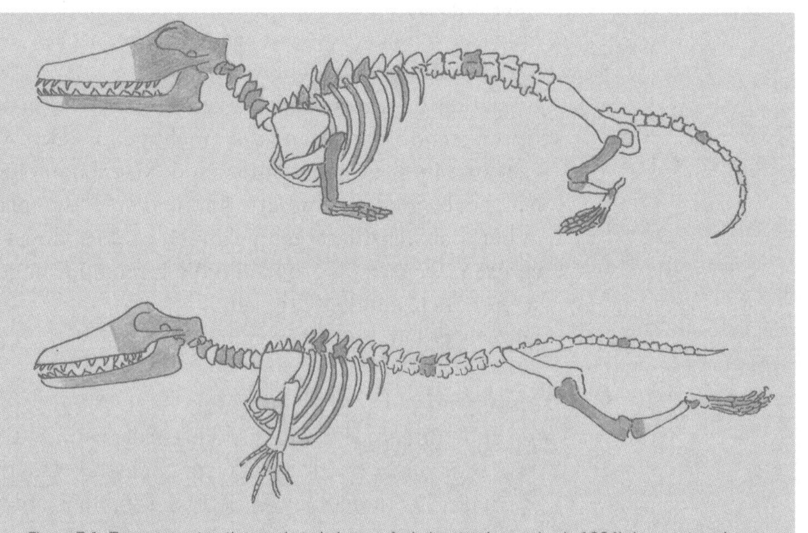

Figuur 7.1 Twee reconstructies van het skelet van Ambulocetus (gevonden in 1994): boven staande en onder zwemmend.

Toen Darwin zijn evolutietheorie publiceerde, maakten veel mensen zich kwaad over de gedachte dat de mens van de apen zou afstammen. Midas Dekkers komt daar ook nog op terug (zie opdracht 1). Er werd door biologen en paleontologen dan ook druk gezocht naar 'missing links': fossielen van 'mensapen' die tussen dier en mens in zouden staan. Een onbekende Engelsman maakte zelf een 'missing link' door een menselijk schedeldak met een kaak van een gorilla in elkaar te zetten en in de grond te stoppen op een plek waar opgravingen werden gedaan. Meer dan dertig jaar werd de 'Piltdown-mens' inderdaad als een tussenvorm gezien, die des te geheimzinniger was, omdat hij in Engeland was gevonden en alle andere 'oermensen' in Afrika en Azië waren aangetroffen. Toen bekend werd dat het om een vervalsing ging, werd de afstamming van de mens een stuk duidelijker. Inmiddels zijn er vrij veel fossiele resten van tussenvormen tussen aap en mens gevonden. Eén enkele 'missing link' bestaat niet. Er hebben meerdere soorten (en dus meerdere missing links van) mensen bestaan, maar er is nog lang niet genoeg opgehelderd over de oorsprong van de mens. In andere evolutielijnen worden soms prachtige overgangen gevonden. Fossielen van tussenvormen tussen landdieren en walvisachtigen worden de laatste jaren steeds meer gevonden, met name in Noord-India en Pakistan. *Ambulocetus* (letterlijk: 'lopende walvis') is zo'n tussenvorm.
Ambulocetus had nog gewone achterpoten met grote voeten. Waarschijnlijk bewoog hij op het land ongeveer zoals een zeeleeuw het doet. Daarna zijn fossielen van latere datum gevonden, die een paar stappen verder in de richting van de walvis zijn opgeschoven (de achterpootbeenderen waren daar al een stuk kleiner). Aan het skelet van al deze dieren is te zien dat ze zwommen door de wervelkolom en dus de staart op en neer te bewegen (dat doen alle zwemmende zoogdieren, terwijl vissen, krokodillen en salamanders hun staart in het horizontale vlak bewegen).

b Door te kijken naar dieren die nu nog leven en die in toenemende mate aan het water zijn aangepast, zou je een globale ontwikkelingsreeks kunnen opstellen. Zeeleeuw, zeehond, zeeotter en dolfijn zouden model kunnen staan voor een reeks soorten, die zich steeds meer aanpast aan het waterleven.
Zoek in een dierenboek een afbeelding van het skelet van een walvis of dolfijn en één van een gewoon roofdier. Vergelijk deze met het skelet van Ambulocetus en noteer drie punten waaraan je kunt zien dat *Ambulocetus* tussen beide soorten in staat.

■ c Kopieer de afbeeldingen en plak ze onder elkaar in de volgorde roofdier - *Ambulocetus* - walvis, zodat je de verschillen goed kunt zien.

▶ d Zoek informatie over de vier soorten zeeleeuw, zeehond, (zee)otter en dolfijn en vergelijk ze op de volgende punten:
- manier van voortbewegen op het land;
- bezit van een vacht;
- manier van rusten (in het water of op het land);
- tijd die ze het onder water kunnen uithouden;
- geboorte van jongen.

e Zet de kenmerken in een tabel in een dusdanige volgorde dat ze als een afstammingsreeks beschouwd zouden kunnen worden.
N.B. Ook dit is een modelonderzoek. Deze soorten zijn niet elkaars voorouders, maar lijken globaal – vooral in hun manier van voortbewegen – op de tussenvormen van de evolutie van de walvissen en dolfijnen. Zo kun je je een voorstelling maken van het verloop van de evolutie.

CLUSTER 4 DIVERSITEIT

OPDRACHT 12
1/2 SLU

BIODIVERSITEIT

Op bladzijde 388 in het theorieboek lees je dat er naar schatting 10 tot 80 miljoen soorten organismen op aarde zijn. Dit is wel een heel erg grove schatting. De meeste biologen gaan uit van minstens 30 miljoen soorten, waarvan een twintigste deel (= 5 %) nu bekend en beschreven is. Van de grotere landdieren, vogels en zoogdieren zullen we nu wel bijna alle soorten kennen, maar onder de kleine soorten – en dat zijn de meeste – worden ook in ons land nog steeds nieuwe gevonden. Verschillende onderzoekers komen met uiteenlopende schattingen op grond van het soort onderzoek dat ze doen.

UITVOERING

► a Lees de onderstaande tekst.

Terry Erwin, een entomoloog uit Amerika, die in Panama werkt, kwam tot zijn schatting van het aantal insectensoorten op aarde op de volgende manier.
Hij besproeide een boom in het tropische regenwoud (in Panama) met een insectendodend middel en ving op een grote lap plastic op de grond alle insecten, die dood uit de boom vielen, op (en dat herhaalde hij natuurlijk een aantal malen). Op de boomsoort Luheaseemannii vond hij per boom 1100 soorten kevers. Daarvan bleken er 160 uitsluitend op deze soort bomen voor te komen.
Kevers vormen 40% van alle bekende insectensoorten. Hij veronderstelde dat dat voor deze boom ook wel zou gelden, dus schatte hij het totale aantal soorten insecten, gespecialiseerd op deze soort bomen, op 400.
Als deze insecten, die in de kruinen van de bomen leven, tweederde van alle soorten op, in en onder de boom uitmaken (de soorten die in de stam en in en op de grond leven, had hij immers niet gevangen) zijn er dus ongeveer 600 soorten insecten die gespecialiseerd zijn op luhea seemannii.
Er zijn naar schatting 50.000 soorten bomen in de tropische regenwouden. Dat betekent dat er waarschijnlijk minstens 30 miljoen soorten insecten in de tropische regenwouden leven (hij had de niet-gespecialiseerde niet eens meegeteld).

Figuur 7.2 Methode van erwin om aantal insectensoorten te schatten.

Insecten maken tweederde tot driekwart van alle diersoorten uit. Dus op grond van deze (grove) schatting zou het totaal aantal diersoorten wel meer dan 40 miljoen kunnen zijn (en dan zijn er nog planten, schimmels en bacteriën).
Er zijn nu 41.000 soorten gewervelde dieren bekend, waarvan 4000 soorten zoogdieren en 10.000 soorten vogels.

UITVOERING

b Maak eens een lijst van de diergroepen waarvan jij vermoedt dat er nog heel veel onbekende soorten zijn te verwachten.
c Maak ook een lijst van soorten plaatsen waar je nieuwe soorten zou kunnen vinden.
d Het spuiten met gif in een natuurgebied, zoals de onderzoeker Erwin in het verhaal hierboven deed, is natuurlijk niet zo erg prettig. Bedenk eens een andere methode om van een klein gebied zoveel mogelijk insecten te vangen om ze te kunnen bestuderen.
e Je weet dat de tropische regenwouden in hoog tempo worden gekapt. Ook bij 'duurzaam beheer' worden de ecosystemen in die bossen veel armer aan soorten. In de rijkste regenwouden komen per hectare 300 verschillende soorten bomen voor (meer dan er in heel Europa voorkomen). Schat op grond van bovenstaande gegevens hoeveel soorten insecten er waarschijnlijk al verdwenen zijn als je weet dat wat er nu nog is, ongeveer de helft is van wat er een eeuw geleden aan tropisch regenwoud was.

OPDRACHT 13
1 SLU

STAMBOMEN

Toen Linnaeus zijn indeling van het dierenrijk opstelde, ging hij er niet van uit dat soorten al of niet verwant waren aan elkaar. Hij geloofde dat alle organismen precies zo waren geschapen en niet veranderden. Toen het inzicht groeide in de afstamming en verwantschap van soorten, bleven zijn indelingen zeer bruikbaar. Dat komt doordat hij veel soorten die van dezelfde voorouder bleken af te stammen, al bij dezelfde groep had ingedeeld. Zijn ordening bleek aardig te kloppen met de afstamming en verwantschap.
Ordening van bestaande soorten kan dus inzicht in de afstamming verschaffen. Aan de hand van een modelonderzoek wordt dit duidelijker: J. Camin, docent aan de Universiteit van Kansas, ontwierp een familie van 29 fantasiediertjes, de *Camincula*. Deze lenen zich goed voor een modeloefening.

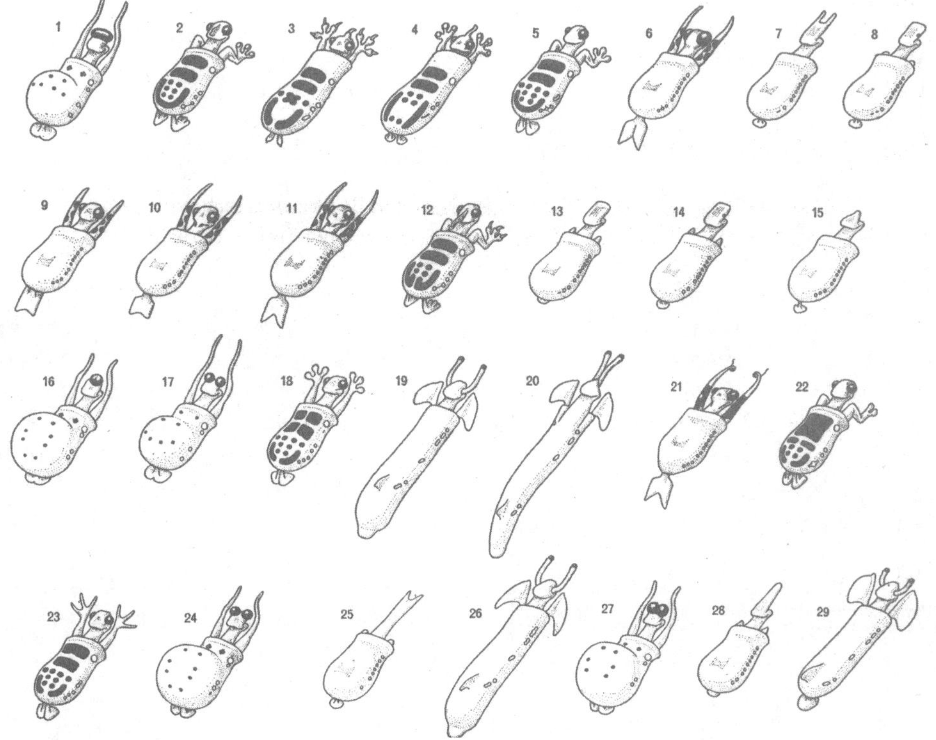

Figuur 7.3 De Camincula

UITVOERING

► a Sommige *Camincula* lijken wat op bestaande vormen. Waarop lijken de nummers 1, 2, 5 en 19 bijvoorbeeld?
b Bij het ordenen van organismen let men op diverse kenmerken, waarna een groep meestal weer verder onderverdeeld kan worden op grond van details. De *Camincula* met de nummers 7, 8, 13, 14, 15, 25 en 28 vormen bijvoorbeeld duidelijk een groep. Waarom?
c De groep van 7, 8, 13, 14, 15, 25 en 28 kun je weer in kleinere groepjes verdelen. Op welke kenmerken kun je dan letten?
d Stel een 'stamboom' op van alle 29 *Camincula*.
■ e Kopieer bijvoorbeeld de bladzijde en knip de plaatjes uit. Zo kun je door telkens te schuiven, de volgens jou beste verdeling maken. Doe het eventueel samen met een medeleerling en/of vergelijk je resultaten met die van anderen.
► f Welke criteria heb je gebruikt bij je indeling? Welke problemen kwam je tegen?
g Klopt de term 'stamboom' in dit verband, als je ervan uitgaat dat het hier om nu levende soorten gaat?
h Maak een paar schetsen van 'fossiele' *Camincula*, zoals die er volgens jou uitgezien zouden kunnen hebben.
■ i Je moet dan beredeneren waar de verschillende 'takken' uit zouden kunnen zijn ontstaan.

OPDRACHT 14 **EVOLUTIE GEBEURT NOG STEEDS**
1/2 SLU ► a Lees de onderstaande tekst.

Evolutie op heterdaad betrapt

Sinds 1973 hebben Peter en Rosemary Grant vele malen het eiland Daphne Major bezocht, een onbewoonde kruimel te midden van de grotere Galapagos Eilanden in de Stille Oceaan. Sinds jaar en dag meten en wegen ze daar alle darwinvinken die ze maar kunnen vangen en registreren ze welke paartjes er ontstaan en hoe de jongen eruitzien die het nest verlaten. Zo langzamerhand kennen ze elke vink persoonlijk: zijn afmetingen, zijn voorouders en ook de afmetingen van de voorouders. Het gaat de Grants vooral om de snavel. Onderzoek naar de voedingsgewoonten heeft uitgewezen dat elke millimeter telt, zeker als de droogte toeslaat en voedsel schaars wordt. In de regentijd als dorre bomen en cactussen als bij toverslag uitlopen en het gras uit de grond schiet, is er niets aan de hand. De grondvinken *Geospiza fortis* en *Geospiza fuliginosa*, die veel op elkaar lijken, eten dan hetzelfde: zachte kleine zaden die in grote hoeveelheden aanwezig zijn. Maar in droge tijden, die soms jaren kunnen duren, is iedere soort aangewezen op het voedsel waarvoor hij bij uitstek geschikt is: de grotere *fortis* met zijn stevige snavel concentreert zich op de hardere zaden en de kleine *fuliginosa* zoekt onder ieder blad en elke steen naar de overgebleven kleinere zachte zaden. Nu komt het erop aan wie het best met zijn energie omspringt. In die omstandigheden kan een fractie van een millimeter verschil in snavellengte het verschil betekenen tussen minutenlang tevergeefs met een harde zaadwand worstelen of deze direct kraken en dit kan het verschil tussen leven en dood uitmaken.

Langdurige droogte in de jaren zeventig veroorzaakte een ware slachting onder de vinken van Daphne Major. De populaties namen af van duizenden tot enkele honderden vinken. Door zorgvuldige metingen kwamen de Grants erachter dat de droogte de uitersten selecteerde: de *fortis*-vinken met de grootste en de *fuliginosa*-vinken met de kleinste snavels bleven over. De verschillen tussen de soorten werden groter.

Na die droge periode volgde in 1982/'83 een buitengewoon natte periode (door het El Niño-effect). Tot hun grote verbazing zagen de Grants de verschillen weer iets kleiner worden (maar groter dan voor de droogte) en bovendien bleken kruisingen tussen beide soorten (normaliter zeer zeldzaam) het nu plotseling uitzonderlijk goed te doen. Er waren nu op het eiland drie vormen van deze typen vinken aanwezig. Maar wat gebeurt er als de droogte eens tientallen jaren duurt? Worden de verschillen tussen de twee soorten dan nog groter, of als er veel vaker een El Niño optreedt, wordt het dan uiteindelijk één enkele soort?

(Uit: *Intermediair*, september 1994.)

UITVOERING

Dit verhaal komt uit het boek *De snavel van de vink* door Jonathan Wiener, een erg mooi boek voor wie op een prettige manier wat over de evolutie wil lezen!

b Beantwoord de volgende vragen. Doe dit met z'n tweeën.
1. Wat is (nog eens) de definitie van een soort?
2. Waaruit blijkt dat de vinken zelf het niet zo zien?
3. Ons begrip 'soort' is in de natuur dus niet zo scherp afgebakend. Op welke manier lijkt hier binnen twintig jaar een nieuwe soort te ontstaan?
4. Wat is er intussen ook met de al bestaande twee soorten gebeurd?
5. Wanneer zullen er hier echt drie verschillende soorten zijn? Beschrijf een mogelijke verandering in het klimaat of in de geologie van het eiland, waardoor dit zou kunnen gebeuren.
6. Leg uit hoe in dit geval 'mutatie', 'natuurlijke selectie' en 'isolatie' een rol spelen. Vertel dus kort wat er gebeurd is tijdens het onderzoek van de Grants, met gebruik van deze drie termen.
7. In het boek wordt ook verteld hoe de Grants er zorgvuldig voor waken dat er ook maar één vreemd organisme met hen mee naar het eiland komt, zelfs geen mier mag mee het eiland op. Waarom zouden ze dat doen?

CLUSTER 5 EVOLUTIE VAN DE MENS

OPDRACHT 15
1/2 SLU

FOSSIELE 'FINGERPRINTS'

a Lees paragraaf 17.3 van het theorieboek nog eens goed door.
b Lees nu de onderstaande tekst.

Omdat alle organismen DNA bezitten dat dezelfde genetische code bevat, is het niet alleen mogelijk om vast te stellen wie de vader van een kind of wie de dader van een misdrijf is, maar ook of dieren tot dezelfde soort behoren of niet en zelfs of soorten nauw verwant zijn of niet. Immers, nakomelingen van dezelfde voorouders hebben meer gemeenschappelijk erfelijk materiaal, naarmate die gezamenlijke voorouder korter geleden leefde. Soorten die nauw met elkaar verwant zijn, hebben veel DNA gemeenschappelijk: de mens en de chimpansee hebben voor ongeveer 99 % gelijke genen, hun laatste gemeenschappelijke voorouders leefden ongeveer 8 miljoen jaar geleden.
Mutaties in stukken DNA, die niet voor eiwitten coderen (het 'junk-DNA', dat is 95 % van ons DNA), worden niet door natuurlijke selectie uitgeschakeld. Deze mutaties blijken met een zekere regelmaat op te treden. Dat betekent, dat onderzoekers hiermee een soort klok in handen hebben: als de verschillen in het DNA tussen soort A en soort B twee maal zo groot zijn als die tussen soort A en soort C, dan leefde de laatste gezamenlijke voorouder van A en B ongeveer tweemaal zo lang geleden als de laatste gezamenlijke voorouder van A en C. De resultaten van dit onderzoek blijken heel vaak te kloppen met wat er uit fossielen bekend is. Omdat stukken DNA soms duizenden en een enkele keer zelfs miljoenen jaren intact kunnen blijven, kan deze techniek ons erg veel leren over de afstamming van soorten.
Maar ook over de menselijke geschiedenis kun je hiermee veel leren. Door onderzoek van het genetisch materiaal van mensen in verschillende gebieden kan een reconstructie gemaakt worden van de menselijke verovering van de aarde vanuit Afrika, waar het allemaal begon.

UITVOERING

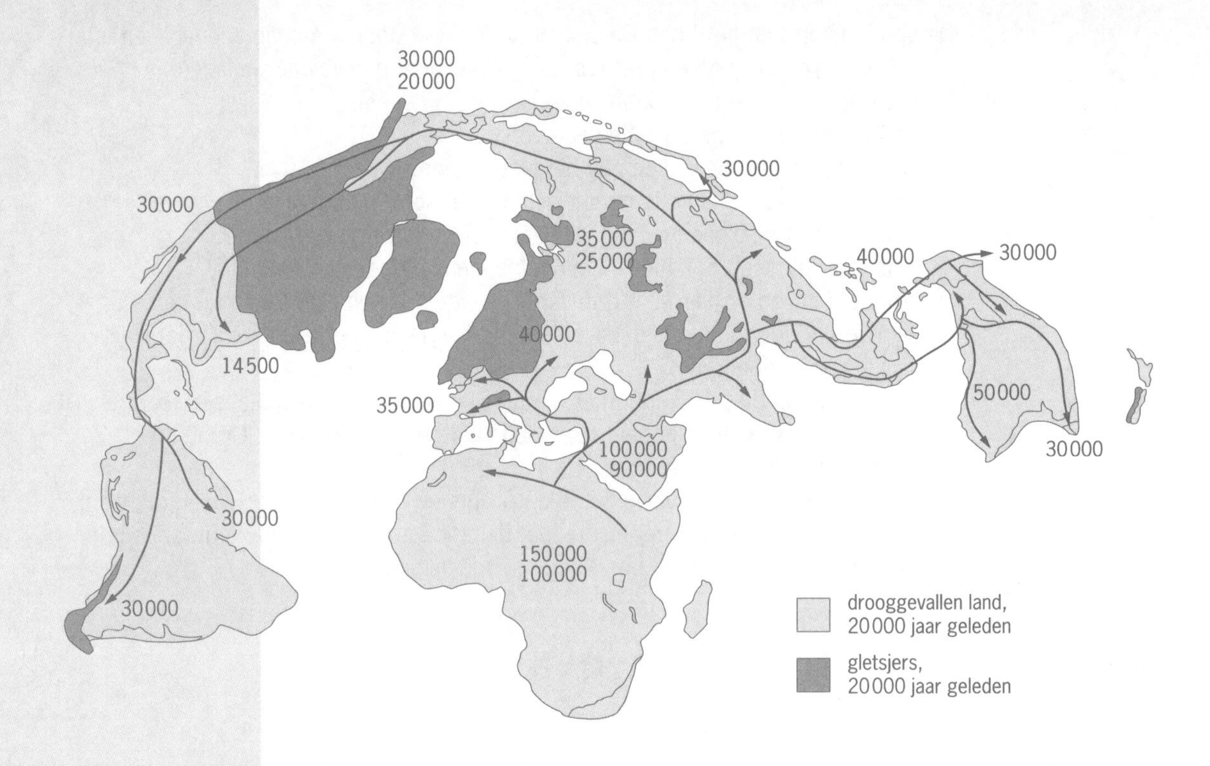

Figuur 7.4 Op deze kaart kun je aflezen wanneer de oorspronkelijke bewoners van de verschillende werelddelen daar voor het eerst leefden.

c De mens is altijd een reiziger geweest. Maar waarschijnlijk gebeurde het verspreiden vooral doordat jongelui op zoek naar een eigen woongebied, zich steeds een eindje verder vestigden. Als iedere generatie op die manier 10 km verder komt, hoe lang heb je dan nodig om van Alaska naar de zuidpunt van Zuid-Amerika te komen?

■ d Reken voor een generatie 20 jaar en ga ervan uit dat de westkust van het continent gevolgd wordt.

▶ e Op deze kaart zijn ook de uitbreiding van het ijs tijdens de laatste ijstijd aangegeven en de gebieden die toen land waren en nu zee. Waarom is het belangrijk te weten waar het ijs lag en waar land was?

f Maak aan de hand van deze kaart een tabel waarin je de volgorde aangeeft waarin gebieden door mensen bewoond raakten.

g Tijdens de ijstijden viel land droog, maar Nieuw-Guinea en Australië bleven door een zeestraat gescheiden van het vasteland van Azië. Toch waren er al heel vroeg mensen in die gebieden. Nu worden Papoea's en aboriginals nogal eens als primitief beschouwd, maar toen waren ze hun tijd blijkbaar ver vooruit. Leg dat uit.

■ h Welke vaardigheid hadden ze 30.000 of misschien zelfs 50.000 jaar geleden al?

▶ i Waarom geldt dit niet voor de oudste bewoners van Amerika?

UITVOERING

OPDRACHT 16

1 SLU

PALEONTOLOGISCH ONDERZOEK

▶ a Lees onderstaande tekst.

Bij het onderzoek naar de evolutie zijn de mensen natuurlijk vooral nieuwsgierig naar de evolutie van onze voorouders. We weten nu dat de oudste mensachtigen in Oost-Afrika leefden. De laatste gemeenschappelijke voorouder van de mens en de chimpansee leefde ongeveer 8 miljoen jaar geleden. Dat is in evolutieopzicht kort geleden, vandaar dat mens en chimpansee nog voor 99 % dezelfde genen hebben. De chimpansee is daarna nauwelijks veranderd. Deze soort bleef in het tropische woud, waar de omstandigheden zo'n beetje hetzelfde bleven. Onze verre voorouders kwamen echter op de Oost-Afrikaanse savanne terecht, waar het droger en kaler werd. Een chimpanseeachtig dier zou daar niet kunnen overleven. Rechtop lopen bleek een goede aanpassing: er hebben daar verschillende soorten mensapen geleefd, die net als wij rechtop liepen. De bekendste behoren tot het geslacht *Australopithecus* (australis = zuidelijk, pithecus = aap) waarvan vrij veel fossielen van verschillende soorten gevonden zijn. Een van deze soorten moet onze voorouder zijn geweest. Geleidelijk ontwikkelden zich soorten die meer op ons leken. Vanaf ongeveer 2 miljoen jaar geleden waren er soorten die tot hetzelfde geslacht behoren als wij, mensen dus. Er leefden soorten die de wetenschappelijke namen *Homo* (= mens) erectus (= de rechtopgaande), *Homo habilis* (= de handige), *Homo ergaster* (= de werker) hebben gekregen. De moderne mens heet *Homo* (= mens) *sapiens* (= de wetende, de wijze). Bij onderzoek naar de levenswijze van vroegere mensensoorten maakt men niet alleen gebruik van hun beenderen, die in het droge klimaat van Oost-Afrika vaak goed bewaard gebleven zijn, maar ook van beenderen van dieren en vuurstenen werktuigen. Bij het Turkanameer zijn veel resten van de oudere mensensoorten gevonden. Behalve mensenbeenderen zijn ook veel beenderen van dieren en vuurstenen werktuigen aangetroffen. Deze combinatie van vondsten kan vaak opheldering geven over de vraag hoe onze voorouders geleefd zouden kunnen hebben.

■ b Lees nog eens na wat je hebt opgeschreven bij opdracht 1 in je lijst met overeenkomsten en verschillen tussen mens en chimpansee.

▶ c Maak een lijst van kenmerken die moeten veranderen om van een chimpanseeachtig wezen een mens te 'maken'.

d Lees de onderstaande tekst; het is een deel van het verslag van een onderzoek.

Wat gebeurde er 1,5 miljoen jaar geleden bij het dode nijlpaard?

De vindplaats ligt ongeveer 24 km ten oosten van het Turkanameer. Op die plek vond Richard Leakey in 1969 een erosiedal dat diep insneed in een oude laag vulkanische as. Deze aslaag vormt de bovenkant van een sedimentpakket dat de geologen de naam 'Koobi-Forba-formatie' hebben gegeven. Hier heeft de as een droogdal, dat bij een oude rivierdelta hoort, geheel opgevuld. Leakey vond daar een groot aantal botten, afkomstig van één enkel nijlpaardkadaver, die aan de oppervlakte lagen te verweren. Daartussen lagen ook stenen werktuigen. Bij verder onderzoek bleek, dat het kadaver oorspronkelijk in een kuil aan de rand van de rivierdelta lag. Tussen de botten werden 119 afgeslagen stenen gevonden, de meeste daarvan kleine scherpe stukken, die goed bruikbaar zijn als snijwerktuig. Aan de breukvlakken was te zien dat ze van grotere zogenoemde 'kernen' waren afgeslagen. Ook werd er een grotere kei gevonden, waaraan nog te zien is dat hij als hamer is gebruikt: aan de uiteinden zijn de beschadigingen goed te zien. Uit andere vondsten weten we dat met een dergelijke hamer stukken van grotere stenen werden afgeslagen om scherpe stenen te verkrijgen, die als mes dienden.
Op deze plaats werd verder geen enkele steen gevonden die groter was dan een erwt.
In dezelfde formatie zijn ook andere plekken gevonden waar beenderen van dieren van verschillende soorten en stenen werktuigen bij elkaar liggen.

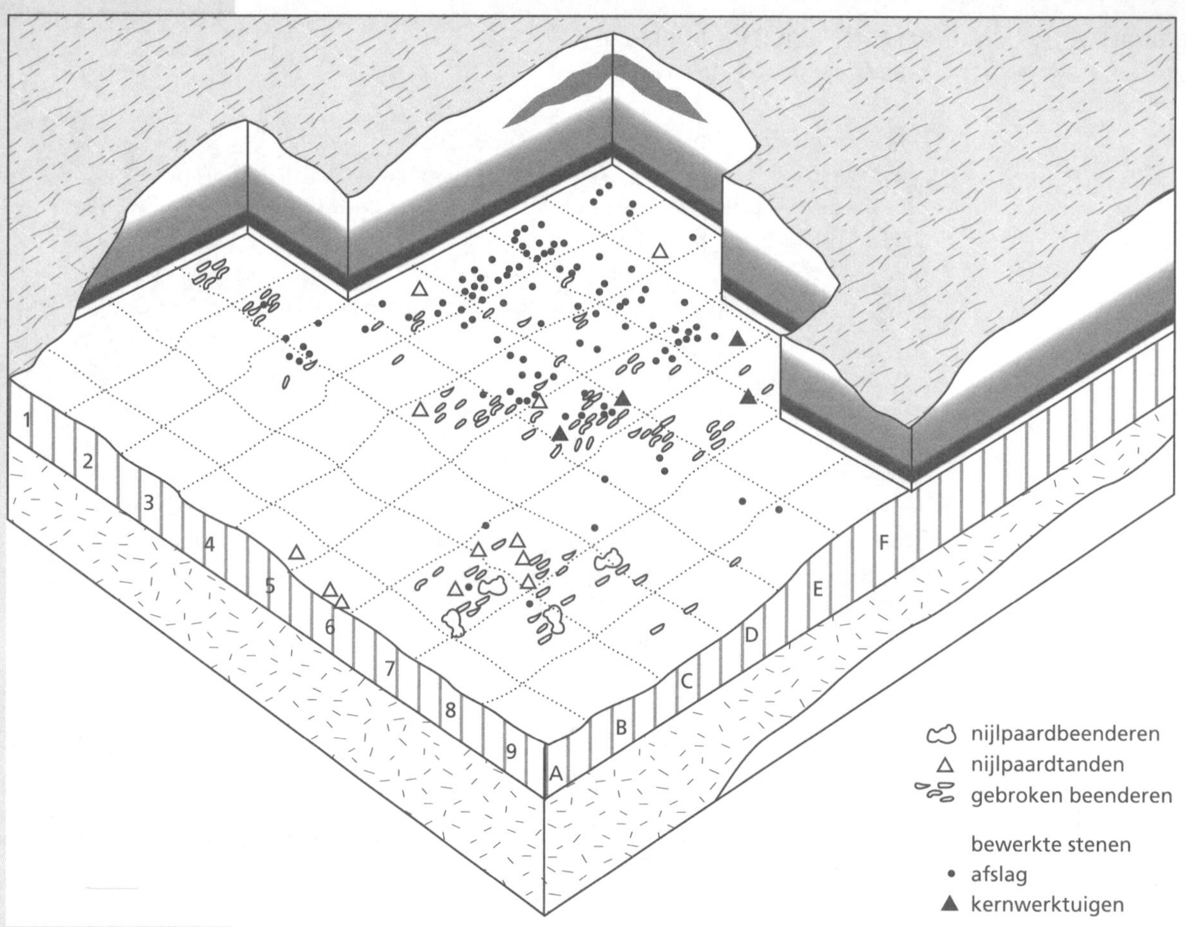

Figuur 7.5

Boven: de vondsten van Koobi Forba in kaart gebracht.

Onder: enkele van de gevonden stenen.

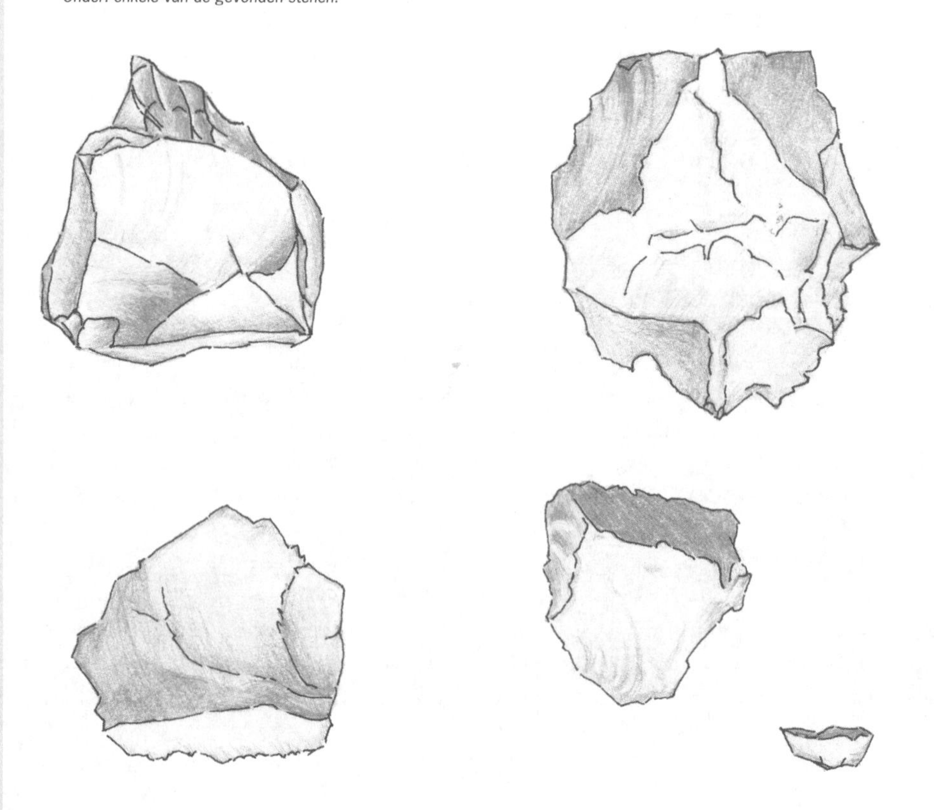

UITVOERING

e Beantwoord de volgende vragen.

1 Zoek in de atlas op waar het Turkanameer ligt en noteer in welk klimaat en landschap deze onderzoekers hun werk doen.
2 Maak een lijst van de waarnemingen die bij het onderzoek van Leakey worden genoemd.
3 Hoe zouden de onderzoekers kunnen weten dat de botten van één dier afkomstig zijn?
4 Wat kun je op grond van de ligging van de nijlpaardbeenderen en de werktuigen concluderen, omtrent het gedrag van de 'oermensen' die hier leefden?
5 Behalve de stenen 'messen' lagen er ook onbruikbare splinters steen. Hoe kun je dat verklaren?
6 Op deze plek lagen geen andere stenen van enige omvang en al helemaal geen vuurstenen, waarvan de 'messen' werden gemaakt. Welke conclusie kun je hieruit trekken over de activiteiten van de 'oermensen' ter plaatse?
7 Wat kun je op grond van deze gegevens zeggen over de manier waarop de werktuiggebruikers het nijlpaard vermoedelijk buitgemaakt hebben?
8 Welke conclusies kun je uit deze vondsten trekken over het leven van de mensachtigen die hier leefden? Bewijst deze vondst dat ze jagers waren?
9 Bewijzen deze vondsten dat hier 'oermensen' aan het werk zijn geweest? Zou je een andere verklaring kunnen bedenken voor het bij elkaar liggen van botten en werktuigen?
10 Het landschap in die streek bestond 1,5 miljoen jaar geleden uit een vrij droge savanne met langs de rivieren een strook die begroeid was met bomen en struiken. Waarschijnlijk hielden de 'oermensen' zich vaak in de buurt van die rivieren op. Welke kenmerken maken zo'n plek aantrekkelijk voor hen?
11 Nu is het gebied droog, woestijnachtig en sterk aan erosie onderhevig. Daardoor komen na iedere regenbui weer nieuwe vondsten tevoorschijn. Om precies te weten hoe oud een vondst is, moet er echter gegraven worden. Verklaar dat.

■ f Zoek informatie over de technieken die gebruikt worden om de ouderdom van aardlagen en fossielen vast te stellen: het gebruik van 'gidsfossielen' en van radiometrie.

► g Zoek op welke mensensoort(en) er in die periode in Oost-Afrika leefden, die hier aan het werk moeten zijn geweest.

h Gebruik daarvoor een encyclopedie of lees het stuk over de evolutie van de mens in *Synaps* voor VWO deel 2.

OPDRACHT 17
DISCUSSIE
2 SLU

KROON VAN DE SCHEPPING?

In het stuk van Midas Dekkers aan het begin van dit blok wordt verteld dat de mens (en om precies te zijn eigenlijk: de blanke man!) vroeger werd beschouwd als de top van de evolutie, zoals hij eerder de 'kroon van de schepping' werd genoemd. Eigenlijk is het nog erger: in de negentiende eeuw en ook nog in het begin van de twintigste eeuw beschouwden onderzoekers negers als een soort tussenvorm tussen apen en blanken. Inmiddels is duidelijk geworden dat alle mensen tot dezelfde soort behoren en dat de verschillen tussen de 'rassen' te begrijpen zijn als aanpassingen aan verschillende klimaten. Verschillen tussen de rassen zijn hoofdzakelijk verschillen in huidskleur, haarvorm en vorm van het gezicht. Onder antropologen zijn twee kampen te onderscheiden: de ene groep gelooft in het bestaan van mensenrassen en de andere niet. Het begrip soort is niet eens altijd precies te omschrijven, het begrip 'ras' is nog veel onduidelijker. Natuurlijk bestaan er verschillende typen mensen, maar er zijn geen scherpe grenzen, er zijn altijd geleidelijke overgangen. Overigens, ook als rassen zouden bestaan, zou dit geen enkele reden zijn om het ene ras hoger te achten dan het andere. Racisme is, net als seksisme trouwens, een middel waarmee groepen die de macht bezitten, proberen anderen te onderwerpen.

- Een forensisch antropoloog, een onderzoeker die gespecialiseerd is in beenderen van mensen en die ook vaak betrokken wordt bij het oplossen van misdrijven, kan bij opgegraven botten met 80 % zekerheid zeggen of het een man of een vrouw was, hoe oud de persoon in kwestie ongeveer was en ook of het een neger, een Chinees of een Europeaan is geweest. Hij zegt dat rassen bij mensen dus reële verschillen vertonen
- Een seroloog, die zich bezighoudt met bloedgroepen en andere antigenen in het bloed van mensen, ziet geen enkele aanleiding om mensen in rassen te verdelen. Er zijn wel verschillen, maar er zijn overal geleidelijke overgangen. Met de eiwitten in het bloed is wel vastgesteld hoe de mensen zich geleidelijk over de aarde hebben verspreid. Alle bloedgroepen komen overal voor, maar tussen West-Europa en Oost-Azië verschuift de verhouding van een hoog percentage bloedgroep A geleidelijk naar een steeds hoger percentage bloedgroep B. Hij zegt dan ook dat de rassen niet bestaan. Er zijn wel verschillende mensentypen, maar de overgangen zijn geleidelijk.
- De 'man-in-the-street' ziet vooral de huidskleur en de gladde of kroezende haren en beschrijft iemand als blanke, neger of oosterling. Die ziet vooral de verschillen die te maken hebben met het klimaat (bijvoorbeeld: een prominente neus zal de ingeademde lucht beter bevochtigen en opwarmen, kroeshaar vormt een goede bescherming tegen oververhitting van de hersenen)

In West-Europa en Noord-Amerika wordt racisme – het discrimineren van mensen van een ander ras – gezien als een groot probleem. Tenslotte heeft racisme te maken met de slavernij in Amerika en het uitmoorden van de joden in nazi-Duitsland en daar willen mensen liever niet mee in verband gebracht worden. Omdat mensen bang zijn om voor racist gehouden te worden, durven ze soms helemaal niet over de verschillen tussen mensen te praten.
In Amerika werd op een school een cursus georganiseerd over 'menselijke verscheidenheid'. Na afloop kwam de eerste zwarte leerling die de cursus had gevolgd, naar de docent toe en zei: 'Dr. Gill, ik wil u heel erg bedanken voor deze cursus.' Hij legde uit dat hij zich zijn hele leven had afgevraagd, waarom hij eigenlijk zwart was en kroeshaar had. 'Nu weet ik waarom ik er zo uitzie en dat die kenmerken goed en nuttig zijn. Dank u!'
(Dr. Gill is professor in de antropologie aan de Universiteit van Wyoming.)

► a Lees hierover de onderstaande tekst.

b Beantwoord de volgende vragen.

1 Wat is een 'forensisch' onderzoeker?

2 In moderne boeken staat de mens niet meer aan het begin of aan het eind van het overzicht van het dierenrijk, zoals Midas Dekkers schrijft. Wat zegt dat over de opvatting die de wetenschappers hebben over de plaats van de mens in de evolutie?

3 Voor het begrip soort hebben we een duidelijke definitie, voor het begrip 'ras' is dat minder exact aan te geven. Zoek eens in verschillende woordenboeken en encyclopedieën op wat daar voor definitie wordt gegeven. Schrijf vervolgens op wat jij zelf onder ras verstaat.

4 Zowel de seroloog als de forensisch antropoloog heeft eigenlijk gelijk. Vat hun argumenten samen. De wetenschap leidt niet altijd tot één antwoord!

5 Als de verschillen zijn ontstaan door klimaatverschillen (de Australiërs hebben bijvoorbeeld kroeshaar, maar ze stammen af van mensen uit Zuid-Oost-Azië die steil haar hebben), zou je verwachten dat de afstammelingen van negerslaven, die een paar honderd jaar geleden naar Amerika zijn gebracht, steeds meer op blanken gaan lijken. Daar is niets van te zien. Hoe kun je dit verklaren?

6 Probeer eens op te schrijven (samenwerken en overleggen!) wat de biologische functie kan zijn van:

a blond haar in een zonarm klimaat;
b een donkere huid in een zonnig klimaat;
c een grote lengte van armen en benen in een heet klimaat;
d een bleke huid, die echter in de zomer bruin wordt in ons klimaat;
e dikkere vetkussentjes rond de ogen (waardoor de ogen 'scheef' lijken te staan) op de koude steppen van Noord-Oost-Azië;
f een korte gedrongen bouw in de poolstreken.

7 Houd een discussie over de vraag: leidt het onderzoek naar de verschillen tussen mensen tot racisme?

CLUSTER 6 AFSLUITENDE ACTIVITEIT

OPDRACHT 18
EXCURSIE
4 SLU

EROP UIT

In een groot aantal musea in het hele land kun je een indruk krijgen van:
- de vele soorten organismen die in je eigen omgeving voorkomen;
- wat mensen die vroeger in je stad of streek leefden, mee naar huis hebben genomen (en in een streekmuseum hebben ondergebracht);
- de fossielen die in jouw omgeving gevonden zijn (vooral als je in Zuid-Limburg woont);
- wat er in de zee dicht bij je woonplaats allemaal leeft (als je dicht bij de kust woont);
- wat er over de hele wereld aan levensvormen te vinden is (als je in een universiteitsstad woont).

Bijvoorbeeld in Naturalis in Leiden, het Natuurhistorisch Museum in Maastricht, Natura Docet in Denekamp, Ecomare op Texel en Teylers Museum in Haarlem.
Omdat al deze musea verschillend zijn, moet de opdracht die je er gaat doen door jullie zelf ingevuld worden. Gebruik de informatie die je daar kunt vinden om sommige van de bovenstaande opdrachten beter uit te werken of bereid met een kleine groep een reeks vragen en opdrachten voor, die de rest van de klas dan kan uitvoeren.
Ook botanische tuinen of dierentuinen lenen zich voor zo'n afsluitende biologiemiddag. Maak er een gezellige middag van!

BEOORDELING

Hieronder staan twee toetsen waarmee je kunt kijken of je de onderwerpen ordening en evolutie voldoende hebt bestudeerd.
Omdat deze onderwerpen tot voor kort niet in het programma van het schriftelijk eindexamen waren opgenomen, vind je hier geen examenopgaven.

OPDRACHT 19
TOETS
1/2 SLU

ZELFTOETS OVER ORDENING

1 Het begrip soort is in de boeken duidelijk gedefinieerd, maar in de natuur is de grens niet altijd even duidelijk, zie figuur 7.6.

BEOORDELING

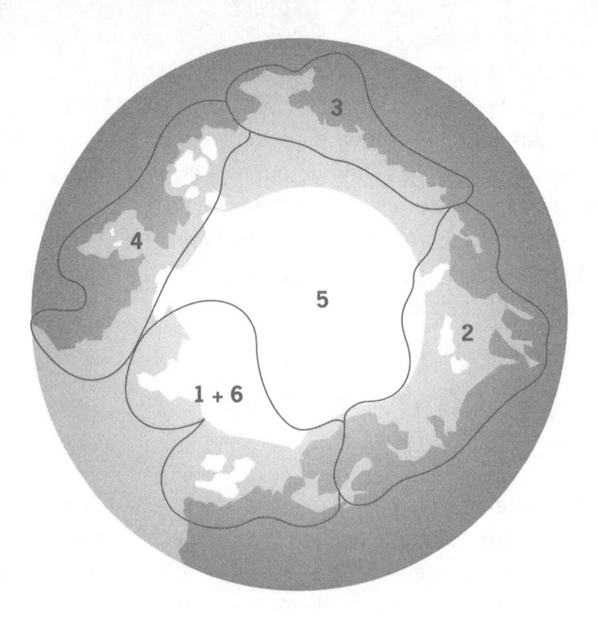

Figuur 7.6 De verspreiding van verschillende meeuwen rond de noordpool.

Meeuw 1 is de mantelmeeuw, meeuw 6 is de bij ons algemeen bekende zilvermeeuw, meeuw 2, 3 en 4 en 5 vormen populaties rond de noordpool. Waar de populaties aan elkaar grenzen, vinden wel kruisingen plaats. Tussen de mantelmeeuw en de zilvermeeuw vinden geen kruisingen plaats.
Geef aan wat (voor dit geval) het onderscheid is tussen soort en populatie.

2 Waarschijnlijk is bij deze meeuwen een proces van soortvorming aan de gang. Neem aan dat er oorspronkelijk één soort leefde in Scandinavië. Vertel wat er sindsdien gebeurd moet zijn.

3 Alle organismen worden onderverdeeld in vier rijken: bacteriën, schimmels, planten en dieren.
Hieronder zijn voor een aantal soorten organismen telkens een paar belangrijke kenmerken genoemd.

a Deel elke soort in in één van de vier rijken.
   - *Paramecium* (pantoffeldiertje): eencellig, grootte circa 1 mm, heeft een celkern en een oogvlek waarmee hij licht en donker kan onderscheiden, eet bacteriën.
   - *Euglena* (oogdiertje of oogwiertje): eencellig, grootte circa 0,2 mm, leeft in het water, geen celwand, heeft een rode oogvlek waarmee hij licht en donker kan onderscheiden, heeft soms bladgroen en soms niet, kan fotosynthese hebben, maar kan zich ook voeden met microscopisch afval.
   - *Sacharomyces* (gist): eencellig, grootte circa 0,05 mm, voedt zich met suikers, kan ook tijdelijk zonder zuurstof, heeft een celwand en een celkern.
   - *Salmonella*: eencellig, grootte circa 5 μm, geen kern, parasiet, voedt zich met organische stoffen uit haar gastheer.
   - *Obelia*: meercellig, cellen met kern, zonder plasmiden, leeft in zee, veelzijdig symmetrisch, heeft netelcellen waarmee prooi gedood wordt, waarna uitwendige vertering plaatsvindt.
   - *Morchella* (morielje): meercellig, cellen zijn draadvormig, met kernen en een celwand, geven enzymen af waardoor organische stoffen uitwendig worden verteerd en daarna opgenomen. Produceren in paddestoel eencellige sporen om zich te verspreiden.

b Welke van de genoemde organismen kun je niet plaatsen in één van de vier rijken?

In welke twee rijken hoort het gedeeltelijk thuis?
4 Als de ordening gebeurt op grond van verwantschap, betekent dat dan dat je moet kijken naar homologe of naar analoge organen of vormen? Leg dit uit.
5 Leg uit waarom virussen niet als echte organismen beschouwd kunnen worden.

OPDRACHT 20
TOETS
1/2 SLU

ZELFTOETS OVER EVOLUTIE

1 Op welke manier kan natuurlijke selectie op den duur voor het ontstaan van soorten zorgen?
2 Ooit moeten er een paar vinken (van één soort) op de Galapagoseilanden zijn terechtgekomen. Nu zijn er 16 soorten, met verschillende voedingswijzen. Leg in niet meer dan vier zinnen uit wat hier gebeurd is.
3 Hoe komt het dat fossielen die op de zeebodem zijn ontstaan, op het land en vaak zelfs hoog in de bergen worden aangetroffen?
4 Noem drie argumenten voor het bestaan van evolutie.
5 Waarom is isolatie nodig om nieuwe soorten te krijgen?

OPDRACHT 21
TOETS
1/2 SLU

EINDTERMENTOETS

4 Geef in een woordenweb de relaties weer tussen de eigenschappen van een organisme (kies er zelf een) en zijn abiotische omgeving.
11 Wat bedoelen biologen met een soort? En wat is een populatie?
11 Wat is het verband tussen een soort en een populatie?
12 Wat wordt bedoeld met de binaire naamgeving?
12 Het moerasviooltje wordt *Viola palustris L.* genoemd.
Viola is de ..... naam (vul in).
palustris is de ..... naam (vul in).
L. staat voor: ..... (vul in).
13 Welke vier indelingscriteria worden gebruikt bij de indeling der organismen in vier rijken?
13 Welke zijn die vier rijken?
14 Hoe komt het dat virussen niet tot een van de vier rijken behoren?
14 Beschrijf de bouw van een virus.
121 Waarom is het belangrijk voor de instandhouding van een soort dat de onderlinge verscheidenheid van individuen binnen een populatie van die soort zo groot mogelijk is?
122 Wat is het belang van mutaties binnen een populatie?
122 Wat wordt bedoeld met natuurlijke selectie? Geef aan wat het belang van natuurlijke selectie is voor de instandhouding van een soort.
122 Geef met een voorbeeld aan welke rol isolatie kan spelen bij de totstandkoming van een nieuwe soort.
123 Wat werd bedoeld met generatio spontanea?
123 Mensen met een bepaald idee over het ontstaan der soorten worden creationisten genoemd. Wat is hun standpunt ten aanzien van evolutie?
124 Verklaar met behulp van de evolutietheorie de aanwezigheid van fossielen en van de soorten planten en dieren zoals die nu op aarde voorkomen.

OPDRACHT 22
1/4 SLU

BEOORDELING PROCES EN PRODUCT

a Blik nu even terug op dit blok. Beantwoord daarvoor de volgende vragen.
1 Heb je nu het gevoel dat je begrijpt wat er met evolutie wordt bedoeld?
2 Welke opdracht was het meest verhelderend?
3 Zie je het verband tussen de ordening van planten en dieren en de evolutie?
4 Heb je ook wat meegekregen van de opdrachten die je zelf niet deed, maar die door anderen in je klas zijn gedaan?
5 Welke vaardigheden heb je nog eens goed kunnen oefenen?

BEOORDELING

6 Kun je nu aan het eind van het werkboek ook echt zelfstandig een onderdeel van het vak bestuderen, zodat je vol zelfvertrouwen je examen en vervolgopleiding tegemoettreedt?

b Lever in wat afgesproken is en doe de beste producten van dit blok in je examendossier.

INTERNETSITES

Geschiedenis van het denken over evolutie:
http://www.ucmp.berkeley.edu/history/evolution.html
http://www.terraquest.com/galapagos/intro.html
http://golgi.harvard.edu/biopages/evolution.html
www.nhm-maastricht.nl/maastrichtian (genomineerd voor de Best of the Web Award)
www.bio.uu.nl/plons (site van de botanische tuinen van Utrecht, speciaal opgezet voor leerlingen)
www.naturalis.nl (site van het museum met informatie over levende natuur, evolutie en meer)

VAARDIGHEDEN

INLEIDING

Waarom zijn vaardigheden belangrijk?
In een toekomstige baan, in een baantje dat je nu hebt, maar ook in het dagelijks leven en op school zijn vaardigheden belangrijk. Het zijn dingen die je kunt. Je kunt bijvoorbeeld goed met een computer omgaan, je bent goed in een bepaalde sport, je kunt een bepaald instrument bespelen, maar je kunt ook snel iets opzoeken als je iets niet weet, je kunt goed met kinderen of juist met bejaarden omgaan. Je kunt goed leren, je bent goed in het schrijven van opstellen en het oplossen van wiskundige problemen. Vaardigheden zijn dus iets anders dan kennis.
Het zal je misschien opvallen als je een bijbaantje hebt -en dat geldt ook voor een toekomstige baan-, dat je daar nooit een proefwerk of een toets hoeft te maken, om te laten zien wat je weet. Toch moet je in je bijbaantje of baan wel een heleboel weten, maar vooral ook een heleboel kunnen. Een van de topvaardigheden is: gebruik kunnen maken van de kennis die je hebt, op het moment dat dat nodig is. Dat moet je ook zelf kunnen bepalen. In een baan(tje) word je geacht dingen te kunnen. Niemand gaat je dan vertellen dat je op een bepaald moment de aardrijkskunde uit de derde klas moet ophalen. Dat moet je zelf kunnen.
Denk zelf eens na over het verschil tussen kennis en vaardigheden, niet alleen op school, maar ook in een baan(tje) of in ander werk of hobby's die je beoefent.

De onderstaande stappenplannen kunnen je helpen bij het jezelf aanleren van verschillende vaardigheden.

1
Studeren in een theorieboek

Behalve het boek heb je een pen en een blaadje papier nodig (een werkblad)

STAP 1
Oriënteren
- Bepaal hoeveel tijd je geconcentreerd gaat werken.
- Lees de titel; is het een 'ludieke' titel of een titel die de inhoud precies weergeeft?
- Zet de inhoudelijke titel van het hoofdstuk midden op je werkblad; zet rechtsboven de datum en de tijd.
- Lees de inhoudsopgave van het hoofdstuk.
- Lees de samenvatting, als die er is.
- Hoeveel pagina's heeft de tekst die je wilt gaan lezen? Schrijf dat op het werkblad.

STAP 2
Globaal lezen
- Bepaal de structuur van de tekst; hoe zit de tekst in elkaar? paragrafen, delen, alinea's.
- Lees in vijf minuten alle (relevante) paragraaftitels door.
- Maak een kladopsomming op je werkblad.
- Lees binnen vijf minuten zoveel mogelijk begin- en of eind regels van de alinea's in de hoofdstukken door.
- Bekijk de illustraties en tabellen en herhaal voor jezelf binnen vijf minuten de bedoeling van de illustraties en tabellen.
- Maak een kladopsomming van tabellen en figuren.
- Maak een schatting voor jezelf hoeveel je nu al van het hoofdstuk of deel weet of begrijpt.

STAP 3
Aandachtig lezen
- Ga nu de tekst paragraaf voor paragraaf, alinea voor alinea, zin voor zin aandachtig doorlezen.
- Maak daarvoor een plan: verdeel de tekst in overzienbare stukken. Houd daarbij rekening met je eigen spanningsboog' (dat is de periode dat je echt geconcentreerd kunt werken).
- Wees je er, bij het doorlezen van de tekst bewust van dat je de begrippen en de boodschap van de tekst zo goed mogelijk wilt onthouden.
- Probeer dus actief dingen in je geheugen op te nemen.
- Vraag je af: Hoe doe jij dat gewoonlijk? Is dat een goede manier?
- Noteer belangrijke begrippen die je in de tekst tegenkomt in je (groeiend) schema, zodat je ze actief moet koppelen aan de begrippen, schema's en redeneringen die je al kent.

STAP 4
Begrippen begrijpen
- Maak een lijstje van de begrippen die je niet kent of denkt niet te kennen.
- Maak onderscheid tussen dingen en processen.
- Zoek het woord op.
- Controleer of wat je al dacht goed was. Als dat niet zo is zet er dan 'dus niet' achter!
- Schrijf de kern van het begrip op je werkblad erbij.

STAP 5
Telegram
- Schrijf (of vertel je zelf; eventueel hardop) in telegramstijl waar de alinea over gaat.
- Durf met 'voorlopige begrippen' te werken ("ik begrijp het nog niet helemaal, maar het betekent ongeveer dat").
- Schrijf dus op wat het onderwerp en de belangrijkste sub-onderwerpen van de tekst zijn.

STAP 6
Integratie
- Stel jezelf vragen die over deze tekst gesteld zouden kunnen worden.
- Geef aan hoe het geleerde samenhangt met iets wat je eerder geleerd hebt
- Bedenk toepassingen van het geleerde, of van sommige geleerde begrippen
- Geef aan hoe je het geleerde uit zou kunnen breiden: wat zijn vervolgvragen?
- Geef aan waar je denkt dat de 'voorlopige begrippen' verder ingevuld zullen worden.

STAP 7
Totaal
- Voeg alle alinea's en paragrafen van het hoofdstuk tot een geheel samen.
- Schrijf in je eigen woorden een samenvatting in korte heldere zinnen (dus niet de samenvatting in het boek overschrijven, dat is zinloos).
- Schrijf kort op wat je nog met dit hoofdstuk wilt doen in de toekomst.

2
Opzoeken in een (theorie)boek

Toelichting
Je kunt op drie manieren gaan zoeken in je theorieboek:
1 je weet eigenlijk al welk hoofdstuk je moet hebben en je begint daar te lezen;
2 je kunt zoeken via het register;
3 je kunt zoeken via de inhoudsopgave van het boek.

STAP 1
Je weet in welk hoofdstuk je moet zoeken
Als je wel zo'n beetje of zelfs precies weet in welk hoofdstuk van het boek je moet zijn, dan ga je daar natuurlijk naar toe. Bij het eerste artikel in dit werkboek dat je gelezen hebt 'Biologie van leren nog slecht begrepen', is dat waarschijnlijk het geval. Je zult er achter gekomen zijn dat je nog weinig van de hersenen, het zenuwstelsel en helemaal weinig van zenuwcellen weet. Als je dan een hoofdstuk vindt waarin de paragraaf 'het zenuwstelsel' staat, dan kun je toch wel vermoeden dat je daar moet zijn en kun je kijken of je een stukje verder komt als je dat hoofdstuk begint te lezen.

STAP 2
Je gaat zoeken via het register
Als je nog geen idee hebt waar je de gewenste informatie kunt vinden dan is zoeken via het register de beste optie, omdat daar de term die je op wilt zoeken te vinden is, of niet. Soms kun je even kijken of een andere term, die er eventueel mee te maken heeft, er welbij staat. Als de term niet in het register staat, is dat wel vervelend, maar je weet dan toch iets nuttigs: namelijk, dat je in dit boek waarschijnlijk niet verder hoeft te zoeken.
- Zoek het register op.
- Zoek een begrip op, bijvoorbeeld zenuwcel. Schrijf de paginavermelding(en) op een kladje.

Tip 1
Het is handig de paginavermeldingen altijd op een kladje te schrijven, omdat je anders telkens terug moet naar het register, en als je boek dichtvalt is dat helemaal tijdrovend. Je kortetermijngeheugen onthoudt te veel verschillende bladzijden niet. Probeer het maar eens.

Tip 2
Als je erg veel moet opzoeken is opzoeken via het register een hele klus. Bovendien is waarschijnlijk, dat de dingen die je opzoekt in het boek bij elkaar staan, omdat jij tenslotte vanuit een bepaald thema bent gaan zoeken . Je kunt dat merken als het register je, bij het opzoeken van verschillende termen, naar bladzijden verwijst, die dicht bij elkaar zitten. Waarschijnlijk kom je dan steeds in hetzelfde hoofdstuk terecht. Het is dan handig over te schakelen naar dat hoofdstuk en/of via de inhoudsopgave van het boek te gaan zoeken.

Tip 3
Zit je eenmaal in het goede hoofdstuk, dan kun je via de inhoudsopgave gemakkelijk nakijken of er nog een hoofdstuk in aanmerking komt. Zo zou je bijvoorbeeld in hoofdstuk 9 op de gedachte kunnen komen, dat je iets meer over hormonen wilt weten. Je zoekt dan of in de inhoudsopgave, of in het register waar je iets over hormonen kunt vinden.

Tip 4
Je kunt het register ook nog gebruiken als je een bepaalde term wilt nalezen en het niet handig is het hele hoofdstuk door te gaan bladeren.

Tip 5
Sommige boeken (bijvoorbeeld een encyclopedie) hebben geen register, maar zijn wel alfabetisch gerangschikt. Ook dan is systematisch zoeken gemakkelijk. Het hele boek is dan eigenlijk tegelijkertijd register.

STAP 3
Je gaat zoeken via de inhoudsopgave
Als het boek geen register heeft blijft zoeken via de inhoudsopgave over.

3
Een woordenweb of begrippenkaart maken

- Zet het woord in het midden van de bovenste (of onderste) helft van een blaadje.
- Zet de associaties die bij je opkomen daaromheen (zie voorbeeld 1).
- Verbind de associaties met lijnen met het centrale begrip.
- Geef de relatie tussen associatie en centraal begrip met (werk)woorden aan (zie voorbeeld 2).

voorbeeld 1

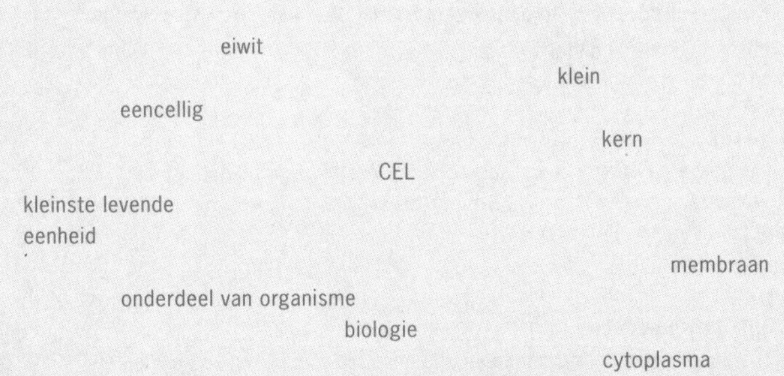

voorbeeld 2

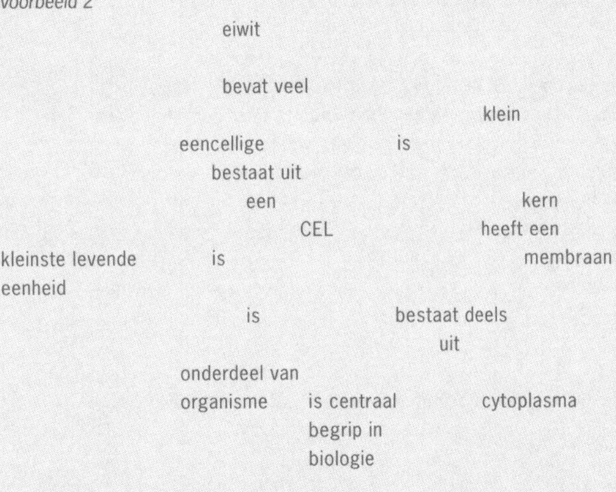

4

Werken in een groep

- Goed lezen van de opdracht, onduidelijke begrippen of vragen verduidelijken (aan elkaar voorzover bekend).
- (In een zin) omschrijven wat de bedoeling is.
- Opschrijven wat je reeds weet van dit onderwerp, en die informatie in de groep meedelen
- Systematisch inventariseren van de belangrijkste oorzaken en gevolgen/voors en tegens/andere tegenstellingen/dimensies, A's en B's in het probleem.
- Gezamenlijk verdiepingsvragen van A's en B's et cetera opstellen, om deze verder uit te zoeken.
- Aanvullende gegevens over een van de A's en/of B's zoeken; ieder neemt een of meerdere vragen voor zijn of haar rekening (geef dingen die je toevallig tegenkomt en die niet tot jouw taak behoren, maar wel tot de vragen die jullie onderzoeken, aan degene die daar mee bezig is/zijn).
- Alle opgedane kennis integreren; ieder brengt zijn opgedane kennis en begrip in, en deze worden getoetst aan de bevindingen van de anderen.
- Schrijven van een concluderend verslag.

5

Werken volgens de Systematisch Probleem Aanpak (SPA)

Toelichting
De Systematisch Probleem Aanpak (SPA)-methode is een bestaande methode om vraagstukken en problemen volgens een goede (systematische) aanpak op te lossen. Hij is ontwikkeld door de SLO voor Biologie, voor Natuurkunde en voor Scheikunde. Goede kans dus dat je in een van deze vakken met de uitvoerige beschrijving van de methode gaat werken. Vraag het aan je docenten.
Omdat die aanpak dus al ergens anders beschreven is, volgt hier alleen de samenvatting, waar je ook al heel veel mee kunt doen:

STAP 1
Voorbereiding
a Waar gaat het over?
b Lees de opgave echt goed.
c Schrijf op wat er precies gevraagd wordt.
d Zet op een rijtje:
- over welke leerstof gaat het
- welke gegevens zijn er?
- heb ik nog meer nodig?

e Haal kennis rond het onderwerp uit je geheugen.

STAP 2
Aanpak
a Welke stappen kan ik onderscheiden?
b De situatie in tekening of schema brengen.
c Verbanden zoeken.

STAP 3
Uitvoering
a Eerste reken- of redeneerronde.
b Waarom lukt het (niet)?
c Zijn alle gegevens en aanwijzingen gebruikt?
d Doe ik het goed, logisch?

STAP 4
Controle
a Is de uitkomst van een berekening realistisch (schatten)?
b Is de redenering logisch?
c Waarom lukt het (niet)?

6

Een (te) ruime opdracht voor jezelf in een heldere taak vertalen

Toelichting
Soms krijg je een opdracht die te ruim voor jou is en zul je je afvragen "Wat moet ik nu doen?" Dit stappenplan helpt je en vormt eigenlijk de leerlijnen 2 en 3 bij een dergelijke opdracht. Probeer er eerst zelfstandig, of met een medeleerling, uit te komen; vraag daarna pas hulp aan je docent.

STAP 0
Samenwerken
Als je het alleen moeilijk vindt, werk dan samen met een andere leerling.

STAP 1
Goed lezen
Lees de opdracht nog eens goed door en noteer wat je wel begrijpt.

STAP 2
Wat moet je doen?
Analyseer de opdracht nog eens goed: zoek de werkwoorden op, want daarin staat wat je moet doen. Maak daar een lijstje van.

STAP 3
Opdelen
Verdeel de opdracht in gedeelten. Voer deze stuk voor stuk uit.

STAP 4
Wat heb je nodig?
Zoek in de opdracht naar aanwijzingen voor wat je nodig hebt. Als je de anatomie van een dier of orgaan moet bestuderen heb je misschien wel snijgereedschap nodig. Maak daar een lijstje van.

STAP 5
Producten
Ga na wat het product van de opdracht moet zijn. Dan weet je al beter wat je moet maken (en dus doen).

STAP 6
Hoe goed?
Staan er ook aanwijzingen in de opdracht hoe goed het product moet zijn? Als die er niet staan mag je dat blijkbaar zelf bepalen. Criterium is dan of jij of een andere leerling er veel van leert.

STAP 7
Vergelijkbare opdracht
Als je nou nog onvoldoende weet wat je doen moet, kun je een vergelijkbare opdracht zoeken die je al eerder tot een goed einde hebt gebracht.

STAP 8
Zelfvertrouwen
Zeg hardop tegen jezelf dat je deze opdracht tot een goed einde gaat brengen.

STAP 9
Meer informatie
Ten slotte levert het lezen van een tekst (in je theorieboek) natuurlijk ook nog aanwijzingen.

7
Het doen van onderzoek

Dit stappenplan wijkt af van de versie die in Synaps Werkboek 1 Havo 4 staat. Het is geheel herschreven, en naar onze mening sterk verbeterd. Gebruik dus voortaan liever deze versie en niet de oude.

Doelstelling

Dit stappenplan dient om je helpen een hypothesetoetsend onderzoek uit te voeren. Andere vormen van onderzoek staan beschreven in de vaardigheden Bij het doen van hypothesetoetsend onderzoek onderscheiden we 10 stappen, die we eerst noemen en daarna bespreken.

STAPPEN

Een onderzoeksvraag formuleren

De onderzoeksvraag uitwerken in de richting van wat je doen moet ('operationaliseren')

Daarbij in de literatuur zoeken wat er al onderzocht is.

Vaststellen of je met een literatuuronderzoek kunt volstaan, of met een eigen beschrijving van waarneembare verschijnselen, of dat je inderdaad een hypothesetoetsend onderzoek(je) moet uitvoeren.

Vervolgens nogmaals via redeneren en het combineren van de opgedane kennis uit de literatuur de hoeveelheid werk zoveel mogelijk beperken (efficiency-principe)

Een of enkele hypothesen formuleren (als-dan-als-redenering), ook alternatieve hypothese(n)

De toetsing van de hypothese(n) en alternatieve hypothese(n) uitvoeren

De gegevens verzamelen en bewerken

Conclusies trekken en

Een verslag van het onderzoek schrijven

Onderzoek doen leer je echter niet van een abstract schema als dit. Je leert het door het veel te doen. Daarbij kan een stappenplan je wel behulpzaam zijn. Ook is het niet zo dat je alle stappen precies in deze volgorde moet uitvoeren. In de aanwijzingen hieronder wordt je bijvoorbeeld aangeraden meteen met het verslag (artikel), stap 10, te beginnen. In een conceptverslag kun je meteen dingen noteren die je anders eerst in een logboek moet opschrijven. Het scheelt werk als je het groeiend conceptverslag als een deel van je logboek beschouwd en niet andersom.

STAP 1

Formuleer de onderzoeksvraag

a Formuleer zo precies mogelijk wat je te weten wilt komen.
b Formuleer maar één vraag tegelijk.
c Controleer nu al of je taalgebruik zo helder mogelijk is.*
d Als blijkt dat die vraag in meerdere vragen uiteen valt, maak dan van elke vraag een apart onderzoekje.
e Splits een groot onderzoek dus op in een serie kleine vragen, die je als aparte onderzoekjes behandelt.
f Het is overigens erg waarschijnlijk dat je de onderzoeksvraag nog een keer opnieuw zult formuleren; zie stap 3 of 4, dus besteed er nu niet teveel tijd aan.

*Het vragend bijwoord 'waarom' is bijvoorbeeld een erg onduidelijk woord. Wat bedoel je er mee? 'Waardoor' of 'waartoe'? Gebruik dan deze woorden!

STAP 2

Werk de onderzoeksvraag uit in de richting van wat je moet doen ('operationaliseren van de onderzoeksvraag')

In deze fase gaat het vooral nog om het doordenken van de onderzoeksvraag en de consequenties die daar aan vastzitten:

a Bepaal voorlopig hoe je de vraag wilt onderzoeken.
b Probeer zo veel mogelijk door redeneren de onderzoeksvraag al op te lossen; het gaat er echt om dat je zo weinig mogelijk werk doet: efficiency!
c Hark al je kennis rondom dit onderwerp bij elkaar.
d Stel vast wat je al weet en wat je nog moet uitzoeken.
e Vraag je af welk onderzoek er al over dit onderwerp gedaan kan zijn; maak een informatiezoekplannetje om de meest relevante literatuur op te zoeken (zie de vaardigheden 9, 2 en 1).
f Schrijf zeer precies op wat je nog te weten wilt komen; ga niet ins Blaue hinein zitten zoeken.
g Herformuleer de onderzoeksvraag eventueel al.
h Stel een voorlopig plan van aanpak op, vooral om de tijd te bewaken; zie stap 6.

STAP 3

Zoek in de literatuur wat er al onderzocht is, of naar meer gegevens

a Ga met behulp van je informatiezoekplan op zoek naar de meest relevante literatuur en bestudeer die; zoek wat er op dit gebied al onderzocht is.
b Beperk je tot de drie meest belovende bronnen.
c Schrijf zeer precies op wat je nog te weten wilt komen; ga niet ins Blaue hinein zitten zoeken.
d Trek de literatuur uit met je voorlopige onderzoeksvraag (stap 1 en 2) voortdurend in je achterhoofd.
e Welke veranderingen, aanvullingen of aanscherpingen van je onderzoeksvraag levert dat op.
f Stel vast of je met een literatuuronderzoek kunt volstaan (zie vaardigheid 9 en 13), of met een eigen beschrijving van waarneembare verschijnselen (beschrijvend onderzoek), of dat je inderdaad een hypothesetoetsend onderzoek(je) moet uitvoeren.

STAP 4

Stel een of meer hypothesen op

a Stel nogmaals vast dat je inderdaad een hypothesetoetsend onderzoek moet doen.
b Probeer nogmaals via redeneren en het combineren van de opgedane kennis uit de literatuur de onderzoeksvraag verder aan te scherpen: misschien komt er wel een heel andere formulering te staan!
c Probeer de hoeveelheid werk die je moet doen zoveel mogelijk te beperken.
d Formuleer nu de verschillende veronderstelling die ter oplossing van de onderzoeksvraag bij je opgekomen zijn, volgens de formule: 'ik denk dat het zo en zo in elkaar zit'.
e Formuleer ook een eventuele alternatieve hypothese in die vorm(n): 'het zo ook kunnen zijn dat...'.
f Kijk of er nog meer hypothesen geformuleerd moeten worden en doe dat dan.
g Je kunt hier de paragrafen 'Opzet van het Onderzoek' en 'Materiaal en Methoden' van het eindverslag (artikel), stap 10, al voorbereiden.

STAP 5

Leid een voorspelling uit elke hypothese af

a Formuleer nu de verwachte uitkomsten onder de verschillende hypothesen volgens de als-dan-als-formule (ADA): 'ALS (volgt de hypothese) juist is, DAN zal..., ALS ik...'.
b Formuleer ook de verwachte uitkomsten onder de alternatieve hypothese(n) volgens de als-dan-als-formule
'ALS (volgt de alternatieve hypothese) ONJUIST is, dan zal..., als ik...'.
c Stel vast of de alternatieve hypothese een 'controle' is, of dat aparte controles moeten worden gepland.
d Je kunt hier de paragrafen 'Opzet van het Onderzoek' en 'Materiaal en Methoden' van het eindverslag (artikel), stap 10, al voorbereiden.

STAP 6

Stel nu het definitieve onderzoeksplan of plan van aanpak vast

a Schrijf nu op wat je achtereenvolgens in het aantal beschikbare uren moet gaan doen.
b Trek de tijd die je al aan het onderzoek besteed hebt af van het aantal beschikbare uren.
c Houd ernstig rekening met wachttijden; vul deze in met het schrijven van de delen van het eindverslag die eigenlijk al gereed zijn (zie stap 10).
d Breng deze gegevens over in je agenda.
e Je kunt hier de paragrafen 'Opzet van het onderzoek' en 'Materiaal en Methoden' van het eindverslag (artikel), stap 10, al voorbereiden. Ook kun je al notities maken voor de paragraaf 'Discussie', want er is intussen al genoeg gebeurd.

STAP 7

Voer de toetsing van de hypothese(n) en alternatieve hypothese(n) uit

a Schrijf precies op welke gegevens je moet verzamelen.

b Maak alvast protocollen en standaardformulieren.
c Voer alle werkzaamheden uit.
d Maak zorgvuldig notities in je logboek.
e Je kunt hier de paragrafen 'Opzet van het onderzoek' en 'Materiaal en Methoden' van het eindverslag (artikel), stap 10, al voorbereiden. Ook kun je al een concepttekst schrijven voor de paragraaf 'Uitvoering en Resultaten' en 'Discussie', want er is intussen al genoeg gebeurd.

STAP 8
Verzamel en bewerk de gegevens
a Verzamel de gegevens die je nodig hebt om de hypothesen te toetsen.
b De gegevens moeten al in de voorspelling vermeld staan.
c Bewerk de gegevens indien nodig; gebruik vaardigheid 12.
d Maak tabellen en grafieken op basis waarvan conclusies omtrent de hypothesen te trekken zijn.
e Ook hier kun je al een concepttekst schrijven voor de paragraaf 'Resultaten' en 'Discussie'.

STAP 9
Trek conclusies omtrent de hypothesen, op basis van de (bewerkte) gegevens
a Breng de uitkomsten van de experimenten (de al dan niet bewerkte gegevens) via de voorspelling in verband met de hypothese(n).
b Leg uit waarom deze gegevens de hypothese(n) en de alternatieve hypothese(n) bevestigen of ontkrachten.
c Trek een krachtige, samenvattende slotconclusie over je onderzoek, in een paar zinnen. Laat alle details en bedenkingen hier weg (die komen in de paragraaf 'Discussie' aan de orde).
d Schrijf al een concepttekst voor de paragraaf 'Conclusies' en, eventueel, 'Discussie'.

STAP 10
Schrijf een verslag (artikel) over het onderzoek volgens de gangbare conventies
Schrijf nu het artikel waaraan je al eerder begonnen bent af. De onderdelen a, b, c, h en i, en concepten van d, e en f had je al eerder kunnen schrijven. Als je een goed werkplan hebt gemaakt (zie stap 6) en wachttijden goed hebt ingevuld, hoef je hier alleen de definitieven tekst van d, e en f en g nog maar te schrijven.

Het artikel moet bevatten:
a Een duidelijke Titel en de Namen van de auteurs.
b De definitieve onderzoeksvraag en een Inleiding hoe men tot die vraag gekomen is en in welke onderzoekssamenhang die gezien moet worden: Inleiding en onderzoeksvraag. Hier wordt dus (!) ook de literatuur verwerkt (samenhang met eerder onderzoek).
c De onderzoeksopzet met de hypothesen, en een onderdeel 'Materiaal en Methoden' (zodat anderen het onderzoek precies kunnen herhalen).
d De ruwe Resultaten (tenzij die erg omvangrijk zijn) en de bewerking daarvan; de bewerking dient onder 'Methoden' vermeld te worden; denk aan het opnemen van figuren en tabellen, die vaak apart moeten worden gemaakt.
e Een paragraaf 'Conclusies' ten aanzien van de hypothesen en de onderzoeksvraag op basis van de gegevens: wat heeft het onderzoek uiteindelijk opgeleverd en bewezen; wellicht is ook hier nog een figuur of diagram wenselijk (vergelijking van de resultaten met ander onderzoek of met de (een) theorie).
f Een paragraaf 'Discussie' waarin de conclusies nog eens in hun onderzoekssamenhang gezet worden (zie inleiding) maar waar ook problemen, tegenvallers, vreemde zaken, afwijkende resultaten (van zowel de hypothese als van de alternatieve hypothesen), fouten en zwakheden in het onderzoek besproken worden, en waarschijnlijk nieuw opgekomen vragen ('verder onderzoek') naar voren geschoven worden.
g Een Samenvatting waarin het onderzoek kernachtig (100-200 woorden) wordt samengevat.
h Een zorgvuldig opgestelde Literatuurlijst.
i De adressen , ook e-mail, van de auteurs.

- De onderzoeksvraag en de onderzoeksopzet met de hypothesen kunnen in een aparte paragraaf tussen Inleiding en Materiaal en Methoden worden: 'Opzet van het onderzoek'.
- Indien nodig kan aan de paragraaf Resultaten een inleiding worden toegevoegd (als het onderzoek ingewikkeld is en een juiste uitvoering veel invloed heeft of kan hebben op de resultaten): 'Uitvoering en Resultaten'.
- De Samenvatting kan ook direct achter de Titel en de auteursnamen worden gezet, dan meestal cursief.
- Het artikel kan in het Nederlands geschreven worden, maar mag zeker ook in het Engels. In geval van een Nederlandse tekst is het zeer aan te bevelen een 'Abstract' in het Engels (een goede vertaling van de Nederlandse 'Samenvatting') op te nemen.

8
Enquêteren

Toelichting
Enquêteren is één van de manieren waarop je informatie kunt verzamelen. Bij een enquête gaat het om kwantitatieve gegevens, gegevens over aantallen. Vergelijk dit met een interview: daarbij gaat het om de inhoud van wat iemand te vertellen heeft, een interview is een kwalitatief onderzoek.

STAP 1
Formuleer de onderzoeksvraag
Een enquête is een *onderzoeksmethode* (mondeling of schriftelijk) waarmee je probeert inzicht te krijgen in een bepaald probleem. Bij een *onderzoeksprobleem* hoort een duidelijke onderzoeksvraag. Het is daarom belangrijk dat de *onderzoeksvraag* zo is geformuleerd dat je met een beperkt aantal enquêtevragen tot goede (kwantitatieve) gegevens kunt komen. Anders gezegd: uit een goede onderzoeksvraag komen als vanzelf goede enquêtevragen voort. Alleen goede vragen leveren bruikbare antwoorden waaruit je conclusies kunt trekken.

STAP 2
Omschrijf duidelijk de doelgroep
Bij de opstelling van enquêtevragen moet je je richten op degenen die de vragen moeten beantwoorden (de *doelgroep*). Je moet de vragen zo stellen dat iedereen uit de doelgroep ze kan begrijpen. Onder doelgroep (in onderzoeksjargon: *populatie*) versta je alle personen die de eigenschappen hebben waarin de onderzoeker geïnteresseerd is, bijvoorbeeld alle havo-scholieren van 16 jaar en ouder.
Ook moet je vaststellen of je een *steekproef* gaat doen. Wil je een onderzoekje doen over een klassenavond, dan vraag je iedereen (de gehele populatie) zijn mening. Over een schoolfeest kun je een steekproef doen, door bijvoorbeeld de mening te vragen van twee leerlingen uit elke klas. Er zijn overigens verschillende manieren om een steekproef te doen.

STAP 3
Schrijf de begeleidende brief of formuleer de persoonlijk te geven uitleg
Het verkrijgen van medewerking van *respondenten* (personen die antwoorden op een enquête) is van groot belang. Het grote probleem bij het houden van een enquête is de *response* (het percentage personen dat meewerkt aan een onderzoek). Je moet dus maatregelen nemen die de response kunnen verhogen. Een goede introductie is belangrijk. In een begeleidende brief of persoonlijke uitleg moet je aangeven:
- wie het onderzoek doet;
- waar het onderzoek voor dient;
- wat er zoal gevraagd gaat worden;
- hoe het komt dat juist deze respondent voor het onderzoek benaderd wordt;
- wat er met de informatie gebeurt;
- dat de respondent vrij is mee te doen, maar dat medewerking wel erg op prijs gesteld wordt;
- hoe de vragen moeten worden ingevuld;
- hoe en voor welke datum de vragenlijst geretourneerd moet worden.

STAP 4
Bepaal de vraagmethode
Vragen moeten aan de volgende *criteria* voldoen omdat je nu eenmaal geldige en betrouwbare antwoorden wilt hebben:
a Vragen moeten *eenduidig* zijn, dat wil zeggen dat alle respondenten de vraag

op dezelfde wijze begrijpen. Het gebruik van woorden als vaak en soms is uit den boze.

b Vragen moeten *eendimensioneel* zijn, dat wil zeggen dat er maar één ding tegelijk gevraagd wordt. De vraag: "Hoe staan je ouders en vrienden er tegenover dat je een wereldreis gaat maken?" is niet eendimensioneel. De vraag moet afzonderlijk voor ouders en vrienden gesteld worden.

c Vragen moeten *neutraal* gesteld worden, dat wil zeggen dat alle antwoordmogelijkheden een gelijke kans moeten hebben. Een vraag mag dus niet *suggestief* zijn, bijvoorbeeld: U vindt toch ook dat u te hard moet werken? Of: Welke kranten, zoals de *Volkskrant* en *De Telegraaf* lees je? Een vraag waarin voorbeelden genoemd worden is suggestief.

d Vragen moeten in een *logische volgorde* staan. Je moet proberen de vragen zo te ordenen dat de respondent de vragenlijst als een normaal gesprek ervaart. Zet vragen over eenzelfde onderwerp bij elkaar en breng een logische lijn in de opeenvolging van de onderwerpen. Anders gezegd: ook de onderwerpen zelf moeten voor de respondent zinnig op elkaar aansluiten. Geen vragen achter elkaar plaatsen waarbij het antwoord op de eerste vraag de beantwoording van de tweede kan beïnvloeden.
Voorbeeld: vraag 1: Hoe heb je je proefwerk Engels gemaakt? Was dat goed, matig of slecht? En vraag 2: Wat vind je van de manier waarop je leraar Engels de stof van zijn vak overbrengt? Goed, matig of slecht?

e Vragen moeten zo opgesteld worden dat ze aansluiten op en passen in het *referentiekader* (leef- en denkwereld) van de respondent.

f Vragen moeten voor de respondent niet *bedreigend* zijn. Onderwerpen die *taboe* zijn, kun je niet zonder meer ter sprake brengen. Doe je dit wel, dan krijg je niet de informatie die je wilt hebben. De respondent gaat dan uitwijken naar andere mogelijkheden.

g Vragen moeten niet *meer kennis bij de respondenten veronderstellen* dan ze in werkelijkheid bezitten. De respondent voelt zich geblameerd en om zijn onwetendheid te verbergen slaat hij bijvoorbeeld de vraag over.

Soorten vragen met bijbehorende antwoordvormen

– Open vragen

a algemeen open vragen/volledig open
   * Wat vind je van de school waar je nu op zit?

b specifieke deelvragen
   * Wat vind je van de leraren?
   * Wat vind je van de lessen?
   * Wat vind je van de andere leerlingen op school?

c onvolledige uitspraken aanvullen/zinnen afmaken
   * Ik vind dat hier op school ...

N.B. nadeel van open vragen: het verwerken kan problemen met zich meebrengen!

– Gesloten vragen

Vragen zonder antwoordcategorieën in de vraag

d schijnbaar open vragen
   * Hoe oud ben je?
   * Waar woon je?

e vragen met formele antwoordcategorieën
   Geef aan: mee eens/niet mee eens
   * De meeste leraren zijn te vertrouwen.

Vragen waarin de antwoordcategorieën zijn besloten

f vragen met alternatieve antwoordcategorieën — multiple choice

Let op: de reeks van categorieën moet uitputtend en uitsluitend zijn. Uitputtend wil zeggen dat elk antwoord in een categorie moet kunnen worden ondergebracht. De reeks categorieën is uitsluitend als een antwoord in slechts één categorie kan worden ondergebracht.

Bij de onderstaande vraag is aan geen van deze eisen voldaan:

– Welk vak vind je het meest interessant?
   • geen enkel
   • weet niet
   • godsdienst
   • spraakkunst

Bij de onderstaande vraag is de reeks categorieën uitputtend en uitsluitend:

– Wat doe je liever: alleen werken of met anderen, samenwerken of heb je geen voorkeur?
   • liever alleen werken
   • liever samenwerken
   • geen voorkeur

g vragen met niet-alternatieve antwoordcategorieën – checklist

Dit zijn vragen waarbij de antwoordalternatieven elkaar niet wederkerig behoeven uit te sluiten.

– De leraren van deze school vind ik:
   • onaardig
   • weinig behulpzaam
   • onbetrouwbaar
   • aardig
   • .....

Vragen waarbij je een volgorde moet aangeven

h rangschikkingsvragen

Geef met 1, 2, 3, 4 aan welke eigenschappen van leraren je achtereenvolgens het belangrijkst vindt.
• humoristisch
• vooruitstrevend
• behulpzaam

STAP 5

Bepaal de enquêtevorm

Je kunt je enquête op verschillende manieren opstarten:

a Via de post de enquête toesturen: lage response, hiermee kan de betrouwbaarheid van de gegevens teruglopen.

b Iemand persoonlijk de enquête overhandigen en een afspraak maken over het weer ophalen: redelijke response, grote mate van betrouwbaarheid.

c Telefonische enquête: door het mondeling afnemen, kan de betrouwbaarheid minder zijn.

d Persoonlijk mondeling: grote response, kost veel tijd, onzuiverheid bij het stellen van de vragen, 'ruis'.

e Groepsenquête: de respondenten vullen wel ieder voor zich de enquête in. Voordelen: kosten beperkt, response hoger dan bij individuele benadering, je kunt toelichting geven.
Nadeel: je kunt alleen werken met natuurlijke groepen, bijvoorbeeld klassen en gezinnen.

STAP 6

Bepaal de verwerkingsmethode

De verwerkingsmethode is van belang voor de manier van vragen stellen. Je moet vooraf de manier vaststellen waarop de gegevens worden verzameld en verwerkt. *Verwerken* houdt in dat de gegevens geschikt gemaakt worden voor de *analyse*. Het bepalen van de analysemethode moet ook gebeuren voordat je de vragenlijst opstelt, omdat de gewenste analysetechniek gevolgen heeft voor de manier waarop de gegevens worden verzameld. Als je veel gegevens hebt, kun je niet buiten een computer. Met een spreadsheetprogramma bijvoorbeeld kun je zelfs kijken of er een correlatie is tussen de antwoorden op verschillende vragen.

STAP 7

Stel de vragen op

Een goede vragenlijst meet niet alleen, zij motiveert ook! De bereidheid een vragenlijst in te vullen is groter naarmate de vragenlijst korter is, de vragen duidelijk en eenvoudig te beantwoorden zijn, de lay-out er verzorgd uitziet en je duidelijk aangeeft welke vragen de respondent moet beantwoorden, welke hij mag overslaan en bij welke vraag hij dan verder moet gaan.
Ondanks de goede voorbereiding kan het zijn dat vragen die eigenlijk niet misverstaan kunnen worden, soms toch nog anders worden opgevat. Leg daarom de vragenlijst aan een aantal mensen voor, voordat je de lijst werkelijk gaat gebruiken (pretesten).

STAP 8

Neem de enquête af

De voorafbeslissingen zijn genomen; de enquête is samengesteld. Je kunt nu de gewenste informatie gaan vergaren.

STAP 9

Verwerk de gegevens

Voor het analyseren van de verzamelde gegevens kun je verschillende *statistische technieken* gebruiken. Bij het verrichten van *kwantitatief* onderzoek probeer je cijfermatige conclusies te trekken. Het trekken van verantwoorde conclusies is alleen mogelijk als je de verzamelde gegevens op de juiste manier *groepeert en classificeert*. Vervolgens ga je analyseren en kom je tot onderzoeksbevindingen: antwoord(en) op de onderzoeksvraag.

STAP 10
Presenteer de gegevens
De onderzoeksbevindingen presenteer je in een *rapportage* of *verslag*. De bedoeling hiervan is dat de lezer precies kan nagaan hoe het onderzoek is verlopen en tot welke resultaten dat heeft geleid. In de rapportage beschrijf je in ieder geval de onderzoeksvraag, de doelgroep, de opzet van de enquête, de vorm, de verwerkingsmethode, de onderzoeksresultaten.

Informatie verwerven

Toelichting
Wanneer je meer informatie wilt hebben over een bepaald onderwerp, zul je gegevens moeten gaan verzamelen. Dat is gemakkelijker wanneer je volgens dit stappenplan werkt. Wanneer je daar geen gebruik van maakt, loop je het risico dat je speurtocht niet de informatie oplevert die je nodig hebt. Je mist bijvoorbeeld belangrijke informatie of werkt met onbetrouwbare informatie. Of belangrijker misschien: je hebt te veel informatie. Met het onderstaande stappenplan kun je dit soort problemen bij het verwerven van informatie voorkomen.

STAP 1
Informatiebehoefte vaststellen
Allereerst moet je vaststellen over welke informatie je wilt beschikken, want lang niet alle informatie die je over een onderwerp vindt, is voor jou interessant. Wanneer je informatie verzamelt over het omgaan van een patiënt met suikerziekte, kun je zoeken naar het onderwerp suikerziekte. Je zult dan bijvoorbeeld informatie vinden over behandeling, fysiologie, voorkomen van suikerziekte, ouderdomssuikerziekte, diëten, voedingsmiddelen, patiëntenvereniging, insuline. Kortom veel meer informatie dan je nodig hebt. Want met deze informatie weet je nog niet hoe een patiënt met de ziekte om moet gaan. Wanneer je zoekt naar het omgaan met een ziekte zul je hetzelfde probleem tegenkomen. Je moet daarom je informatiebehoefte vaststellen, zodat je alleen de informatie verzamelt die je nodig hebt.
De informatiebehoefte kun je bepalen met behulp van de vragen die je geformuleerd hebt. Op die vragen wil je een antwoord hebben. De informatie die je verwerft moet dan ook een antwoord geven op die vragen. Andere informatie is niet relevant. Betrek daarbij ook wat je zelf al weet.

STAP 2
Informatiebronnen inventariseren
Er zijn veel bronnen waaruit je informatie kunt halen. Een boek uit de bibliotheek ligt voor de hand, maar je kunt uit veel meer bronnen informatie halen. De tweede stap in het stappenplan voor informatieverwerving, is te inventariseren uit welke bronnen je die informatie kunt halen.
We onderscheiden drie typen bronnen:
1 literatuur;
2 cd-rom en/of internet;
3 de waarneembare werkelijkheid.

Literatuur
De literatuur omvat al het geschreven materiaal. Denk aan de vakliteratuur, de krant, knipselmappen, tijdschriften naslagwerken zoals: encyclopedieën (algemeen en per vakgebied), atlassen, bibliografieën, handboeken, wetboeken, woordenboeken, landenboeken en jaarboeken. Denk aan audiovisuele hulpmiddelen. Daarbij moet je vooral denken aan video's over een bepaald onderwerp, zoals documentaires. Maar ook dia's, overheadsheets en andere audiovisuele middelen kunnen van dienst zijn.
Voor het gebruik van de bibliotheek geldt: benut de informatiebalie. De medewerkers kunnen je op weg helpen bij je zoektocht.

De computer
Veel van de bovenbeschreven bronnen zijn tegenwoordig terug te vinden met de computer. CD-rom maakt dit mogelijk. Artikelen uit kranten en tijdschriften zijn bijvoorbeeld op cd-rom te vinden. Maar ook hele encyclopedieën zijn verschenen op cd-rom, evenals allerlei andere naslagwerken zoals educatieve bestandenprogramma's. Je kunt op cd-rom per onderwerp zoeken.
Internet biedt nog veel meer mogelijkheden dan cd-rom. Al 'surfend' kun je informatie zoeken over de gehele wereld en over elk denkbaar onderwerp. Via e-mail kun je corresponderen met mensen elders in Nederland en in de wereld. Soms kan het zinvol zijn om met iemand uit een andere plaats informatie uit te wisselen over woongebied en leefsituatie.

De waarneembare werkelijkheid
Veel informatie kun je niet vinden in bibliotheken. Het is dan noodzakelijk om zelf onderzoek te doen. Dat kan gebeuren door het doen van waarnemingen en observaties. Zo kijkt een fysisch geograaf naar het landschap, een planoloog naar de inrichting van de stad, een archeoloog naar oude nederzettingspatronen en een bioloog naar de levende natuur. Elk vakgebied heeft zijn eigen waarneembare werkelijkheid. Daarom wordt daar op deze plaats niet verder op ingegaan.
De waarneembare werkelijkheid kan worden nagebootst in simulaties. In een aantal gevallen kan een simulatie de informatie opleveren die je nodig hebt. De mogelijkheden van simulaties zijn toegenomen door de komst van de computer. Daarmee kunnen ook complexe simulaties worden nagebootst, maar ook experimenten zijn hier voorbeeld van.

STAP 3
Relevante informatiebronnen selecteren
Voor elk doel is het zinvol meerdere bronnen te onderzoeken. Het is echter niet zo dat alle bronnen altijd zinvol zijn om te onderzoeken. Er zijn er vaak maar een paar relevant. Daarom is het verstandig om, nog voordat je daadwerkelijk gaat zoeken, de relevante informatiebronnen te selecteren. Je bepaalt zo dus vooraf welke bron je wel en welke je niet gaat raadplegen. Ook hiermee verklein je de hoeveelheid werk. Je hebt namelijk niet alleen bepaald wat je precies gaat zoeken (stap 1), maar ook waar je denkt dat te vinden.
Er zijn enkele zaken die dit selecteren gemakkelijker maken. Allereerst dien je jezelf af te vragen hoeveel informatie je over een onderwerp te weten wilt komen. In naslagwerken kun je snel beknopte informatie vinden. In vakinhoudelijke naslagwerken is de informatie uitgebreider. Informatie over hele actuele onderwerpen vind je vooral in kranten en tijdschriften. De achtergronden daarvan staan in knipselkranten. In boeken zul je vaak meer diepgaande informatie aantreffen. Op cd-rom en vooral op internet kun je nog meer aantreffen. Dat maakt het zoeken ook weer moeilijker. Zelf onderzoek doen in de waarneembare werkelijkheid is alleen relevant, wanneer je de antwoorden op je vragen niet kunt vinden.

STAP 4
Informatie verwerven
Wanneer je al het voorwerk hebt gedaan, kun je overgaan tot het verwerven van de informatie. Je bestudeert de bronnen die je geselecteerd hebt. Je gaat bepalen of ze relevante informatie bevatten, die aansluit op je informatiebehoefte. Belangrijk is dat je daarbij hoofd- en bijzaken onderscheidt.
Verder dien je rekening te houden met de representativiteit van het bronnenmateriaal. Niet alles wat gedrukt staat is ook even representatief. Een krantenartikeltje is niet zo'n betrouwbare bron als een wetenschappelijk onderzoek. Ook de ouderdom kan bronnen minder representatief maken. Zo waren wetenschappers er tot enkele eeuwen geleden van overtuigd dat de wereld plat was.

STAP 5
Beoordelen of je voldoende informatie verzameld hebt
Met deze laatste stap ga je na of je voldoende informatie hebt gevonden om een antwoord te vinden op je vragen. Wanneer elke vraag beantwoord kan worden door één of meer representatieve bronnen, dan heb je voldoende informatie verzameld.

10
Interviewen

Toelichting/Doelstelling
Het doel van een interview is het verzamelen van informatie uit mededelingen van ondervraagde personen. Deze informatie moet je helpen om een vooraf geformuleerde probleemstelling te beantwoorden. Het interview is de aangewezen methode om informatie te verkrijgen over hoe mensen tegenover iets staan of over iets denken (attitudes en meningen). Maar daarnaast kun je het interview ook gebruiken om feiten te verzamelen.
Het is van belang dat je aandacht besteedt aan de verschillende soorten vragen die je tijdens een interview kunt stellen. Deze komen bij stap 3 aan de orde.

STAP 1
Stel je doel vast
Er zijn globaal twee interviewvormen:
1 non-directief;
2 directief.

Non-directief
Een interview om een mening van iemand te weten te komen of een beeld van iemand te schetsen noem je een non-directief interview: jij bepaalt de richting niet. Voorbeeld: voor een onderzoek wil je een beeld krijgen van de manier waarop een verpleegkundige haar werk beleeft.

Directief
Een interview om feiten boven tafel te krijgen noem je een directief interview: jij bepaalt de richting. Je moet vooraf bepalen welke bedoeling je met een interview hebt, want de verschillende soorten interviews kennen verschillende soorten vragen (zie stap 3). Voorbeeld: je wilt precies weten hoe het proces van het drukken van een krant verloopt.

STAP 2
Stel je onderwerp vast
Voordat je iemand uitnodigt bepaal je het hoofdonderwerp van een interview. Soms kunnen er meer hoofdonderwerpen zijn. De geïnterviewde vertel je van tevoren wat het onderwerp zal zijn. De onderwerpen bepalen direct de hoofdvragen. Bij een non-directief interview kun je vooraf bepalen welke aandachtspunten je naar voren wilt brengen.

STAP 3
Zorg dat je de verschillende soorten vragen kent
Je kunt vragen op verschillende manieren indelen. De volgende soorten vragen hebben elk hun eigen effect op de geïnterviewde:
- open en gesloten vragen;
- directe en indirecte vragen;
- hoofdvragen en doorvragen.

Open en gesloten vragen
Bij een gesloten vraag kan meestal maar kort geantwoord worden. De vraag laat weinig ruimte voor de beantwoorder. Dit soort vragen is niet zo prettig voor de geïnterviewde. Hij kan niet kiezen wat hij wel of niet zou hebben willen zeggen, hij kan weinig nuances aanbrengen. Je stelt dit soort vragen vooral in een directieve interviewvorm. Je gebruikt ze om het naadje van de kous te weten te komen. Vaak begint dit soort vragen met een werkwoord. Bij zakelijke interviews zijn deze vragen wat minder bedreigend dan bij meer persoonlijk getinte interviews.
Voorbeeld: Bent u voor of tegen kerncentrales? Werkt u zelf in de drukkerij?

De open vraag begint vaak met wat, wie, hoe. De geïnterviewde kan zelf bepalen wat hij wil gaan zeggen. Kies dit soort vragen voor de hoofdvragen. De geïnterviewde kan lekker op gang komen en daarna kun je met doorvragen meer details te weten komen.
Voorbeeld: Wat is uw mening over kerncentrales? Wat zijn uw werkzaamheden?

Directe en indirecte vragen
Bij directe vragen bepaal jij in welke richting het antwoord zal gaan, bij indirecte vragen doet de beantwoorder dat. 'Wie wast uw sokken?', is een tamelijk directe vraag. 'Hoe wordt bij u thuis het werk verdeeld?', is een indirecte vraag. Je moet nu maar afwachten of je te weten komt wie de sokken wast.
'Op welke scholen heeft u gezeten?', is direct. 'Vertelt u eens iets over uw levensloop', is indirect. Deze vraag kan informatie over scholen opleveren, maar je weet dat vooraf niet zeker.
In het algemeen geldt dat een geïnterviewde zich beter op zijn gemak zal voelen bij indirecte open vragen. Het is aan te raden je interview meestal met zo'n vraag te beginnen.

Hoofdvragen en doorvragen
Je interview bestaat uit een of meer hoofdvragen. Die vragen kun je voorbereiden. Na het antwoord op de hoofdvraag kun je een doorvraag stellen. Je vraagt dan verheldering van een bepaald onderdeel van het antwoord. Die doorvragen hebben de volgende voordelen:
- Je gaat in op wat iemand zegt. Je geeft daarmee aan goed te luisteren en interesse te hebben.
- Je laat onduidelijkheden verhelderen. Nu kun je eventueel ook wat meer gebruik gaan maken van gesloten vragen.

Voorbeeld: Het is handig om in een doorvraag een stukje van het voorafgaande antwoord op te nemen. 'U zei dat ..., kunt u dat toelichten?'

STAP 4
Kies iemand en nodig hem/haar uit
Iemand kiezen
Jouw persoon moet in ieder geval aan de volgende eisen voldoen:
1 Hij/zij kan (voor jou) gegevens leveren die je niet op een andere manier kunt krijgen.
2 Hij/zij kan gegevens leveren die voor je onderzoek relevant zijn.
3 Hij/zij levert betrouwbare gegevens of geeft duidelijkheid over zijn subjectieve invalshoek; soms moet je meer personen interviewen om verschillende invalshoeken te kunnen belichten.

Iemand uitnodigen
1 Vertel waarom je iemand wilt interviewen, bijvoorbeeld waarover je onderzoek gaat, en waarom je juist hem of haar vraagt.
2 Vertel ook wat je met de gegevens uit het interview gaat doen, bijvoorbeeld wie het resultaat allemaal te lezen krijgen.
3 Spreek niet alleen een tijdstip en een plaats af, maar ook hoe lang het interview gaat duren.
4 Vertel de hoofdvragen of de aandachtspunten. De geïnterviewde kan zich dan eventueel voorbereiden; in ieder geval begint hij niet met het onzekere gevoel: wat staat me allemaal te wachten.
5 Spreek af of je wel of niet een bandrecorder kunt of mag gebruiken.

STAP 5
Stel je vragen op en bereid het gesprek voor
1 Zorg dat je van tevoren al zoveel mogelijk van het onderwerp te weten komt. De geïnterviewde zal merken dat je echte belangstelling hebt en dat je niet helemaal ondeskundig bent. Hij zal dan met uitgebreidere informatie komen.
2 Stel de hoofdvragen op. Bepaal wat voor soort vragen dat moeten zijn. Probeer in te schatten wat voor antwoorden je zou kunnen krijgen; je kunt dan eventueel ook een paar doorvragen voorbereiden.
3 Maak een keuze voor opname met een bandrecorder of voor noteren van de antwoorden. Test de bandrecorder vooraf op geluidskwaliteit.
Bandrecorders kunnen bedreigend zijn voor geïnterviewden; zelf aantekeningen maken betekent dat je meteen moet bepalen wat belangrijk is, je moet je aandacht verdelen. Als je kiest voor aantekeningen maken, moet je wel meteen na het interview je aantekeningen uitwerken, anders vergeet je te veel.

STAP 6
Neem het interview af
1 Begin met een korte inleiding waarin je nog even de procedure herhaalt: wat je eigen achtergrond is, waarom je het interview afneemt, hoe je het interview vastlegt, wat er met de gegevens gaat gebeuren.
2 Begin een vraag met een korte inleiding. Vertel kort wat je al weet en wat de achtergrond is van de vraag die je gaat stellen. Het geeft de geïnterviewde de gelegenheid zich op een antwoord voor te bereiden. Om de geïnterviewde op zijn gemak te stellen kun je gebruik maken van de 'trechtervorm'. Je begint met een gemakkelijke, open, non-directieve vraag waarop

de ondervraagde van alles kan antwoorden en langzaam maar zeker maak je de vragen steeds gerichter en meer gesloten. Uiteindelijk kom je dan toch te weten wat je wilt weten, en vaak zelfs meer dan dat. Een geïnterviewde die zich op zijn gemak voelt zal meer vertellen dan iemand die op zijn hoede is.

STAP 7

Werk het interview uit

Je kunt de resultaten van een interview gebruiken voor een onderzoek of een artikel. Vermeld altijd met wie je het interview hebt gehouden en wanneer het heeft plaatsgevonden. Als je een artikel schrijft, kun je kiezen tussen het schrijven van een doorlopend verhaal en een vermelding van vraag en antwoord. Begin altijd met een inleiding waarin je de aanleiding voor het interview, de achtergrond van de geïnterviewde, de onderwerpen en eventueel een korte samenvatting geeft. Je kunt er een korte sfeerschets aan toevoegen. Je kunt je artikel afsluiten met een korte nabeschouwing, conclusie en persoonlijke opmerkingen. Voor de titel kun je een interessante uitspraak van de geïnterviewde nemen.

11

Werken met een microscoop

Bijna zeker krijg je van je docent de handleiding voor het gebruik van de microscoop bij jou op school; vraag daar anders om. Een algemene handleiding tref je hieronder aan:

STAP 1

Begin altijd met de kleinste vergroting. Daarvoor moet je het kleinste objectief voordraaien (dat ook het minst vergroot).
Als je niet weet wat een objectief is, is dat een aanwijzing dat je nog weinig van een microscoop weet. Dat is niet jouw 'schuld' maar wel een reden om extra zorgzaam verder te werken. Ga samenwerken met een leerling die het wel weet.

STAP 2

Stel met de kleinste vergroting scherp. Start met het objectief tot vlak boven het preparaat te draaien, terwijl je langs de microscoop kijkt. Stel dan scherp door de afstand tussen objectief en preparaat steeds groter te maken (de tubus omhoog draaien of de tafel naar beneden draaien).

STAP 3

Verbeter indien nodig de belichting door:

- de stand van het spiegeltje te veranderen (als je microscoop een spiegel heeft) en/of de condensator (als je microscoop die heeft) hoger of lager te draaien.
- het diafragma van de microscoop te vergroten of te verkleinen
- een combinatie van deze mogelijkheden toe te passen.

STAP 4

Zoek in het preparaat, door dit te verschuiven, een goede plek op waar wat te zien valt. Zorg dat deze plek precies in het midden van je beeldcirkel ligt, voor je verder gaat vergroten.

STAP 5

Draai een groter objectief voor en stel weer scherp door de afstand tussen objectief en preparaat steeds groter te maken (de tubus omhoog draaien of de tafel naar beneden draaien). Meestal hoef je dan nauwelijks meer bij te stellen. Als het scherpstellen om een of andere reden niet lukt , of je hebt het verkeerde deel van je preparaat uitvergroot, schakel dan eerst terug naar een kleinere vergroting. Stel daarmee opnieuw scherp en ga dan weer terug naar de grote vergroting.

STAP 6

Verbeter indien nodig de belichting opnieuw

STAP 7

Schakel over op een nog groter objectief, als jouw microscoop die heeft. Let er nu bijzonder goed op dat je bij verder scherp stellen de afstand tussen objectief en preparaat steeds groter maakt. Haal hulp als het bij deze stap niet lukt; het risico dat je de lenzen beschadigt is groot.

STAP 8

Eventueel kun je ook nog een groter (meer vergrotend) oculair gebruiken.

STAP 9

Verbeter indien nodig de belichting opnieuw

STAP 10

Opruimen

- Draai eerst het kleinste objectief weer voor,
- haal dan pas het preparaat weg,
- maak, als je een nat preparaat had, met een speciaal daarvoor bestemd doekje de lens en de objecttafel van de microscoop schoon,
- zet de microscoop voorzichtig op de aangewezen plaats weg. Til hem daarbij op aan het statief en zorg dat het spiegeltje of de lamp er niet uit valt.

12

Grafieken en tabellen

Toelichting

Dit stappenplan gaat over de manier waarop gegevens – en dan vooral cijfermatige gegevens – kunnen worden gepresenteerd. Hiermee kun je zowel in de fase van het verzamelen van informatie als in de fase van het presenteren van gegevens worden geconfronteerd. In onderstaande stappen wordt vooral uitgegaan van het presenteren van gegevens. Welke manieren zijn er om – cijfermatige – gegevens te presenteren en wanneer kies je voor welke vorm?

STAP 1

Ga na welk doel je nastreeft met de presentatie van de gegevens

Een grafiek geeft in vergelijking met een tabel een meer globaal en minder cijfermatig beeld van de gegevens. Aan de andere kant maakt een grafiek bepaalde zaken duidelijk die niet direct uit een tabel volgen. Zo kun je soms uit een grafiek vrij gemakkelijk een bepaalde trend aflezen. Voor het uitvoeren van berekeningen is een tabel echter nuttiger.

STAP 2

Ga na om wat voor soort onderzoek het gaat

a Ga na of er sprake is van een beschrijvend of van een verklarend onderzoek. Bij een verklarend onderzoek is er sprake van een oorzaak-gevolg relatie.

b Als er sprake is van een oorzaak-gevolg relatie, kun je ook een grafiek of formule gebruiken bij het presenteren van gegevens. Daarvoor moet je wel weten wat oorzaak is en wat gevolg. Soms zijn er meerdere oorzaken aan te wijzen en ook komt het voor dat er een direct verband lijkt te bestaan tussen twee verschijnselen terwijl er nog een derde verschijnsel is dat de eerste twee veroorzaakt. Ook kan er puur toeval in het spel zijn.

STAP 3

Ga na of aan de vormvereisten is voldaan

Bij een tabel moet je denken aan:

- een opschrift, waar gaat de tabel over, waar hebben de cijfers betrekking op;
- de betekenis van de verschillende kolommen: op welke gegevens hebben die betrekking;
- de gebruikte eenheden: gaat het om meters, tijdseenheden of procenten;
- is er een uitleg van gebruikte begrippen en/of symbolen bij, de 'legenda'.

Bij een grafiek moet je:

- een titel of opschrift vermelden zodat duidelijk wordt waar de grafiek over gaat;

- voldoende informatie bij de horizontale en verticale as zetten. De onafhankelijke variabele op de x-as. De afhankelijke informatie (dat wat je onderzoekt, meet, te weten wil komen) op de y-as
- de eenheden langs de assen duidelijk aangeven;
- gebruikte begrippen en/of symbolen verduidelijken.

STAP 4
Ga na welke conclusies uit de tabel of grafiek getrokken kunnen worden

a Kijk hiervoor nog even bij stap 2.
b Soms is een tabel of grafiek weer uitgangspunt voor een vervolgonderzoek. Ga dan na, welke onderzoeksvraag aan de orde is.
c Ga na onder welke veronderstellingen de getrokken conclusie of het geconstateerde verband geldig is.

STAP 5
Ga na of het zinvol is om het desbetreffende verband op verschillende manieren te presenteren

In het geval dat een grootheid A een andere grootheid B bepaalt, kun je nagaan of het zinvol is om het desbetreffende verband op verschillende manieren te presenteren. Zoals een grafiek een beeld van een situatie of het verloop van een ontwikkeling goed weergeeft, zo geeft een tabel de beschikbare cijfers overzichtelijk weer en beschrijft een formule het verband op een exacte en kernachtige wijze.

13
Het maken van een schriftelijk werkstuk

Doelstelling/Toelichting

Het doel van het maken van een werkstuk is dat je leert aan de hand van literatuur en andere bronnen (bijvoorbeeld de resultaten van een onderzoek) zelfstandig een logisch opgebouwd verhaal te schrijven, waarin je laat zien dat je kritisch en creatief met je bronnen weet om te gaan.
Schrijf geen stukken tekst uit boeken en artikelen over, maar maak van je verzameld materiaal een logisch en samenhangend verhaal.

STAP 1
Begin je werkstuk met een inleiding

In de inleiding komen de volgende punten aan de orde:
a het onderwerp en waarom je voor dit onderwerp gekozen hebt;
b in grote lijnen de vraagstelling;
c de bronnen die je geraadpleegd hebt;
d een verklaring voor je hoofdstukindeling;
e de mate waarin jij vindt dat de doelstelling gehaald is;
f je persoonlijke beleving van het onderzoek.

De inleiding moet voor de lezer zo inspirerend zijn dat hij nieuwsgierig wordt en verder wil lezen. Overigens is het verstandig om de inleiding pas op het eind te schrijven.

STAP 2
Schrijf de verschillende hoofdstukken

Schrijf alle deelvragen op een apart blaadje. Gebruik die verzameling blaadjes als hoofdstukken of paragrafen. Zoek in je informatiemateriaal naar gegevens die op de deelvragen van toepassing zijn. Schrijf die op het desbetreffende blaadje. Geleidelijk werk je al je vragen af. Je antwoorden ontwikkelen zich tot paragrafen en de paragrafen worden hoofdstukken.
Maak daarna de definitieve hoofdstukindeling.
Let nog op de volgende punten:
a bouw ieder hoofdstuk logisch op, schrijf niet van de hak op de tak en voorkom herhalingen;
b schrijf korte zinnen met maximaal 25 woorden, schrijf in één tijd, bij voorkeur de tegenwoordige tijd en gebruik geen afkortingen;
c let op je spelling en probeer je taal zo eenvoudig mogelijk te houden. Je klasgenoten moeten je werkstuk zonder problemen kunnen lezen en begrijpen;
d zorg dat de titel van het werkstuk de inhoud ervan dekt, zoals ook de titel van elk hoofdstuk in overeenstemming moet zijn met de tekst van het desbetreffende hoofdstuk. Het is verstandig om pas op het eind een definitieve titel te bedenken. Dat hoeft overigens niet altijd een zakelijke, droge titel te zijn. Een spreuk of citaat kan soms ook heel goed de inhoud van een werkstuk weergeven.
e maak een schematisch overzicht van je tekst voordat je met het echte schrijven begint. Het schema van je tekst bepaalt mede de leesbaarheid. Je informatie komt over als die gemakkelijk uit de tekst te halen is. Een helder schema helpt daarbij.

STAP 3
Controleer of alles aan de orde is gekomen

Denk bij deze stap aan:
a de onderzoeksvraag, de deelvragen en de overwegingen die tot de onderzoeksvraag hebben geleid;
b een opsomming van wat al bekend is over het onderwerp, ook wat je aan het begin van het onderzoek als theorie aanneemt;
c een korte omschrijving van zaken zoals bijvoorbeeld de gevolgde onderzoeksmethoden, proefopstellingen en geraadpleegde instanties;
d de onderzoeksbevindingen zoals onder andere: meetgegevens, feiten uit literatuuronderzoek, verslagen van interviews en enquêteresultaten.

STAP 4
Formuleer de conclusie

Deze formuleer je nadat je de onderzoeksvraag nog eens herhaald hebt. De conclusie is gebaseerd op gegevens uit de voorgaande hoofdstukken. In dit deel van je verslag kun je geen nieuwe gegevens meer vermelden. Je kunt wel een uitspraak doen over de toekomst of over mogelijke oplossingen van de beschreven problemen. Hoewel het jammer zal zijn, kan het gebeuren dat je conclusie luidt dat je de vraag niet hebt kunnen beantwoorden. Een goede omschrijving van het onderzoek kan dan toch een bevredigend resultaat zijn.

STAP 5
Maak een bronnen- en eventueel begrippenlijst

Het is netjes te vermelden welke gegevens je niet zelf gevonden hebt. Je noemt de bronnen die je geraadpleegd hebt, zoals: een lijst van geraadpleegde boeken, een lijst van geïnterviewde personen, adressen van bezochte instanties, musea en archieven.
Het kan voor de lezer van je werkstuk prettig zijn als hij de omschrijving van een begrip kan opzoeken in een alfabetische lijst. Behalve een begrippenlijst kun je ook nog een register opnemen. Je zet achterin op alfabetische volgorde alle begrippen met een verwijzing naar de pagina('s) waar ze gebruikt worden.

STAP 6
Maak de inhoudsopgave

Wat staat er in je werkstuk en waar is het te vinden? Vergeet niet de pagina's te nummeren.

STAP 7
Maak een titelpagina

Op de titelpagina staan in elk geval de titel, je naam, je klas en de datum van afsluiting (of inlevering) van het werkstuk.

14

Het schrijven van een verslag naar aanleiding van een experiment (practicumverslag)

Toelichting

Een verslag moet je zó schrijven dat iemand die de experiment niet heeft uitgevoerd tóch begrijpt

- wat je hebt gedaan;
- wat de resultaten van de experiment zijn;
- wat je conclusies zijn;
- hoe de experiment exact nagedaan kan worden.

Dat betekent dat je heel netjes moet schrijven of een tekstverwerker gebruiken. Ook moet je goed letten op je taalgebruik: staat precies op papier wat je wilt vertellen?

STAP 1

Bepaal de titel van het experiment

Uit de titel moet al duidelijk worden waar het experiment over gaat. Je moet dus een titel bij het experiment verzinnen waaraan de lezer al kan zien met welk doel je het experiment hebt gedaan. Heel vaak kun je de titel gebruiken die ook al in het boek staat. Soms moet je deze iets veranderen of aanvullen.

STAP 2

Omschrijf de onderzoeksvraag van het experiment, de hypothese en de voorspelling van de uitkomsten op basis van de hypothese

Je probeert precies op te schrijven waarom je de experiment hebt uitgevoerd. Je maakt de lezer dus duidelijk wat je te weten wilde komen door de experiment uit te voeren. Dit noem je ook wel de onderzoeksvraag. Let erop dat je niet zo'n vraag opschrijft waarop je met ja of nee kunt antwoorden. Zoals: Bevat een kaars de elementen C en H? Nu leg je in de vraag al de conclusie. Beter zou zijn: Welke elementen bevat een kaars? Of: Onderzoek naar enkele bestanddelen van een kaars. Hier volgen nog enkele voorbeelden. Niet: Is er een verband tussen spanningen en stroomsterkte?, maar: Wat is het verband tussen spanningen en stroomsterkte?

Bij biologie kijk je vaak naar een complex geheel, bijvoorbeeld een watergemeenschap in de vijver of het gedrag van een dier. Probeer duidelijk te formuleren wat binnen dat geheel de onderzoeksvraag is, bijvoorbeeld: Wat is de invloed van licht op de groei van eendenkroos?

STAP 3

Beschrijf de uitvoering van de experiment

Nu moet je precies opschrijven hoe je de experiment hebt uitgevoerd, welke stoffen en apparatuur je hebt gebruikt, welk glaswerk nodig was enzovoorts. Je kunt hierbij verwijzen naar je boek als je de experiment precies zo hebt uitgevoerd als in het boek staat vermeld. Als je de experiment anders hebt uitgevoerd, moet je vermelden wát je anders hebt gedaan. Bij het verwijzen naar het boek moet je wel een correcte verwijzing geven: titel van het boek, druk, uitgever, bladzijde, nummer van de experiment.

Je kunt ook de uitvoering precies opschrijven; je beschrijft dan stap voor stap wat je hebt gedaan. Gebruik dan tekeningen om het verhaal te verduidelijken. Teken bij een ingewikkelde opstelling of schakeling een schematische weergave.

STAP 4

Beschrijf je waarnemingen en resultaten

Noteer wat je hebt waargenomen tijdens het doen van de experiment. Schrijf alleen dié waarnemingen op die relevant zijn! Relevant zijn alle waarnemingen die je helpen een antwoord te geven op de onderzoeksvraag.

Daarnaast beschrijf je de resultaten. Deze kun je vaak het beste weergeven in een tabel of grafiek, zie ook: het stappenplan *Grafieken en tabellen*. Let heel goed op de juiste notatie van eenheden!

Resultaten zijn bijvoorbeeld temperatuursmetingen die je hebt gedaan, een pH-meting, de spanning of het aantal blaadjes eendenkroos.

STAP 5

Schrijf de discussie

Met hetgeen je hebt waargenomen en de resultaten die je met de experiment hebt verkregen, moet je je conclusie(s) gaan trekken. De stap om met behulp van de resultaten te beredeneren wat je conclusie is, heet een discussie. Ook een berekening met behulp van de gegevens hoort dus bij de discussie thuis. Als de resultaten anders zijn dan verwacht, moet je proberen te verklaren waarom de resultaten die je hebt verkregen, afwijken.

Onder discussie laat je ook zien hoe je aan conclusies komt, bijvoorbeeld door een berekening. Hier hoor je ook eerlijk op te biechten of er tijdens de experiment iets fout ging en wat voor invloed dat op de resultaten kan hebben.

STAP 6

Formuleer je conclusies

Je gaat nu je antwoord formuleren op de onderzoeksvraag. Lees nog eens goed na wat je wilde onderzoeken. Met behulp van de resultaten kun je dan een conclusie trekken. Omdat je bij de resultaten hebt geschreven dat er bij een verbranding van kaars koolstofdioxide en water ontstaat, kan je conclusie zijn dat een kaars onder andere uit de elementen C en H bestaat.

STAP 7

Schrijf je verslag

Nu heb je in 6 stappen al het voorbereidende werk gedaan om een goed verslag te schrijven. In een verslag moeten altijd de volgende onderdelen vermeld worden:

- titel van de experiment (stap 1);
- datum: datum waarop de experiment is uitgevoerd;
- naam of namen: je eigen naam en die van de leerlingen met wie je de experiment hebt uitgevoerd;
- doel van de experiment (stap 2);
- uitvoering (stap 3);
- waarneming/resultaten (stap 4);
- discussie/conclusies (stappen 5 en 6);
- vragen bij de experiment: soms staan er in het boek nog vragen over de experiment. Deze kun je als laatste nog aan je verslag toevoegen.

15

Het houden van een voordracht

Toelichting

Het meest bekende voorbeeld van de voordracht is de spreekbeurt. Spreekbeurten komen op allerlei niveaus en in allerlei situaties voor: een leerling voor de klas, een minister op een partijbijeenkomst of een politieagent voor een groep studenten.

We onderscheiden de volgende soorten spreekbeurten/voordrachten:

1. Een *lezing*: nadruk op informatie. Bijvoorbeeld een lezing over het werk van W.F. Hermans.
2. Een *referaat*: nadruk op informatie met aan het slot vragen stellen en discussie. Bijvoorbeeld een referaat ter inleiding van een discussie over euthanasie.
3. Een *causerie*: informatie wordt op onderhoudende wijze gebracht. Bijvoorbeeld een causerie over Marco Borsato.
4. Een *betoog*: nadruk op stellingname en argumenten, vrijwel altijd gevolgd door (pittige) discussie. Bijvoorbeeld een betoog over de invoering van de doodstraf.
5. Een *speech*: altijd bij een gelegenheid. Bijvoorbeeld een speech bij bruiloft, begrafenis, jubileum en diploma-uitreiking.
6. Een *instructie*: de uitleg staat centraal. Bijvoorbeeld een instructie welke studierichtingen je kunt volgen na je havo of vwo.
7. Een *presentatie*: nadruk op informatie. Bijvoorbeeld een presentatie van een door jou verricht onderzoek.

Welk soort spreekbeurt/voordracht je ook houdt, je zult je degelijk moeten voorbereiden en ook de uitvoering moet goed zijn. Wanneer je een voordracht – in het vervolg plaatsen we alle soorten onder de noemer voordracht – moet houden, kun je het volgende stappenplan als leidraad gebruiken.

STAP 1

Stel vast voor welk publiek je een voordracht gaat houden

Stel vast wie je toehoorders zijn. Van welke voorkennis mag je uit gaan, welke leeftijd hebben ze, is het een heterogene of een homogene groep, wat voor opleiding hebben ze gevolgd etc.? Een groep klasgenoten spreek je anders toe dan een groep ouders.

STAP 2

Stel vast op welke plaats je gaat spreken

Bekijk van tevoren in welke zaal of welk lokaal je de voordracht gaat houden. Als dat niet mogelijk is, moet je er op een andere manier achterkomen wat de mogelijkheden en beperkingen zijn. In een grote zaal is een schoolbord eigenlijk niet te gebruiken, maar kun je wel werken met een overheadprojector of een diaprojector. Stel vast met welke hulpmiddelen je je voordracht kunt ondersteunen. Zie voor een juist gebruik van de hulpmiddelen stap 5.

STAP 3

Stel de opbouw en inhoud van je voordracht vast

Je moet de opbouw van je voordracht van tevoren vaststellen. In principe bestaat iedere voordracht uit minimaal drie onderdelen:

1 inleiding, introductie of start;
2 de eigenlijke voordracht, die uit diverse onderdelen zal bestaan;
3 slot.

Inleiding, introductie of start

Probeer je publiek direct te boeien, probeer direct de aandacht te trekken om die vervolgens vast te houden. De start van je voordracht moet je zo goed mogelijk voorbereiden. Er zijn diverse soorten openingen te bedenken. We geven enkele mogelijkheden.

- Begin met een prikkelende vraag of opmerking: 'Wilt u een miljoen verdienen?'
- Sluit aan op de actualiteit: 'De vliegramp van vorige week'.
- Sluit aan op de woorden van de inleider: 'De heer Te Slaa gebruikte zojuist'.
- Vertel een grappig, boeiend, prikkelend verhaaltje of een anekdote: 'Ik ken een arts die tijdens het opereren onwel werd'.

De eigenlijke voordracht

De doelstelling van je voordracht bepaalt de inhoudelijke structuur. Globaal onderscheiden we drie structuren:

1 Chronologische volgorde
Je doet verslag van een door jou verricht onderzoek. Je vermeldt onder andere de voorbereiding, de uitvoering en de rapportage.
2 Beginnen met de kern van de inhoud
Stel dat je een onderzoek hebt gedaan naar de mogelijkheden om het fileprobleem te verkleinen, dan begin je met het weergeven van je standpunt, hoofdgedachte of conclusie(s). Het grote voordeel hiervan is dat iedere toehoorder direct weet wat jouw standpunt is. Vervolgens licht je je standpunt toe met argumenten, feiten en voorbeelden. Je kunt je voordracht net zo uitgebreid of kort maken als je zelf wilt of als afgesproken is. Als je weinig spreektijd hebt, beperk je het aantal argumenten, feiten en voorbeelden. Je standpunt is immers toch al duidelijk. Deze opbouw wordt ook wel het uimodel genoemd: je begint met de kern en je voegt er steeds een laag aan toe.
3 Naar de kern toewerken
We nemen als voorbeeld het fileprobleem uit 2. Je somt een aantal mogelijkheden op om het fileprobleem te verkleinen. Je noemt hierbij steeds de voordelen en de nadelen. Je geeft voorbeelden.
Een handig hulpmiddel bij de voordracht is het maken van een tijdschema in blokken van twee minuten. Stel dat je voordracht tien minuten moet duren, dan maak je in feite vijf voordrachten van twee minuten. Vijf korte voordrachtjes kun je makkelijker voorbereiden, oefenen en uitvoeren dan één lange voordracht.

Slot

Aan het eind van je voordracht kom je met je standpunt en/of conclusie(s).

STAP 4

Bepaal welke hulpmiddelen je gaat gebruiken bij je voordracht

Om je voordracht te ondersteunen kun je gebruik maken van diverse hulpmiddelen. Spreek van tevoren af welke hulpmiddelen je gaat gebruiken en controleer of alles wat je wenst goed mogelijk is. Pas eventueel je middelen aan. We sommen enkele veelgebruikte mogelijkheden op en geven daar een toelichting bij.

De overheadprojector

De overheadprojector is een uitstekend hulpmiddel om afbeeldingen, schema's, overzichten, voorbeelden e.d. te laten zien. Sheets zijn gemakkelijk te maken en te gebruiken. Omdat veel mensen visueel zijn ingesteld, kunnen de sheets een belangrijke bijdrage leveren aan het overbrengen van je verhaal. Voor een optimaal gebruik van de overheadprojector moet je de volgende tips ter harte nemen:

- Zet de projector pas aan als je hem gebruikt. Zet hem uit als je hem niet nodig hebt.
- Gebruik een grote letter (24 pts). Het hoeven niet per se hoofdletters te zijn.
- Zet de sheets niet te vol. De toehoorders gaan dan zitten lezen en hebben dan minder aandacht voor jou.
- Dek geen delen van de sheet af. Dat leidt af en staat rommelig. Gebruik dan liever een sheet met (heel) weinig tekst.
- Toon geen ingewikkelde tabellen of grafieken. Maak juist overzichtelijke tabellen en figuren.
- Controleer van tevoren of de sheets op alle plaatsen goed te zien zijn.
- Praat nooit met je rug naar het publiek toe en met je gezicht naar het scherm (of de muur).

Flapovers

Als je geen gebruik kunt maken van een schoolbord zijn flapovers heel geschikt. Een voordeel van de flapover ten opzichte van de overheadprojector is dat je heel gemakkelijk kunt improviseren en dat je de voordracht stap voor stap kunt opbouwen.

STAP 5

Voer de presentatie uit

Na een grondige voorbereiding volgt de uitvoering. Hier volgen enkele regels die je in acht moet nemen:

a Maak een of meer schematische overzichten die je als spiekbriefje kunt gebruiken. Wellicht kun je die overzichten ook op sheet aan het publiek tonen. Dit kan het volgen van de voordracht vergemakkelijken.
b Met overbodige informatie verveel je je publiek, de aandacht verslapt dan. De kans bestaat dat de toehoorders niet meer aandachtig luisteren met als resultaat dat ook interessante gegevens niet overkomen.
c Kom niet met een stortvloed aan nieuwe gegevens. Probeer nieuwe gegevens te koppelen aan kennis die het publiek al bezit. Je verhaal is dan beter te volgen.
d Vermijd het opsommen van percentages en getallen, omdat niemand die kan onthouden. Enkele belangrijke cijfers kun je uiteraard wel noemen.
e Formuleer je zinnen goed. Wissel het spreektempo en de intonatie af, maar spreek niet te snel of te langzaam. Veel mensen hebben de neiging wat te snel te gaan praten, zodra ze een groep toespreken.
f Kijk je publiek aan. Als je erg zenuwachtig bent, kijk je maar over de hoofden heen om oogcontact te vermijden.
g Gebruik je hulpmiddelen deskundig, zie stap 5.
h Je mag niet voorlezen. Citaten en dergelijke natuurlijk wel. Leer niet alles uit je hoofd, dan ben je voortdurend bang de draad kwijt te raken en bovendien klinkt de voordracht dan niet natuurlijk.
i Rond je voordracht op een duidelijke manier af. Eventueel met een korte samenvatting en/of een conclusie.
j Probeer de aanwezigen op een originele manier te bedanken voor hun aandacht. In ieder geval niet met woorden als: 'Ik geloof dat ik klaar ben' of 'Dit was het dan'.
k Richt je bij het beantwoorden van vragen niet alleen op de persoon die de vraag heeft gesteld.
l Als er mensen zijn die storen, laat dan merken dat je er last van hebt. Bijvoorbeeld door ze aan te kijken. Blijven ze storen, spreek ze er dan op aan.

Je kunt je voordracht afsluiten door iets mee te geven in de vorm van een *handout*. Een handout betekent 'iets dat je uit de hand geeft'. Dat kan zijn een eenvoudig bundeltje A4-tjes met een samenvatting van je voordracht, een kopie van de overheadsheets, een keurig geniet boekje op A5-formaat of een brochure.

STAP 6

Evalueer de stappen 1 tot en met 5

Kijk terug op je voordracht en probeer de volgende vragen voor jezelf te beantwoorden.

1 Liep alles zoals je van tevoren gepland had?
2 Kwam je 'verhaal' goed uit de verf?
3 Wat zou je een volgende keer anders doen?

16

Het opstellen en presenteren van een poster

Een poster is bedoeld om een niet te groot onderzoek kort en bondig weer te geven. Een lezer uit hetzelfde vakgebied moet in staat zijn om de poster zonder uitleg te lezen. Een poster leent zich in het bijzonder voor het presenteren van onderzoeksresultaten. Het is het mooist als de resultaten grafisch zijn weer te geven.

STAP 1

Een poster is een verslag van een onderzoek in telegramstijl

Zie voor het schrijven van een onderzoeksverslag het daarbij behorende stappenplan. Zorg voor een minimum aan tekst.

Indeling van een poster:

- pakkende titel, met vermelding van de namen van de auteurs/onderzoekers;
- duidelijke inleiding (doel van het onderzoek);
- weergave van de belangrijkste resultaten (liefst grafisch);
- discussie, resulterend in een conclusie.

Een minimum aan tekst is noodzakelijk, omdat posters vaak samen met posters van andere onderzoekers gepresenteerd worden. Een voorbijganger moet dan snel een indruk van jouw verhaal kunnen opdoen. Een bladzijde vol met tekst nodigt niet uit tot lezen. Bij de meeste posterpresentaties zijn de makers van de poster aanwezig. Een geïnteresseerde voorbijganger kan dan altijd de discussie aangaan.

De inleiding moet bestaan uit een doel, het idee en zo nodig een uitleg van je werkwijze. De resultaten moet je overzichtelijk presenteren, bij voorkeur in een grafiek. Let er bij de discussie op dat je aangeeft hoe je tot je conclusie gekomen bent en dat de conclusie aansluit bij je titel en je doel.

STAP 2

Verdeel het vlak van de poster (symmetrisch) in gelijke delen

Kies bijvoorbeeld voor een indeling in vieren (2 bij 2) of in zessen (2 bij 3). Laat daarboven ruimte over voor titel en samenstellers. Maak niet te veel vlakken, omdat je dan een te klein lettertype moet kiezen. Een poster moet op een afstand van ongeveer twee meter nog goed leesbaar zijn. De keuze van je lettertype heeft een grote invloed op de leesbaarheid. Probeer bij twijfel uit met een klein stukje tekst.

STAP 3

Verdeel je verhaal over de gekozen vlakken

Houd de indeling logisch. Maak de tekst van je vlakken op een tekstverwerker en print het. Leg de vlakken neer zoals je ze op de poster wilt gaan plaatsen. Je kunt een poster in het klein maken en vervolgens op een kopieerapparaat uitvergroten (maximaal A3). Je kunt ook een groot gekleurd vel karton als achtergrond nemen en daar teksten en grafieken op kleinere (witte) velletjes opplakken. Let op een logische opbouw van je verhaal. Bekijk of je indeling een mooi, evenwichtig plaatje oplevert.

STAP 4

Breng accenten aan op de poster in wording

Gebruik vetgedrukt en kleuren voor je accenten. Gebruik niet te veel kleur. Houd ook het aantal kleuren beperkt. Bedenk dat vetgedrukt alleen effectief is als je er spaarzaam gebruik van maakt. Het is vaak handig om alleen kopjes vetgedrukt te maken. De titel moet natuurlijk in een groot en vet lettertype. Een korte titel, die de aandacht trekt is perfect. Probeer uit op je proefposter.

STAP 5

Maak nu de eindversie

Verander zo nodig je vlakken. Let op goed taalgebruik. Bedenk dat je zelf naast de poster staat om uitleg te geven. Maak een mooie uitdraai van de teksten, tabellen en grafieken. Plaats de titel en de samenstellers bovenaan de poster. Plak je vlakken op.

17

Beoordelen van je eigen werk

Beoordeel je eigen werk aan de hand van de volgende criteria; gebruik deze ook bij het beoordelen van het werk van anderen.

A Beoordelingscriteria practicum (objecten, observatiepractica):

- Je hebt een goede schets van het object gemaakt, waar je zelf wat aan hebt, die je kunt onthouden en die je aan een ander kunt uitleggen.
- Je hebt minstens de details die je moest opzoeken opgezocht, gezien en aangegeven in de schets.
- Je hebt een kort verslag over je observaties geschreven voor jezelf. Je kunt dat verslag zelf controleren aan de hand van een tekst (boek) over het object.
- Je hebt de handleiding/aanwijzingen/opdracht zo nodig verbeterd. Voeg deze verbeteringen aan je verslag en schets toe.

B Beoordelingscriteria experimentele practica:

- Je hebt goed uitgelegd waar het experiment over gaat en waarom je gedaan hebt wat je hebt gedaan. Hierbij is het niet toegestaan te zeggen "ik moest dit doen", want je moet duidelijk maken waarom het experiment relevant was om te doen en *waarom* bepaalde onderdelen of handelingen nodig waren.
- Je hebt op wetenschappelijke wijze beschreven wat je gedaan hebt (dus niet: "toen deed ik dit en toen deed ik dat").
- Je hebt deze beschrijving zo mogelijk geïllustreerd.
- Je hebt beschreven wat de resultaten van het experiment zijn.
- Je hebt beschreven welke conclusies er uit het experiment getrokken kunnen worden.
- Je hebt je werk door een medeleerling laten lezen en beoordelen.
- Je hebt aangegeven welke biologische kennis en inzichten je door het experiment geleerd hebt.
- Je hebt de handleiding zo nodig verbeterd en handige tips en aanwijzingen toegevoegd.

18

Het beargumenteren van een standpunt en het beoordelen van de argumentatie van een ander, met inbegrip van discussiëren

Doelstelling

Deze vaardigheid betreft het innemen, formuleren en beargumenteren van een standpunt. Daarbij gaat het niet alleen om je eigen standpunt maar ook om die van anderen. In beide gevallen moet worden nagegaan welke argumenten worden genoemd en hoe zwaar de verschillende argumenten in de redenering wegen. Ook de verschillen tussen feiten, meningen en vooroordelen komen aan de orde, net als de waarden en normen die aan zo'n standpunt ten grondslag liggen.

In het verlengde hiervan komen enkele vaardigheden aan bod die te maken hebben met het voeren van een discussie.

De discussievaardigheden hebben betrekking op het leveren van een inhoudelijke bijdrage aan de discussie door het inbrengen van eigen meningen, standpunten en argumenten en het reageren op de bijdragen van de andere deelnemers.

STAP 1

Geef een beschrijving van het onderwerp

Beantwoord de volgende vragen:

- Waar gaat het over?
- Wat zijn de belangrijkste feiten, begrippen en verbanden in het betoog?
- Wat is de opbouw van het verhaal?

STAP 2

Let op signaalwoorden

Een argumentatie kun je vaak herkennen aan het gebruik van woorden als: dus, daarom, want, immers, namelijk, derhalve, hieruit volgt, dit houdt in dat, concluderend, op grond hiervan, het is duidelijk dat enzovoorts. Ga na welke signaalwoorden in het verhaal voorkomen.

STAP 3

Formuleer het standpunt

Ga na welke stelling verdedigd wordt. Welk standpunt wordt door jou of door de schrijver/spreker ingenomen?

STAP 4

Formuleer de argumenten

Ga na welke uitspraken worden aangevoerd ter ondersteuning van het standpunt. Hoeveel argumenten zijn er?

STAP 5

Onderzoek de argumenten

Ga na of er een rangorde is te ontdekken in de argumenten. Is er een hoofdargument en/of zijn er een of meer ondergeschikte argumenten? Of wegen ze allemaal even zwaar?
Zijn de argumenten onafhankelijk van elkaar, dat wil zeggen ondersteunen ze elk zelfstandig het standpunt of ondersteunen ze elkaar? Beschrijf in hoeverre de argumenten controleerbaar zijn: gaat het om controleerbare feiten of bewijzen of gaat het om meningen en/of vooroordelen?

STAP 6

Onderzoek welke waarden, normen of opvattingen aan het standpunt ten grondslag liggen

Ga na welke waarden en normen een rol spelen in de argumentatie. Soms worden ze uitdrukkelijk genoemd en soms worden ze verzwegen. Ga na welke andere waarden en normen er mogelijk zijn.

STAP 7

Onderzoek de verschillende consequenties van de verschillende standpunten

Ga na welke consequenties een standpunt kan hebben voor jouw persoonlijk gedrag of dat van de spreker/schrijver, voor de samenleving als geheel of voor andere zaken.

Wanneer er vervolgens een discussie over de verschillende standpunten gevoerd wordt zijn stap 8 en 9 van belang.

STAP 8

Benoem als groep een voorzitter die de discussie leidt

De voorzitter heeft een belangrijke rol:

- hij bepaalt wie het woord krijgt;
- hij let op de deelnemers. Hij moedigt verlegen deelnemers aan als ze iets willen zeggen, hij remt veelpraters af. Aan de houding van deelnemers ziet hij wie het woord wil hebben;
- hij zorgt ervoor dat iedereen bij het onderwerp blijft;
- hij geeft regelmatig een samenvatting;
- als standpunten herhaald gaan worden, grijpt hij in. Hij merkt het op en vraagt of iemand nog nieuwe argumenten heeft.

De voorzitter geeft duidelijk het overstappen aan van de fase van beeldvorming: waar hebben we het over, wat heeft met het onderwerp te maken; naar de fase van meningsvorming: wat vindt iedere deelnemer, welke standpunten zijn mogelijk; en ten slotte – indien van toepassing – naar de fase van besluitvorming: hoe nemen we een besluit.

STAP 9

Voor de deelnemers: luister goed naar wat anderen zeggen en reageer op wat anderen zeggen

Blijf daarbij bij het onderwerp, maak een onderscheid tussen feiten en meningen, praat in de 'ik'-vorm en doe een voorstel van orde als volgens jou de discussie niet goed verloopt.

19

Het voeren van een debat

Toelichting

Bij de vaardigheid: Het beargumenteren van een standpunt en het beoordelen van de argumentatie van een ander, met inbegrip van discussiëren, worden de voorwaarden beschreven waaronder je goed met elkaar kunt discussiëren. Bij een discussie gaat het er om naar elkaars bijdragen in het gesprek te luisteren en daarop te reageren. Het debat is een speciale vorm van discussiëren. De deelnemers van het debat bestrijden op basis van argumenten elkaars standpunt over een stelling. Het debat verloopt volgens een bepaald, vastliggend patroon. De bedoeling van het debat is dat de verschillende standpunten over een onderwerp duidelijk worden.
Een stelling moet altijd duidelijk en voor maar één uitleg vatbaar geformuleerd worden. Anders loop je het risico dat je over verschillende standpunten praat. Een stelling is een uitspraak over een onderwerp of over een persoon. Een stelling moet discutabel zijn, dat wil zeggen dat de meningen erover verdeeld zijn. Anders valt er niets te discussiëren.
Een debat verloopt volgens een bepaalde structuur. Er zijn drie ronden. In de eerste ronde wordt door beide partijen hun standpunt over de stelling naar voren gebracht. In de tweede ronde mogen de twee partijen op elkaars argumenten reageren. In de slotronde geeft elke partij een samenvatting van zijn standpunt of vat de gespreksleider de discussie samen.
Naast de debaters is er een onafhankelijke gespreksleider, die er op toeziet dat de regels van het debat nagevolgd worden. Dan is een tijdwaarnemer nodig, een jury, een aantal verslagleggers en natuurlijk het publiek.

Rol gespreksleider

- leidt het debat in.
- ziet er op toe dat de spelregels worden nageleefd. Daarbij wordt hij/zij ondersteund door de tijdwaarnemer.
- geeft de mensen het woord.
- is verantwoordelijk voor het goed verlopen van het debat zonder zelf aan het debat en de discussie deel te nemen.

Rol van de tijdwaarnemer

- houdt voor de gespreksleider de tijd in de gaten.

Rol van de verslagleggers

- zorgen er voor dat er twee borden zijn voor de eerste ronde .
- verslaglegger een schrijft de argumenten voor op het bord.
- verslaglegger twee schrijft de argumenten tegen op het andere bord.

Rol van de juryleden

- Eerste ronde: schrijven de argumenten voor en tegen op en vergelijken ze met die van de verslagleggers.
- Tweede ronde: noteren in trefwoorden de discussie en bekijken na afloop welke argumenten van de voorstanders en van de tegenstanders ontkracht zijn en welke niet.
- noteren welke spreker de beste argumenten gebruikte? (Het gaat er niet om of je het eens bent met de spreker)
- noteren welke drogredenen in het vuur van het debat gebruikt zijn.
- noteren de argumenten die zijn blijven liggen.

STAP 1

Bepaal waarover gedebatteerd gaat worden.

STAP 2

Formuleer de stelling.

STAP 3

Bereid in groepjes van drie het debat voor. Verzamel zoveel mogelijk argumenten voor en tegen de stelling. Bepaal de drie belangrijkste argumenten voor de stelling. Doe hetzelfde met de tegenargumenten. Kies of jullie groepje de stelling willen verdedigen of willen aanvallen.

STAP 4
Bepaal in overleg met jullie docent welk groepje van drie de stelling gaat verdedigen en welk groepje tegen de stelling in zal gaan. Alle pro-groepjes en alle contra-groepjes bedenken nu hoe ze straks op de argumenten van hun tegenstanders zouden kunnen reageren. Elke groepje legt deze reactie op de tegenstander voor zichzelf vast.

STAP 5
Er worden een gespreksleider, een tijdwaarnemer ten behoeve van de gespreksleider en twee verslagleggers bepaald. De overige groepsleden vormen de jury.

STAP 6
Het lokaal wordt ingericht voor het debat.

STAP 7
De debaters krijgen tien minuten de tijd om hun eerste ronde voor te bereiden.

STAP 8
De gespreksleider leidt het debat in en bespreekt de spelregels.

STAP 9
De eerste ronde van het debat; duur zes minuten.
Ieder trio krijgt 3 minuten. Elke debater krijgt een minuut de tijd om zijn standpunt met één argument te verdedigen. Eerst komen de voorstanders van de stelling. Daarna de tegenstanders.
Opmerking: Het is uitdrukkelijk niet de bedoeling om op elkaars standpunten te reageren. Dat gebeurt in de tweede ronde. Wel is het handig om de argumenten van de tegenstanders te noteren.

STAP 10
De verslagleggers presenteren in het kort de aangevoerde argumenten pro en contra. De gespreksleider ziet erop toe dat er in geval van onduidelijkheid, voor helderheid wordt gezorgd.

STAP 11
De tweede ronde van het debat; duur tien minuten.
De gespreksleider leidt de tweede ronde in. De debaters gaan gedurende tien minuten op elkaars argumenten in. De sprekers mogen voor hun groepje tweemaal een time-out vragen van 1 minuut. Elke spreker komt aan het woord. Als je het woord wilt voeren, geef je dat aan door je hand op te steken.

STAP 12
De gespreksleider sluit de tweede ronde af en leidt de laatste ronde in.

STAP 13
De derde ronde van het debat; duur vier minuten
Elk debattrio krijgt twee minuten om een samenvatting van hun standpunt en hun argumenten te geven.

STAP 14
Na het debat volgt een plenaire discussie. De juryleden, de verslagleggers en de tijdwaarnemer zijn nu publiek geworden. De gespreksleider vraagt eerst aan oud-juryleden om hun commentaar op het debat (welke argumenten zijn ontkracht?/welke argumenten waren het best?/welke drogredenen werden gebruikt?/zijn er argumenten blijven liggen? Steek steeds je hand op als je iets wilt zeggen. Daarna volgt de discussie tussen publiek de debaters. De gespreksleider rondt de discussie af met een korte samenvatting.

Opmerking: Je kunt voor het debat het aantal voor- en tegenstanders van de stelling peilen. De peiling kan herhaald worden na afloop van de derde ronde en/of na afloop van de plenaire discussie.

Bewerking van 'MILIEU en DEBAT', Greet van Winkel, Hogeschool van Utrecht, Faculteit educatieve opleidingen, vakgroep Nederlands

20
Lezen van een figuur

STAP 1
Oriëntatie
- Bekijk snel de getekende figuur of grafiek.

STAP 2
Wat wil de tekenaar laten zien?
- Lees het korte figuurbijschrift.
- Zoek het stuk tekst op dat de figuur beschrijft.
- Herleid uit het stuk tekst of de figuur een structuur (structuren), een proces (processen) of beiden of een werkwijze moet weergeven. Schrijf dit op je kladje.
- Schrijf op een kladje wat de tekenaars met de figuur duidelijk willen maken.

STAP 3
Hoe wil de tekenaar dat laten zien?
- Schrijf op het kladje welke structuren, processen of welke werkwijzen in de figuur getekend staan.
- Schrijf op het kladje een uitleg bij de figuur die als figuuronderschrift zou kunnen dienen.
- Geef aan welke stappen of welke aanwijzingen in de figuur ontbreken.
- Bedenk een vraag die je aan het eind van de presentatie van de figuur zou kunnen stellen aan de groep luisteraars om te controleren of ze jouw uitleg begrepen hebben. Schrijf deze vraag op het kladje.

21
Zoeken op het internet

Inleiding
Het wereldwijde spinnenweb = World Wide Web (WWW), is een term voor het geheel van internetsites over de hele wereld. Omdat ze aan elkaar te koppelen zijn spreekt men van een spinnenweb op wereldschaal.
De meeste tijd op internet zul je – zeker in het begin – kwijt zijn aan zoeken naar interessante en bruikbare websites (= webadressen) en webpagina's (documenten die zich in de websites bevinden). Er zijn zo ontzettend veel sites en pagina's dat je vaak door de bomen het bos niet meer ziet.
Zoeken op het WWW is door de enorme aanbod bijna een specialisme geworden. Er bestaan gelukkig speciale zoekprogramma's, de zogenaamde zoekmachines, die voor jou op zoek gaan. Zoekmachines zijn eigenlijk niet meer dan trefwoordregisters die verwijzen naar webpagina's (documenten). Deze registers worden van informatie voorzien door computerprogramma's (met de bijnamen: "crawlers", "spiders", of "worms") die de hele dag niets anders doen dan het web doorkruisen en pagina's indexeren.

STAP 1
Iets vinden zonder zoekmachine
Soms kun je op een eenvoudige manier een website vinden zonder een zoekmachine te gebruiken. Dat kan wanneer je de juiste naam (= adres) van de website of webpagina al hebt. Een andere manier is om de (bedrijfs)naam in te typen met daarachter de letters 'nl'. Soms mislukt dat omdat het webadres ingewikkelder is of omdat het bedrijf (nog) geen webadres heeft.
In veel gevallen lukt het wel.
Bijvoorbeeld:
http://www.schiphol.nl
http://www.dixons.nl
Buitenlandse bedrijven hebben in plaats van 'nl' nogal eens de letters 'com' achter hun naam staan:
http://www.disney.com
http://www.maxis.com

STAP 2
Iets vinden met zoekmachines
Schakel een van de onderstaande zoekmachines in om naar je onderwerp te zoeken. Dat doe je door 'zoeken' aan te klikken op de werkbalk in het venster van Netscape Navigator of Microsoft Internet Explorer. Je krijgt dan een lijstje met zoekprogramma's gepresenteerd en je kunt een keuze maken.

Veel gebruikte buitenlandse zoekmachines zijn:
Altavista: http://www.altavista.com/ (aan te bevelen)
Yahoo!: http://www.yahoo.com (aan te bevelen)
Webcrawler: http://www.webcrawler.com
HotBot: http://www.hotbot.com
Lycos: http://wwwenglish.lycos.com/
Infoseek: http://www.infoseek.com

Er zijn natuurlijk ook Nederlandse zoekmachines:
ILSE: http://www.ilse.nl (aan te bevelen)
Vindex: http://www.vindex.nl(aan te bevelen)
Search.NL: http://www.search.nl
NL menu: http://www.nlmenu.nl/
Zoek.nl: http://www.zoek.nl
Vindin: http://www.vindin.nl
Track: http://www.track..nl

STAP 3
Welke woorden type je in bij het zoeken met zoekmachines?
Wanneer je op zoek gaat moet je het onderwerp waar je naar zoekt zo duidelijk mogelijk omschrijven. Soms heb je aan één woord genoeg. Het zoekprogramma vergelijkt dat woord met alle tekst dat bij dat zoekprogramma bekend is. Na het zoeken verschijnt een lijst op het scherm. Klik je die één voor één aan dan verschijnt telkens de bijbehorende site of pagina.

Wanneer je werkt met een Nederlands zoekprogramma kun je volstaan met een Nederlands trefwoord. (Je vindt dan ook Vlaamse en Zuid-Afrikaanse pagina's!). Bij buitenlandse zoekprogramma's zul je een combinatie van twee of drie Engelse woorden moeten geven, anders krijg je teveel mogelijkheden (een lijst met 150.000 zoekresultaten is geen uitzondering, maar natuurlijk ondoenlijk om door te werken!).
Gebruik bij het opgeven van zoekcriteria een van de volgende woorden:

- 'and' (soms wordt het teken '+' gebruikt; voor Nederlandse zoekmachines vaak: 'en')
  Voorbeeld: 'olifanten and Afrika': Hiermee krijg je verwijzingen naar webpagina's waarin beide woorden voorkomen. De documenten zullen vooral gaan over Afrikaanse olifanten.
- 'or' (voor Nederlandse zoekmachines vaak: 'of')
  Voorbeeld: 'olifanten or Afrika': Hiermee krijg je verwijzingen naar webpagina's waarin het woord olifanten voorkomt en verwijzingen waarin het woord Afrika voorkomt. De documenten zullen gaan over olifanten en over allerlei onderwerpen over Afrika. Let op: je krijgt hier dus veel meer mogelijkheden dan bij 'and'.
- 'not' (soms wordt het teken '-' gebruikt; voor Nederlandse zoekmachines vaak: 'niet')
  Voorbeeld: 'olifanten not Afrika': Hiermee krijg je verwijzingen naar webpagina's waarin het woord olifanten voorkomt, maar zonder dat het woord Afrika er in voorkomt. De documenten zullen bijvoorbeeld gaan over olifanten in het algemeen of over Indische olifanten.
- het gebruik van een * (sterretje): Het sterretje kan je gebruiken indien je bijvoorbeeld niet alleen naar (het meervoud) 'olifanten' zoekt maar ook naar (het enkelvoud) 'olifant'. Je typt dan: 'olifant*'. Alle woorden die beginnen met 'olifant-' worden nu gezocht; bijvoorbeeld olifantskudde, olifantstand enzovoort.
- je kunt ook zoeken door middel van: "..." , dus het woord tussen aanhalingstekens plaatsen.
  Voorbeeld: "Afrikaanse olifant": Hiermee krijg je verwijzingen naar webpagina's waarin de twee woorden Afrikaanse olifant in die volgorde naast elkaar voorkomen.
- 'help' Wanneer je er niet uit komt kan het zoekprogramma zelf helpen: bijna elke zoekmachine heeft wel een pagina met uitleg. Klik op het woord 'help'.
- gebruik in een zoekopdracht nooit woorden als 'het', 'een', 'de', 'van', 'in' enzovoort.

STAP 4
Werken met 4 Meta-zoekmachines
Je kunt ook een aantal zoekmachines tegelijkertijd laten doorzoeken door gebruik te maken van zogenaamde META ENGINES. Het grote voordeel hiervan is dat je je zoekopdracht maar een keer hoeft in te typen en dat je in een klap vaak 10 of meer indexen en databases tegelijk doorzoekt. Een META-zoekmachines kan echter slechts eenvoudige zoekopdrachten verwerken en bovendien krijg je maar een globaal beeld van de beschikbare documenten.
De beste META zoekmachines zijn:
Metacrawler: http://www.metacrawler.com
ProFusion: http://www.profusion.com/

Een bijzondere META zoekmachine is Ask Jeeves:
http://www.askjeeves.com
Je kunt in Ask Jeeves je vragen in gewoon Engels stellen!

STAP 5
Werken met gidsen (directories of indexen)
Op de sommige websites kan je zoeken in een databestand met verwijzingen naar de webpagina's die op onderwerp zijn gerubriceerd. Zo'n databestand wordt gids of ook wel index of directory genoemd. De gidsen met de onderwerpen zijn door een redactie ingedeeld en samengesteld. Ze kunnen ook doorzocht worden met een zoekmachine. De zoekmachine van zo'n gids met verschillende onderwerpen zoekt alleen in het eigen gegevensbestand en niet het bestand van trefwoorden van het gehele WWWeb.
Bij elke stap kies je een nieuwe rubriek, zodat je van heel algemeen, stap voor stap, naar een specifiek onderwerp gaat. Ben je bijvoorbeeld op zoek naar informatie over olifanten en maak je gebruik van de gids Yahoo dan maak je de volgende stappen: science > biology > zoology > animals, insects and pets > mammals > elephants > 19 documenten over olifanten..
De volgende websites bevatten dit soort gidsen:
LookSmart: http://www.looksmart.com
EdView Smart Zone: http://www.school.edview.com/search/
Magellan: http://www.mckinley.com
Yahoo: http://www.yahoo.com
G.R.A.D.E.S. Best K12 Internet Links: http://www.classroom.net/Grades/

STAP 6
E-mail adressen zoeken
Er zijn meerdere manieren om op zoek te gaan naar nationale en internationale e-mail adressen. Veel mensen maken hun e-mail adres niet openbaar omdat ze bijvoorbeeld bang zijn voor ongewenste reclame of grote berichten die hun elektronische postbus verstoppen.
Er bestaan gidsen met e-mail adressen. Ook op internet zijn enkele gidsen beschikbaar:
http://www.whowhere.com
http://www.four11.com
http://www.linkonline.nl

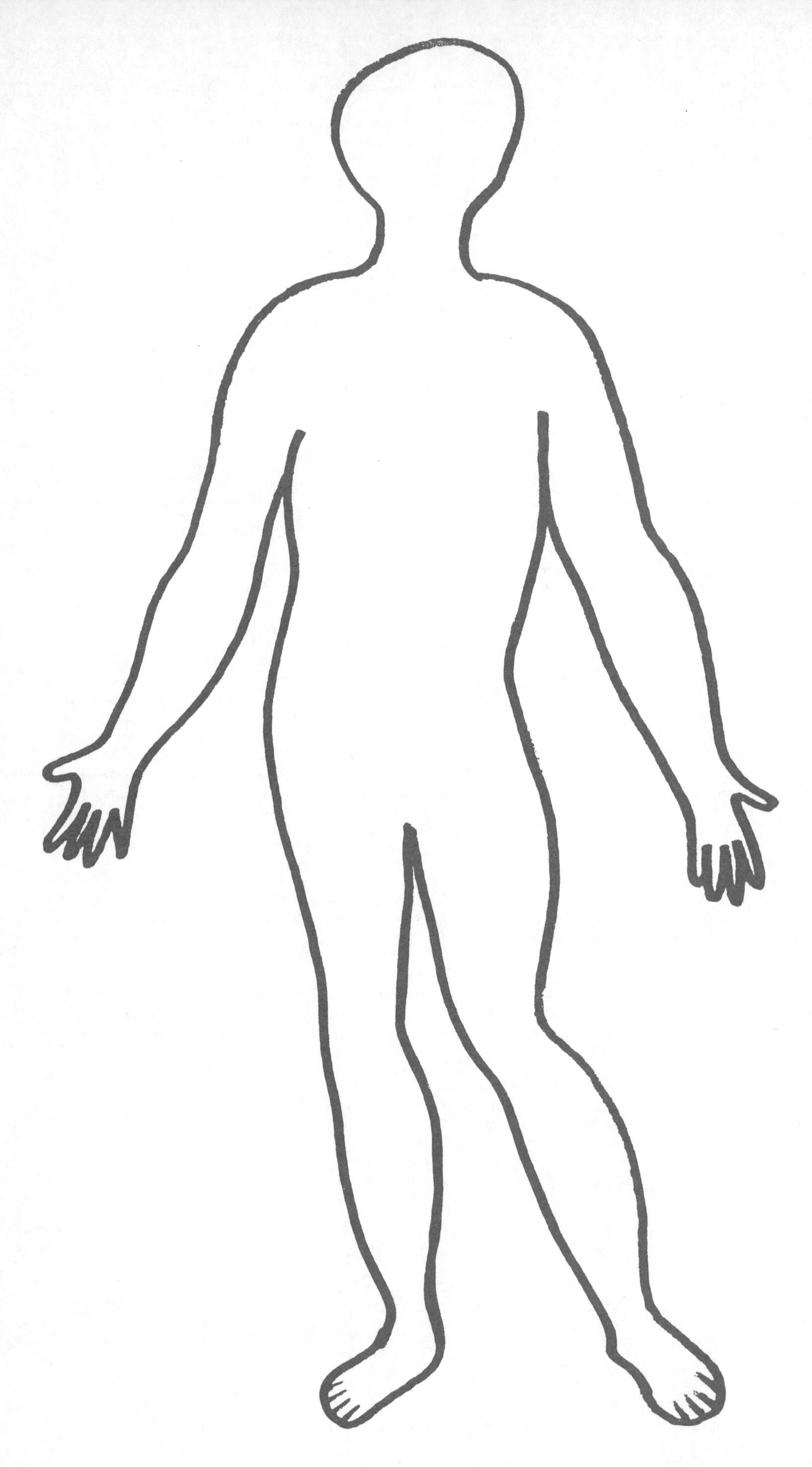

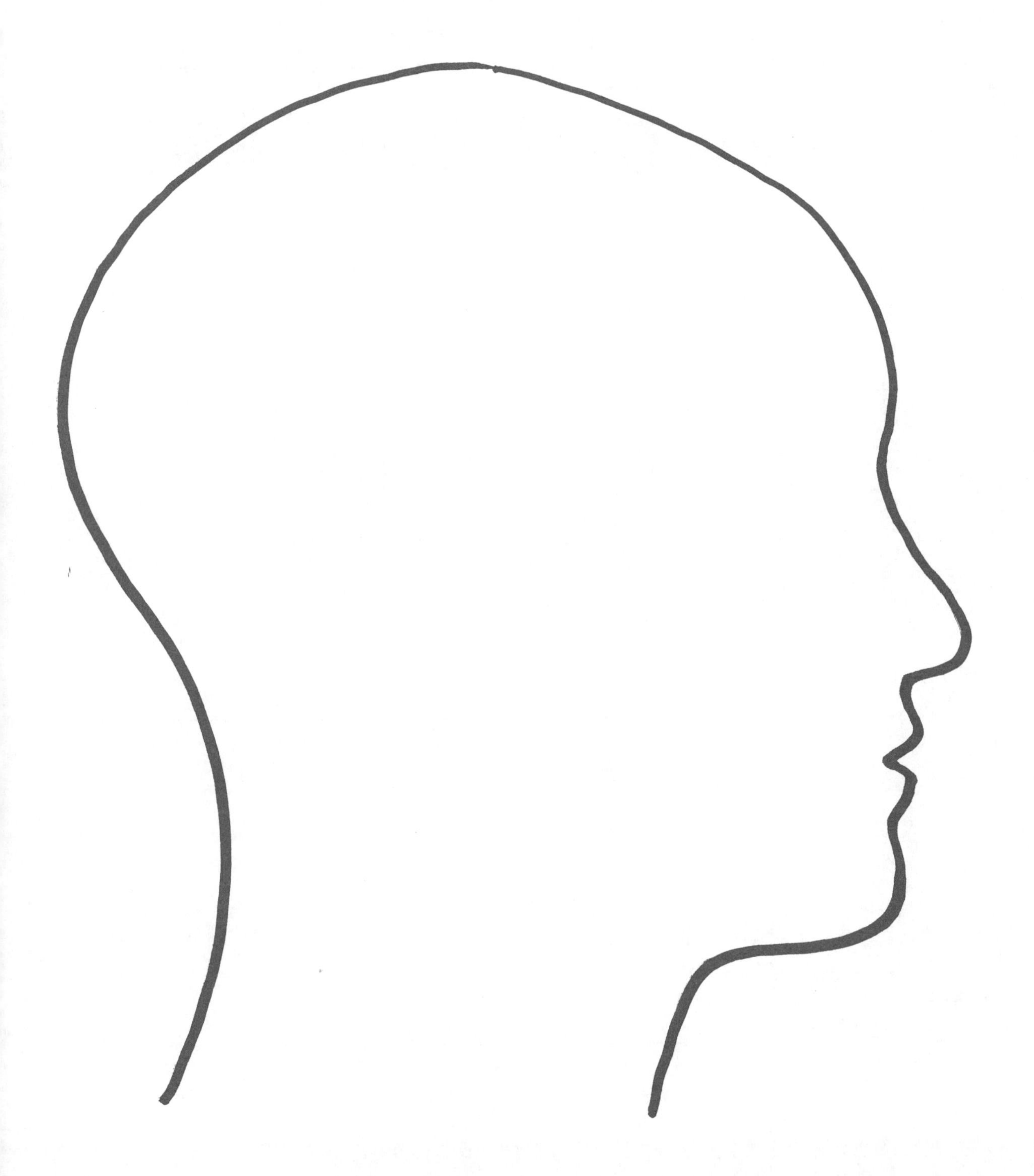

PLANNER

Week 1

Lesuur	*Wat*	*Waar*	*Met wie*

Week 2

Lesuur	*Wat*	*Waar*	*Met wie*

Week 3

Lesuur	*Wat*	*Waar*	*Met wie*

Week 4

Lesuur	*Wat*	*Waar*	*Met wie*

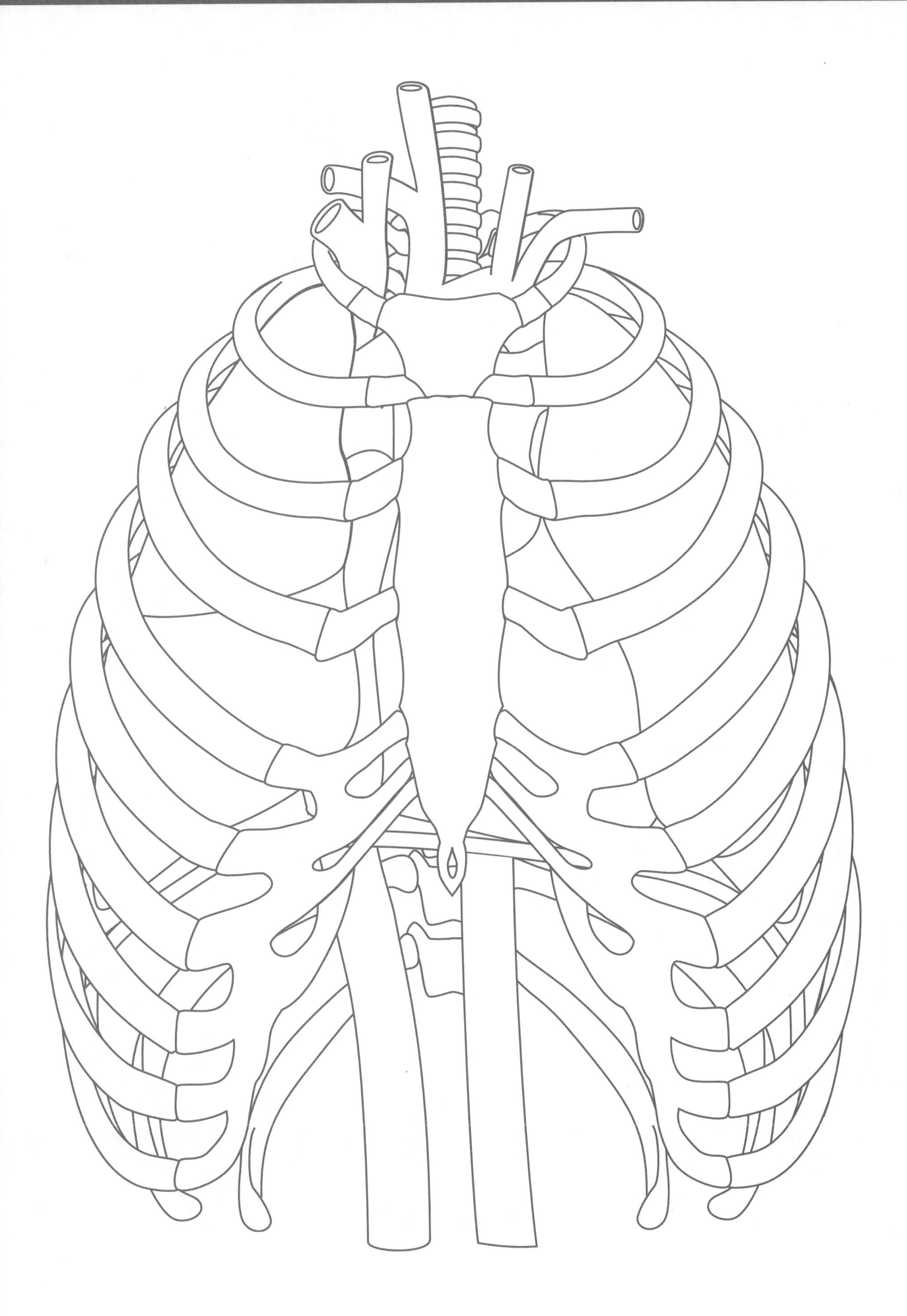

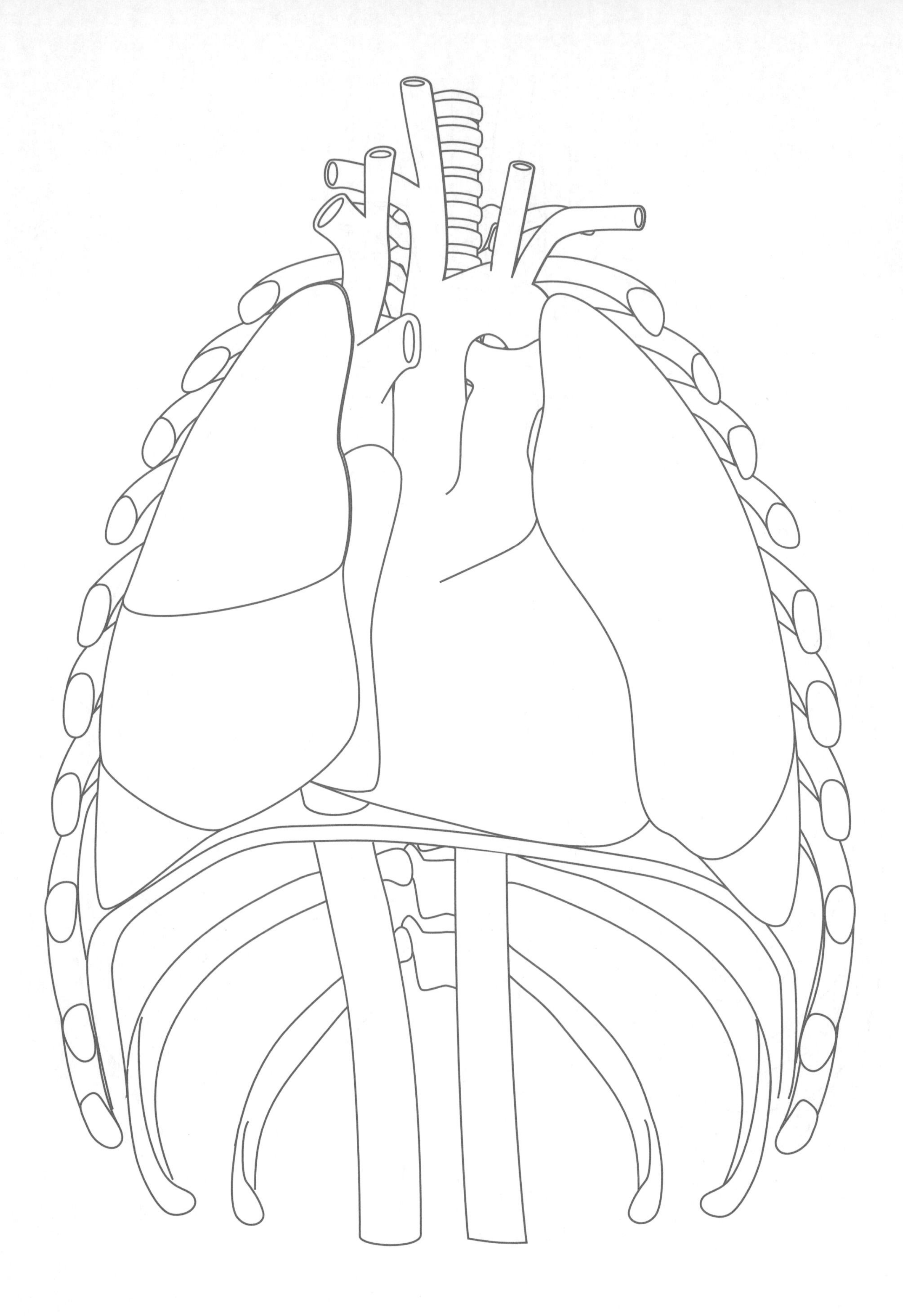

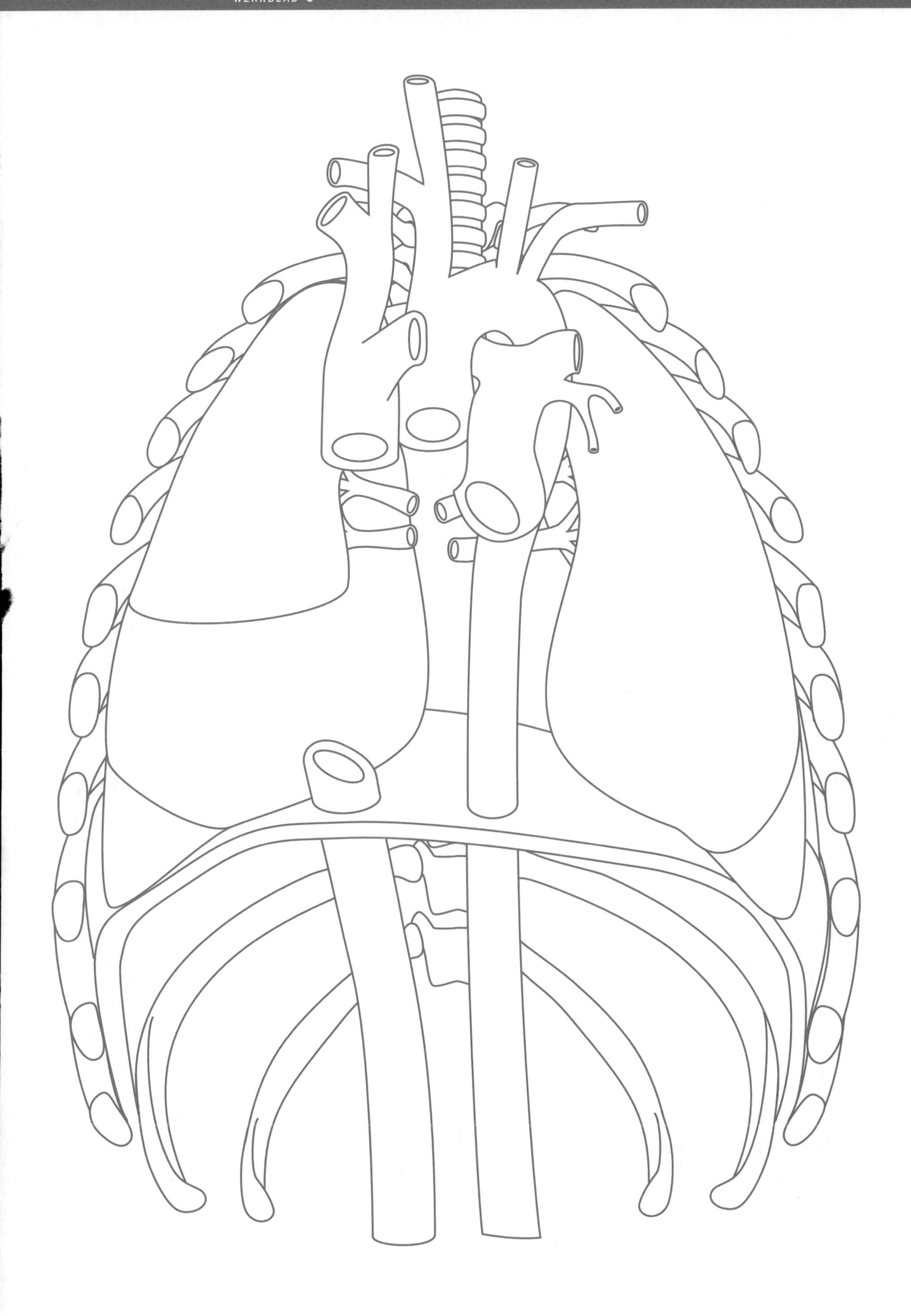

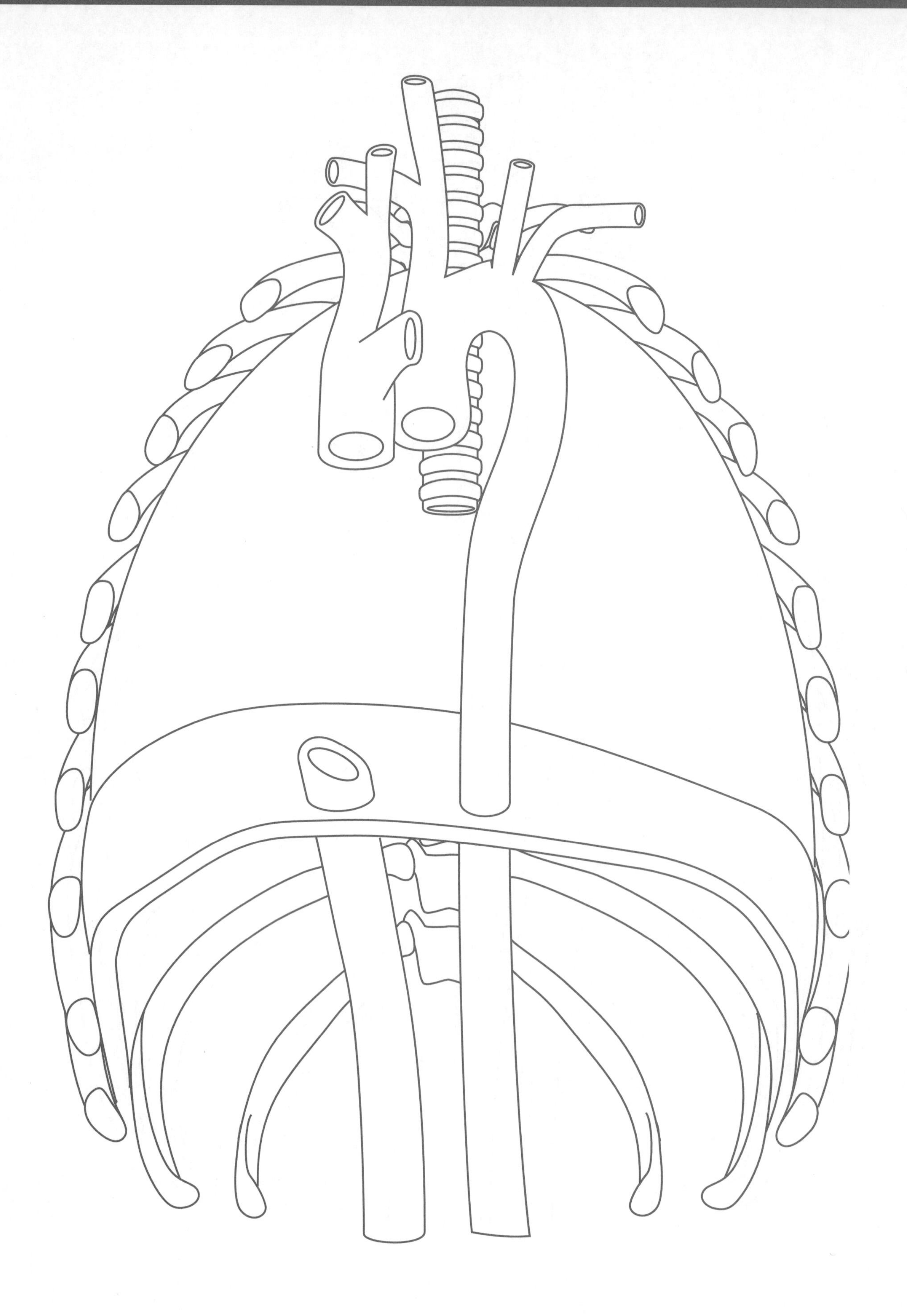